ARTE, LITERATURA E OS ARTISTAS

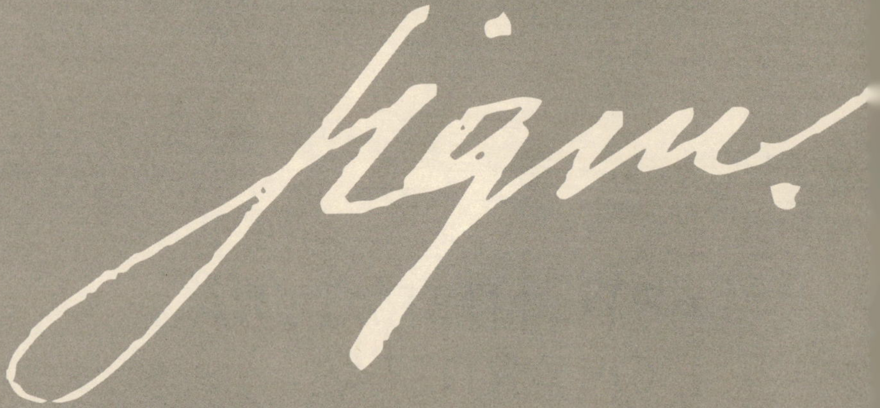

OBRAS INCOMPLETAS DE **SIGMUND FREUD**

Freud

ARTE, LITERATURA
E OS ARTISTAS

1ª edição
5ª reimpressão

TRADUÇÃO
Ernani Chaves
REVISÃO DE TRADUÇÃO
Pedro Heliodoro Tavares
REVISÃO TÉCNICA
Gilson Iannini

autêntica

7 Prefácio: O paradigma estético de Freud
Ernani Chaves

ARTE, LITERATURA E OS ARTISTAS

43 Trecho do *Manuscrito N*, anexo à carta a Fliess, de 31 de maio de 1897

45 Personagens psicopáticos no palco (1942 [1905-06])

53 O poeta e o fantasiar (1908)

69 Uma lembrança de infância de Leonardo da Vinci (1910)

167 O motivo da escolha dos cofrinhos (1913)

183 O Moisés, de Michelangelo (1914)

221 Transitoriedade (1916)

227 Alguns tipos de caráter a partir do trabalho psicanalítico (1916)

259 Uma lembrança de infância em *Poesia e verdade* (1917)

273 O humor (1927)

283 Dostoiévski e o parricídio (1928)

307 Prêmio Goethe (1930)

317 Posfácio: Faróis e enigmas – Arte e Psicanálise à luz de Sigmund Freud
Edson Luiz André de Sousa

PREFÁCIO
O PARADIGMA ESTÉTICO DE FREUD

Ernani Chaves

Os textos aqui reunidos, à exceção daquele sobre a *Gradiva* de Jensen e do famoso texto sobre o *Unheimliche*, que serão publicados em volumes separados, constituem a totalidade dos escritos de Freud sobre literatura, artes e artistas. Vistos no seu conjunto, eles abarcam um período extremamente significativo da obra de Freud, desde a referência que aparece no *Manuscrito N*, anexado a uma carta a Fliess, de 31 de maio de 1897 até o discurso de agradecimento ao Prêmio Goethe, publicado pela primeira vez em 1930. Isso não significa, evidentemente, que após esse período Freud tenha deixado de se interessar por esse tema ou que deixou de mencioná-lo em sua obra. O que ele, de fato, deixou de fazer foi escrever algo específico sobre o assunto. Deixemos de lado qualquer especulação, por mais importante que ela possa parecer, do porquê desse silêncio após 1930. O importante, ao contrário, é ressaltar a importância, para o próprio Freud, do tema da criação artística e do efeito das obras de arte sobre o espectador.

Dos inúmeros testemunhos a respeito do apreço de Freud pelo tema, relembro apenas um, muito especial, por ser o de Max Graf, crítico musical vienense e também judeu que participou ativamente das reuniões das

"Quartas-Feiras", na casa de Freud. Graf, que passou à história da Psicanálise muito mais por ser o pai do "Pequeno Hans", foi o fiel depositário do primeiro dos escritos de Freud sobre o assunto, "Personagens psicopáticos no palco", que ele publica com a anuência da família de Freud, numa tradução inglesa, apenas em 1942, o mesmo ano em que emigrou para os Estados Unidos. Sobre essa questão, ele diz: "Freud foi uma das pessoas mais cultivadas que conheci. Ele conhecia todas as obras mais importantes dos escritores. Conhecia os quadros dos grandes artistas, que tinha estudado nos museus e igrejas da Itália e da Holanda" (GRAF, 1993, p. 33). Entretanto, logo em seguida, Graf acrescenta um julgamento a respeito desse interesse de Freud por escritores e artistas, que passou a constituir uma espécie de lugar-comum na recepção posterior: "A despeito de suas inclinações artísticas e da natureza romântica de sua exploração do inconsciente, era o próprio tipo do praticante das ciências naturais. Sua análise do inconsciente era racionalista. Levar o inconsciente à consciência, o método que ele inventa, a transformação dos afetos – ele efetua tudo isso pelo raciocínio e se assegura de sua dominação pelo raciocínio. Freud não esperava nada da metafísica. Não era sensível à filosofia. Frequentemente, chegava a ser surpreendente a que ponto ele rejeitava, violentamente, a metafísica".

Se, por um lado, Graf não deixou de reconhecer as "inclinações artísticas" de Freud, seu vasto conhecimento da literatura, em especial, mas também seu interesse pela pintura, por outro, recorrendo a sua proximidade com Freud, não deixou de fazer a partilha entre arte, ciência e metafísica. Desse modo, ao acentuar que o interesse maior de Freud era a ciência – e nos restam alguns testemunhos do próprio Freud que sustentam essa convicção – não deixou de presumir que os textos que surgiram das "inclinações artísticas" de Freud não poderiam ocupar um lugar central em sua obra. Eles até decorriam da importância que tinha, para Freud, a aplicação de seu método aos mais variados domínios da vida psíquica, de tal modo que essa múltipla aplicação constituía no fundo uma "unidade" (GRAF, 1993, p. 24), uma espécie de "sistema", poder-se-ia acrescentar. Graf, é bem verdade, não deixa de destacar que "Freud era particularmente cuidadoso ao submeter a tragédia à investigação psicanalítica" e mesmo ao estabelecer, com justa razão, uma ligação entre "Personagens psicopáticos no palco" e *A interpretação do sonho* (GRAF, 1993, p. 25). Entretanto, ao final, essas "inclinações" pertenciam ao imaginário romântico de Freud e ocupavam um grau abaixo de seu verdadeiro espírito, o de cientista.

O texto de Graf já refletia, por sua vez, um conjunto de questões, problemas e críticas que os escritos de Freud sobre arte suscitaram. As análises que relacionavam a criação artística às experiências traumáticas dos artistas, em especial à sua sexualidade e ao Complexo de Édipo, desencadearam o fortalecimento de um gênero já existente desde o final do século XIX, as "patografias", nas quais as obras de personagens célebres, sejam escritores como Baudelaire ou filósofos como Nietzsche, eram examinadas à luz de um estudo médico-psiquiátrico de seus respectivos autores. Um exemplo clássico da aliança entre patografia e Psicanálise, por exemplo, é o livro de René Laforgue, *O fracasso de Baudelaire: um estudo psicanalítico sobre a obra de Charles Baudelaire*, publicado em 1931. Laforgue, que passa à história da Psicanálise como o primeiro a abrir um consultório em Paris, associava os impasses, as tensões, a escolha dos temas na obra de Baudelaire a uma espécie de má resolução de Complexo de Édipo de seu autor.

Entretanto, bem antes de Laforgue, Ernst Jones já havia publicado, em 1910, no *The American Journal of Psychology*, uma primeira versão de seu "Hamlet e o complexo de Édipo", publicado como livro, numa versão bastante aumentada, apenas em 1949. Em 1933, por sua vez, Marie Bonaparte publicava seu volumoso "estudo psicanalítico" sobre Edgar Allan Poe, no qual vida e obra se interpenetravam completamente. Finalmente, cabe ressaltar, que dentre os pertencentes ao círculo íntimo de Freud, como o foram Jones e a Princesa Marie, Otto Rank ocupa não apenas um lugar proeminente como aquele que mais se interessou pelas relações entre arte e Psicanálise, tendo publicado cerca de nove livros sobre o assunto, desde *O artista*, de 1907, mas também por ter sido referido com frequência por Freud, como o mostra um texto da importância do *Unheimliche*.

Se me refiro a alguns dos discípulos mais próximos é apenas para destacar o quanto as ideias de Freud os instigaram a realizar estudos nesse campo. O que significava que eles perceberam, de imediato, a importância que o próprio Freud dava ao assunto. Entretanto, por mais que esses estudos, incluindo o de Laforgue, se pautassem numa leitura intensa dos escritos de Freud, eles não impediram a vulgarização dessas ideias. Desse modo, a articulação feita por Freud entre vida e obra do escritor ou do artista foi acusada de reduzir a obra à neurose de seu autor e, com isso, ignorar a autonomia própria à obra, à sua forma, criando assim um sério obstáculo a sua leitura e compreensão. Se Graf reduziu a preocupação de Freud à sua "imaginação romântica", o julgamento da posteridade foi muito mais radical: Freud havia se equivocado completamente e, por isso, deveríamos manter distância desses textos, mesmo que seja um afastamento respeitoso.

Ora, mas foi justamente em uma sessão da "Sociedade das Quartas-Feiras", a de 11 de dezembro de 1907, que Max Graf fez uma exposição acerca da "psicologia dos escritores" e, na discussão que se seguiu, a posição de Freud em relação às patografias foi muito clara: "A Psicanálise – disse ele – merece ser colocada acima da patografia, pois ela inquire acerca do processo de criação. Todo escritor pode ser objeto de uma patografia, mas esta não nos ensina nada de novo" (*Minutes...*, 1976, p. 257 ss.; *Wiener...*, 2008). Ao contrário, portanto, do que se costuma dizer, o interesse de Freud não foi, como no caso das patografias, "colocar em evidência os traços neuróticos ou perversos de tal ou tal artista" (PONTALIS, 1987, p. 18). Não se trata, insistimos, seguindo Pontalis, de descobrir a neurose no criador, mas de considerar que o processo de criação artística segue o modelo de constituição da neurose. Assim sendo, tal como no processo analítico, não se pode negligenciar nenhum detalhe. Isso se mostrará claramente, tal como veremos a seguir, nos textos sobre Michelangelo e Leonardo da Vinci, que Freud escreveu, sob o ponto de vista psicanalítico, ou seja, com a clara intenção de tornar conhecido o que ainda não se conhece, o mesmo princípio que rege o tratamento analítico.

É claro que, na história controversa da recepção desses escritos, há uma exceção: *Das Unheimliche* (1919), que passou a ser reconhecido como sendo o único texto de Freud que escaparia ao determinismo da vida sobre a obra. Como se depois de 1919 Freud tivesse mudado inteiramente de posição. O que, no mínimo, o texto sobre Dostoiévski, de 1929, desmente inteiramente. Assim, é como se o texto de 1919 introduzisse uma ruptura total, que favoreceria inteiramente as suas "inovações", delegando, desse modo, tanto os escritos anteriores quanto os posteriores a um lugar secundário, quase inteiramente à sombra. Nessa perspectiva, conceitos importantes mobilizados naqueles textos, como os de identificação, sublimação, fantasia, projeção, escolha, lembrança encobridora, Eu, Supereu, pareciam nada dizer de muito importante aos psicanalistas, o mesmo valendo para o campo da Estética e da Filosofia da Arte. Nesse último caso, o julgamento de Adorno foi um dos mais decisivos, tendo em vista sua crítica feroz em diversos textos, em especial na *Teoria estética*, tanto ao conceito de projeção quanto ao de sublimação, fundamentais na análise de Freud, embora Adorno e Horkheimer já tivessem se utilizado, de maneira bem positiva, do conceito de projeção, assim como da própria noção de estranho e familiar implicada na experiência do *Unheimliche*, na *Dialética do esclarecimento*. É como se o que houvesse de interessante, decisivo e fundamental na Psicanálise, para a constituição do próprio conceito de uma "teoria crítica", precisasse descartar, quase inteiramente, as formulações de Freud sobre arte.

Entretanto, uma leitura mais atenta e cuidadosa desse conjunto de textos ora publicados, favorecidos que somos pela distância histórica que nos separa do seu primeiro impacto, pode nos abrir novas possibilidades de leitura. Não se trata, evidentemente, de ignorar as críticas e mesmo de considerá-las pertinentes. Trata-se, entretanto, ao contrário, de tentar entender o que está em jogo neles, não apenas a partir de uma análise interna à obra de Freud, mas também de indicar o diálogo que eles estabelecem com a tradição dos estudos de estética e, ao mesmo tempo, com questões e problemas colocados na sua própria época. Com isso, trata-se de retirá-los de seu lugar secundário, como se fossem um subproduto no interior do pensamento de Freud, um exercício de diletantismo por parte dele. Ao contrário, tenta-se justamente jogar Freud contra Freud, ou seja, lê-lo em grande parte a contrapelo das posições explícitas que o próprio Freud tomou em relação ao seu interesse por arte. Em outras palavras, trata-se de desconfiar de Freud ou, no mínimo, de não tomar muitas de suas declarações como uma confissão de humildade ou do reconhecimento, puro e simples, de uma certa incompetência que ele próprio diz ter no trato com esses assuntos. Enfim, trata-se de tomar essas declarações como uma estratégia discursiva, um jogo de esconde-esconde, uma "máscara", para relembrar uma famosa passagem de *Além de bem e mal* (§ 40), na qual Nietzsche (1992) afirma que "tudo o que é profundo ama a máscara".

Tomo como exemplo o célebre primeiro parágrafo do "Moisés, de Michelangelo", no qual Freud como que se desculpa pelo fato de ousar escrever sobre o artista. Ele afirma, logo no início, que não é "nenhum conhecedor de arte, e sim um leigo", que possui uma evidente limitação, qual seja, a de que seu interesse é muito mais pelo "conteúdo de uma obra de arte" do que por suas "qualidades formais e técnicas", embora reconheça que é sobre essas últimas que o próprio artista atribui "valor" à sua obra. Por fim, ápice de uma pretensa humildade, reconhece que lhe faltam condições para um "entendimento correto" das obras, esperando com isso "assegurar um julgamento indulgente" por parte do leitor, leia-se, por parte, muito especialmente, dos especialistas. O "acanhamento" de Freud, devido a essas limitações, o teria, inclusive, levado a publicar o texto anonimamente.

Ora, o leitor atento desse texto, certamente irá reconhecer que esse primeiro parágrafo não parece inteiramente verdadeiro.[1] Não só ele é resultado de uma extensa e

---

[1] Guilherme Massara Rocha (2012) também questiona o posicionamento de Freud destacando, ao contrário do que pressupunha Freud, a

erudita pesquisa bibliográfica, como também do estudo *in loco* da obra analisada, desde sua primeira viagem a Roma, em 1901, ou seja, imediatamente após a publicação da *Interpretação do sonho*.[2] Esses dois aspectos reunidos acabam por problematizar a afirmação de Freud de que seu interesse se limita aos "efeitos" das obras e não à sua forma, ou seja, aos seus aspectos propriamente estéticos. Pois é justamente para sustentar sua argumentação, a contrapelo de uma série de interpretações às quais ele se refere que se fez necessária a atenção à forma. Sem essa atenção, sem a minuciosa descrição da apresentação física do profeta, sua atitude, do ponto de vista psíquico, não poderia ser referendada. Se Michelangelo pode, aos olhos de Freud, contrair o relato bíblico e não deixa Moisés sucumbir à ira causada pela visão dos hebreus adorando o bezerro de ouro, essa conclusão só é possível pela análise atenta e minuciosa dos inúmeros detalhes da composição formal da escultura: da posição das mãos, do modo como a mão direita agarra, por um lado, as Tábuas da Lei para que elas não deslizem e caiam e, por outro, a esquerda se crava na barba, até a posição dos pés, aspecto fundamental, uma vez que o pé esquerdo levemente levantado significaria que Moisés intentou um gesto – de atirar-se contra seu próprio povo, para aplicar-lhe um castigo, levando consigo as Tábuas da Lei – que ele não completou, uma

---

atenção do ensaio aos aspectos propriamente estéticos da obra, assim como Laurence Simmons (2006, p. 190), que vê na "falsa modéstia" e nas "reservas" de Freud muito mais o indicativo de sua posição alternativa em relação aos especialistas; sob o texto de Freud, diz Simmons, há uma questão fundamental de ordem estética, qual seja, "a relação entre pintura e escritura".

2 Para entender o alcance e significado da pesquisa bibliográfica realizada por Freud, ver Gomes (2011).

vez que o pé direito continuou solidamente plantado no chão. Em outras palavras, a tese central de Freud, segundo a qual o conteúdo da obra, qual seja, a dominação da ira por parte de Moisés – este nem quebra as Tábuas da Lei nem está em pé, conforme diz o relato bíblico –, expressaria a dominação da própria ira de Michelangelo diante da autoridade e das exigências do papa Júlio II, para cujo sepulcro a escultura tinha sido encomendada. Assim, a cena retratada na escultura, na qual a ira contida de Michelangelo é transportada para a de Moisés, só faz sentido por meio de uma detida e minuciosa análise de seus elementos formais e técnicos.

Dois outros aspectos presentes nesse texto devem ser destacados, uma vez que eles contrariam, em larga medida, os clichês usuais. Em primeiro lugar, a inserção histórica da obra e, portanto, do próprio processo criativo do artista na história. Ou seja, não é possível compreender a atitude transgressora de Michelangelo sem inseri-lo em sua época, a da Renascença. Michelangelo contraria o cânone, que mesmo na Renascença não permitia alterações no relato bíblico. Por outro lado, se entre Michelangelo e Júlio II se estabelece uma relação tensa e conflituosa, é porque se trata de uma relação marcada pelo modo como uma instituição, a do "mecenato", nascida pela organização, por Caio Mecenas, de um círculo de artistas em volta do imperador Augusto, pouco anos antes do início da assim chamada "era cristã", foi reconfigurada pela Renascença. Assim, a relação entre o artista e o papa expressa o modo pelo qual a atividade do artista começa a interagir com as novas formas de significação do trabalho em geral, tal como elas começam a aparecer nessa mesma época. O "mecenas" não é apenas um entusiasta das artes, mas alguém que possui um lugar fundamental nas relações de poder dominantes, seja um papa em Roma, um príncipe em Florença ou em Milão, assim como os ricos comerciantes em Veneza. O "mecenato" na Renascença é coetâneo do aparecimento da burguesia. Nessa perspectiva, a atitude de Michelangelo é, ao mesmo tempo, a de transgredir a tradição (ele fará o mesmo no seu famoso *Juízo Final*, na Capela Sistina) e a de estabelecer com o seu "mecenas" uma relação "política", mesmo que de aparente submissão, de tal modo que ele possa levar adiante sua tarefa.[3]

Um outro ponto fundamental é que se trata de um escrito no qual Freud não faz, em nenhum momento, nenhuma alusão explícita ao Complexo de Édipo ou ainda à sexualidade de Michelangelo, como se poderia esperar. É apenas por uma derivação que pretende fazer jus ao clichê que se poderia dizer que a relação de Michelangelo com o papa expressaria, em última instância, sua relação com o próprio pai. Freud nada diz sobre isso, talvez por prudência, uma vez que não há nada, nenhum documento que lhe permita "escutar" Michelangelo. Ao contrário do esperado, Freud, por meio de Michelangelo, caracteriza a atividade do artista para além da *mímesis* pensada como imitação pura e simples e no caso da Renascença, imitação dos antigos. Mais importante que a "infidelidade" do artista ao relato bíblico é, para Freud, a sua atitude como artista, qual seja, a de promover, a de produzir uma "metamorfose", uma *Umwandlung*, como ele mesmo diz no seu texto! Poderíamos dizer então que, para Freud, a

---

[3] Pierre Belon Du Mans, nas suas *Observations de plusieurs singularités et choses mémorables trouvées en Grèce, Asie, Judée, Égypte, Arabie et autres pays étrangers* (Paris, 1553), descreve o "mecenas" como aquele que desperta alguém do "sono profundo da antiga ignorância", do mesmo modo que, na "doçura da primavera", as plantas, após o duro inverno, "retomam seu vigor, sob o calor do sol". Ver a respeito, Jouanna (2002).

criação artística é sinônimo de "metamorfose". Ou ainda, como ele diz mais adiante no texto, nesse mesmo diapasão, Michelangelo "retrabalhou" [*umgearbeitet*] – os elementos da tradição e, com isso, pôde criar um outro Moisés, um "novo" Moisés. Um Moisés que não existe na tradição, uma vez que a "violenta massa corporal e a forte musculatura da estátua" são "meios de expressão" [*Ausdrucksmittel*] daquilo que caracteriza o seu gesto heroico: em vez de reiterar a imagem de um Moisés irritadiço e dominado pelas paixões, daquele que tomado pela ira divina havia inclusive assassinado um egípcio por ter maltratado um israelita e, por isso, fugido para o deserto, estabelecendo com isso uma relação causal entre esse episódio e a ira que lhe acomete na descida do Sinai, Freud o representa como aquele que foi capaz, em nome de sua missão, de conter a sua ira! Assim, se Moisés pode ser considerado um herói e pode iniciar, com os hebreus, o caminho de volta à terra prometida, ele só o é porque pode dominar sua paixão e por não deixá-la fazê-lo sucumbir diante de sua missão divina. Ou seja, a forma da escultura expressaria, com todas as letras, "o mais elevado trabalho psíquico que um homem é capaz", isto é, o de rebaixar suas paixões diante de uma tarefa exemplar, extraordinária. No caso de Moisés, uma tarefa para a qual ele fora escolhido pela própria divindade.[4]

Ora, agora parece que a reticência de Freud em publicar o texto com seu próprio nome pode ter outra

---

[4] O estudo sobre Dostoiévski, por sua vez, o mostra, em aspectos essenciais, como uma espécie de oposto a Michelangelo. Enquanto este faz da renúncia de "Moisés" a pedra de toque de sua obra, aquele, ao contrário, dominando pela "pulsão de destruição", pelo "vício do jogo", é incapaz de renunciar e, por isso, entrega-se à "experiência do mal". Ver a respeito, Mango (2012, p. 179).

justificativa. Não se trata, em última instância, de temer apenas o julgamento dos especialistas. Trata-se, ao contrário, numa identificação talvez clara demais com Michelangelo, de se saber enfrentando verdades estabelecidas não apenas entre os *experts* em arte renascentista ou ainda na obra de Michelangelo, mas também de enfrentar, ao mesmo tempo, a sua própria origem judaica e a comunidade científica de sua época, para poder cumprir a tarefa que ele próprio se destinou, que ele tanto prezava, a de edificar uma "ciência", a Psicanálise, acrescentando ao conceito e significado da ciência algo inteiramente "novo". Uma ciência que tinha por objeto o inconsciente, isto é, que se referia ao campo das pulsões e dos afetos, daquilo que se chamava de "irracional". Ao contrário do que o próprio Freud afirmara, não só em alguns escritos mas também pessoalmente, como a Max Graf, por exemplo, seu modelo de cientista aparece aqui muito mais moldado pela figura do artista transgressor do que pela do pesquisador em seu laboratório de fisiologia.

Ora, mas o estudo sobre Michelangelo não foi o primeiro, no qual Freud se ocupou de uma grande figura da Renascença. Em 1910, ou seja, quatro anos antes, ele já se ocupara com outra dessas grandes figuras, talvez aquela que mais realiza o ideal do sábio renascentista, essa mistura de escritor, artista e cientista: Leonardo da Vinci. Nesse extenso estudo, um dos maiores entre todos aqueles dedicados por Freud à questão da arte, nas suas mais de 70 páginas, como um bom detetive, Freud procurou decifrar o que havia de "misterioso" nesse homem que, ao mesmo tempo, encantava, fascinava e inquietava seus contemporâneos. Não se entendia como um extraordinário artista se importava tão pouco com o destino de suas obras, assim como porque seu método de trabalho incluía

ARTE, LITERATURA E OS ARTISTAS 19

inumeráveis esboços e desenhos ou ainda porque seus trabalhos pareciam inacabados e, portanto, incompletos.

Tomando como ponto de partida a biografia de Leonardo, do escritor russo Dimitri Merejkovski, intitulada *O romance de Leonardo da Vinci*, Freud, tal como no caso de Michelangelo, não poderia ignorar o grande quadro, o pano de fundo que Merejkovski traçara em sua obra.[5] Homens da Renascença, Michelangelo e Leonardo tinham em comum não apenas a relação com o instituto do "mecenato", como também se encontravam em meio a um intricado conjunto de questões políticas, sociais e econômicas muito semelhantes. No caso de Leonardo, por exemplo, a situação política de seu protetor, Ludovico Sforza, o Mouro, o levou a fugir para Nice, no sul da França, levando consigo a famosa *Mona Lisa*. É no exílio francês que ele vendeu o quadro para o rei Francisco I, abrindo caminho, com isso, para que ele se tornasse um dos tesouros do Louvre.

Entretanto, importa aqui, de início, lembrar uma diferença muito importante entre os estudos sobre Michelangelo e Leonardo. Do primeiro, como afirmamos antes, não se conhece nenhum escrito, nenhum diário. Freud, assim, não pode "escutar" Michelangelo, tal como podia

---

[5] O livro de Merejkovski foi publicado em alemão em 1903, e Freud o apontou como um de seus "dez livros favoritos", numa enquete realizada em 1907 (FREUD, 1987, *Nachtragsband*, p. 663). Jean-Bertrand Pontalis destaca a importância decisiva do livro de Merejkovski para Freud. Segundo Pontalis, o livro foi muito mais um "motivo de inspiração", na medida em que Freud encontrou nele "pintada por um outro na sua complexidade, exaltada na sua grandeza solitária, a figura de um de seus heróis secretos". Entretanto, Freud só recorreu a outros intérpretes e estudiosos de Leonardo considerados mais "sérios", depois que a decisão de escrever o artigo já tinha sido tomada (PONTALIS, 1987, p. 10-11).

escutar seus pacientes em Viena. Entretanto, ao contrário dele, Leonardo deixou-nos muita coisa escrita, incluindo anotações autobiográficas, entre as quais o famoso relato do sonho com o "abutre", ou melhor, com o "milhafre". Trata-se portanto de um outro tipo de acesso à vida e a sua relação com a obra do artista, pois Freud, nesse caso, tinha em mãos um elemento absolutamente precioso, uma das vias mais importantes, talvez a mais importante para Freud naquela época, qual seja, o relato de um sonho de Leonardo. Considero esse aspecto absolutamente crucial, quando se trata de avaliar a interpretação que Freud fez de Leonardo, uma vez que ela se encontra inteiramente de acordo com os princípios fundamentais da Psicanálise tal como o próprio Freud a concebia: há um sonho, há os relatos biográficos acerca da origem de Leonardo, há a controvérsia acerca de sua sexualidade (sempre cercado de belos rapazes, sem que se possa afirmar que um deles tenha sido efetivamente seu amante) e há uma obra grandiosa, que ultrapassa os limites das artes plásticas. Desde Vasari (2011), pelo menos, a figura e a obra de Leonardo foram objeto de indagação, na tentativa de entender o seu processo de criação e o seu modo tão pouco usual de se relacionar com sua obra. Freud foi atraído por essa armadilha que Leonardo preparou para nós, seus pósteros. Entretanto, Freud não recua diante do que representa, aos olhos da jovem ciência que ele acabara de fundar, o nó górdio dessa armadilha, ao afirmar com todas as letras que a "discrição e o pudor" não podem impedir que o biógrafo fale da sexualidade de seu biografado, ou melhor, como diz o próprio Freud, não por acaso, do seu "herói".

Estamos diante aqui de dois aspectos importantes. Em primeiro lugar, mais uma vez, a luta de Freud contra o seu próprio tempo e a reafirmação do papel central da sexualidade para a Psicanálise. Em segundo lugar, a indicação do liame que existe, necessariamente, entre o biógrafo e o biografado, na medida em que aquele coloca o último na posição de "herói". A partir do primeiro ponto, vemos o quanto é a figura do "transgressor" que alimenta a coragem de Freud. A partir do segundo, por sua vez, vemos a indicação de que entre o biógrafo e o biografado se estabelece, da parte do biógrafo, uma relação transferencial, de tal forma que a escolha do biografado também se dá por motivos inconscientes, uma vez que o biografado precisa ser colocado na posição de "herói". Em ambas as situações, um traço comum une Freud e seus artistas, não apenas Leonardo ou Michelangelo, mas também Goethe e Shakespeare, que é o apreço pela transgressão das normas estabelecidas, dos cânones, sejam eles científicos ou literários. O "herói" freudiano não é mais, portanto, aquele que luta contra o destino inexorável, a "moira" dos gregos, mas aquele que luta contra seu próprio desejo, mesmo que essa luta seja inglória e fracassada, de antemão.

As críticas ao "Leonardo" foram imensas. Elas vieram, em especial, dos *experts*, daqueles para quem Freud pedia indulgência no início do *Moisés*. Em 1923, Eric Maclagan (1923, p. 54-57), um especialista na Renascença, demonstrou que a ave que Freud insiste em ver no quadro de Sant'Anna não é um "abutre", mas um "milhafre", pois Freud não percebera o erro da tradução alemã que utilizara, na qual o "níbio" do sonho de Leonardo da Vinci é traduzido como "abutre". Com isso, toda a argumentação freudiana acerca da relação entre o "abutre" e a mitologia egípcia caíra por terra. Meyer Schapiro, o conhecido historiador da arte, por sua vez, em um longo estudo "Leonard and Freud", de 1956, se contrapõe ao ponto de partida da interpretação freudiana, contextualizando com precisão a lembrança de Leonardo. Não é por acaso, diz Schapiro (1982), que ela aparece entre as notas relativas aos estudos sobre os voos dos pássaros, em especial, aquele do milhafre, uma vez que este se utiliza do vento para voar, seja para subir, seja para descer, seja para planar e, para isso, bate suas asas de uma maneira bem especial e precisa. Seu voo, enfim, serviria de modelo para os esboços de Leonardo daquilo que hoje chamamos de "avião".

Em seu estudo sobre o "Leonardo", que nos serve de guia aqui, Pontalis apresenta uma solução muito interessante para os impasses que essas críticas podem gerar.[6] Por um lado, vemos os historiadores, com justa razão, relacionarem o sonho de Leonardo a uma determinada tradição, uma vez que o próprio Leonardo inseriu a sua "lembrança" em meio a um tratado sobre os pássaros e se apropriando de um "motivo literário frequente". Mas Pontalis se pergunta se não é possível algum tipo de conciliação entre o interesse do historiador da arte e o do psicanalista, sem que as especificidades de ambos sejam suprimidas ou subsumidas ao outro. No mínimo, pondera Pontalis (1987, p. 36), que seja permitido ao psicanalista colocar algumas questões ao historiador da arte, tão cônscio de seu saber. Essas duas questões seriam as seguintes: "sobre o que repousa uma crença cultural, a não ser num fantasma partilhado?" e "por que Leonardo fez prevalecer no 'bem comum' um certo elemento mais que outro?".

---

[6] A bibliografia secundária acerca da polêmica gerada pelas críticas de Maclagan e Schapiro já é bastante longa. Refiro aqui apenas a duas posições bem diferentes. A de Jacques Bénesteau, que não hesita em chamar seu livro de "Mentiras freudianas" (*Mensonges freudiens: histoire d'une désinformation séculaire*, 2002) e a de Laurence Simmons (2006), que ressalta os aspectos estéticos da interpretação de Freud.

Como podemos ver, textos como "O Moisés, de Michelangelo" e "Uma lembrança de infância de Leonardo da Vinci" colocam muito mais questões, complexas e decisivas em vários aspectos para os rumos que o pensamento de Freud irá tomar, do que sua recepção, no geral, julgou encontrar neles. O principal, insisto, é encarar, problematizando, a controversa relação entre autor e obra. Pois, como reduzi-los à mera expressão da neurose do seu autor, se o próprio Freud recusa adotar essa perspectiva? Trata-se, portanto, muito mais de pensar como ainda é possível estabelecer uma relação entre autor e obra, de tal modo que esta não seja redutível a esse ou outro aspecto da vida do autor, mesmo quando o próprio autor "metamorfoseia" aspectos de sua vida na sua obra.

Mas, por outro lado, os textos aqui reunidos também reenviam a uma problemática clássica nos estudos de estética e filosofia da arte, qual seja, a questão dos efeitos das obras de arte, formulada desde os gregos a partir da concepção de "catarse". Nessa perspectiva, não é por acaso que o texto de Freud que abre esta coletânea, começa com uma referência a essa questão citando, explicitamente, o nome de Aristóteles. "Catártico", sabemos, foi o nome que Freud e Breuer deram ao seu primeiro método para o tratamento das neuroses. Auxiliado pela leitura do grande texto do filólogo Jacob Bernays (1968), tio de sua esposa Marta, Freud compreendeu, rapidamente, o significado médico que esse termo tinha na Grécia Antiga e do qual Aristóteles se apropriou. Por outro lado, é bem provável que Freud, que tinha Goethe como sua maior referência literária, também conhecesse o pequeno e polêmico artigo do autor do *Fausto*, sobre o problema da interpretação moral da catarse (GOETHE, 1997; 1999). Tanto Goethe quanto Bernays se contrapunham à interpretação de Lessing (1999,

p. 511), que atribuía à catarse aristotélica um aspecto eminentemente moral. Enquanto Lessing traduzira a palavra grega como "purificação" [*Reinigung*], Goethe e Bernays escolheram palavras que pudessem escapar ao comprometimento moral que a palavra "purificação" trazia consigo. O primeiro escolheu "compensação" [*Ausgleichung*] e o segundo, por sua vez, "descarga liberadora" [*erleichternde Entladung*]. Embora concordasse com a perspectiva não moralista de Goethe, Bernays o considerava pouco apto em questões filológicas e, por isso, avaliava sua tradução como absolutamente equivocada.

Os caminhos tortuosos, que levaram Freud ao conhecimento dessas questões, foram minuciosamente estudados por Jacques Le Rider (2002, cap. VII, p. 177-188; 2005). Caminhos que se estendem desde *Os pensadores gregos*, do helenista austríaco Theodor Gomperz (2013) até *O nascimento da tragédia*, de Nietzsche, passando pela leitura capital do "posfácio" a uma nova tradução da *Poética*, escrito por Alfred von Berger, por solicitação do próprio Gomperz. Berger (1853-1912) ocupou, entre outros, o cargo de professor colaborador de Estética na Universidade de Viena. Dramaturgo e ensaísta, ele fora também diretor do Teatro de Hamburgo e, de volta a Viena, assumiu a mesma função no Burgtheater da capital do Império Austro-Húngaro.

Certamente, o convite de Gomperz a Berger não foi por acaso. Conhecedor das ideias de Berger e, ao mesmo tempo, amigo próximo de Freud, Gomperz de algum modo parece ter querido colaborar com a empreitada de seu amigo médico, que naquela época ainda estava no começo. Próximo da intepretação de Bernays, à qual se refere logo no início de seu ensaio, ou seja, recusando uma interpretação moralizante da catarse, Berger escolherá, entretanto, como via de compreensão do verdadeiro significado da catarse, aquele que lhe fora atribuído por Breuer e Freud nos *Estudos sobre a histeria*, publicado em 1895. Eis o que diz Berger, logo na abertura da segunda parte de seu ensaio:

> O tratamento [*Behandlung*] catártico da histeria, tal como descrito pelos médicos DR. JOSEPH BREUER E DR. SIGMUND FREUD, é muito apropriado para tornar compreensível o efeito catártico da tragédia. Esse tratamento [*Cur*] diz respeito à ideia, segundo a qual um afeto "reprimido" [*unterdrückt*], ou seja, aquele que não foi abreagido [*abreagirt*] por palavras, ações, derramamento de lágrimas, se metamorfoseia [*umwandle*] em um sintoma nervoso, formando a imagem da doença histérica. Esses sintomas histéricos devem ser considerados como expressões anômalas de uma comoção, à qual se recusou a descarga [*entladet*] normal (BERGER, 1897, p. 81).

Assim sendo, como bem disse Jacques Le Rider, se a "verdade" da concepção aristotélica de catarse, segundo Berger, havia sido descoberta por Bernays, o seu erro havia sido, por sua vez, denunciado por Breuer e Freud. A verdade da catarse consistiria no fato de que se trata de uma "descarga dos afetos", uma *Entladung*, portanto, que nada teria em comum com qualquer elevação moral (como Bernays), mas que também não teria nenhum efeito de ordem estética (como pensava Goethe), sendo efetivamente um tratamento, uma "cura". Berger preservava assim o sentido médico que Bernays atribuiu à catarse. Essa verdade, por sua vez, não pode nos deixar cegos diante do que teria sido o "erro" de Aristóteles, "erro" que Breuer e Freud teriam apontado a partir do modo como tratavam suas histéricas. Ora, a justificativa de Berger parece ressoar, alguns anos depois, no texto de Freud sobre "Os personagens psicopáticos no palco":

> O poeta trágico [*Der Tragiker*] expõe um acontecimento diante da fantasia do espectador, a qual, no geral e no particular, é de tal ordem que este, na medida em que lhe é facultado participar do destino das personagens no palco, descarrega [*entladet*], conjuntamente, uma grande massa de tensões afetivas nele acumuladas, tal como as criadas por Aquiles na ocasião da morte de Pátroclo.
> O que se descarrega é o sofrimento pessoal realmente padecido ou simulado por fantasias de autoflagelação. Aqui reside o grande erro de Aristóteles. Ele pensava: o que se descarrega é compaixão e medo (BERGER, 1897, p. 84).

Berger indicou, portanto, desde 1897 e antes da publicação da *Interpretação do sonho*, uma série de temas, questões e problemas, que se encontrarão, de algum modo, no horizonte de Freud. É preciso, entretanto, desde já esclarecer que não estamos defendendo a ideia de que há uma continuidade serena entre "método catártico" e "efeito catártico" provocado pelas obras de arte. Se, por um lado, é possível afirmar que o método propriamente psicanalítico, que se compõe tanto da associação livre quanto do trabalho de interpretação, distingue-se do método catártico praticado por Breuer e Freud, por outro lado, não é possível nos desfazermos da ideia de que Freud ainda se mantém no interior do que se denomina de "estética dos efeitos". Em outras palavras, Freud mantém a função catártica das obras de arte. Mas o que significa exatamente isso?

Em primeiro lugar, que essa função catártica sinaliza para uma presença muito importante no pensamento freudiano, que é a dos ideais da *Aufklärung*, mais especialmente da ideia de que a arte deve e precisa ter uma utilidade. Essa ideia percorre o século XVIII alemão, decorrendo de uma leitura muita específica da *Poética* de Aristóteles, que não considera duvidosa a dimensão moral do efeito trágico, mas sim os processos afetivos-psicológicos que uma tragédia poderia produzir (cf. ALT, 1994, p. 29). Nessa perspectiva, a fórmula consagrada por Lessing – a catarse como "purificação [*Reinigung*] dos afetos" – poderia ser interpretada por três pontos de vista diferentes: no sentido de um genitivo "objetivo", no qual os próprios afetos seriam o objeto da catarse, uma espécie de "refinamento" [*Verfeinerung*] dos afetos; como genitivo "separativo", ou seja, que o processo catártico significa purificar as paixões humanas, uma espécie de "eliminação" [*Eliminierung*] dos afetos e, finalmente, como genitivo "subjetivo", aquele que visa a força purificadora das paixões, que se apresentam como meio de transporte dos valores morais, de tal modo que os afetos possuem aqui um "desempenho ativo" [*aktive Leistung der Affekt*]. Esses três aspectos dividem e situam os diversos embates no interior das diferentes posições teóricas e se encontram representados nas diversas poéticas da *Aufklärung*.

Não é à toa, portanto, que, logo no início de "Personagens psicopáticos no palco", Freud mantém a fórmula de Lessing, para logo em seguida afastar-se dela pelas vias da Psicanálise. A partícula condicional "se" [*Wenn*] que inicia a frase é, nesse aspecto, decisiva. É como "se" Freud tivesse dizendo "se é verdade que as coisas se passam desse jeito desde Aristóteles", então é preciso descrever da maneira a mais minuciosa o que isso quer dizer exatamente. E é nesse ponto que Freud toma uma clara decisão, que privilegia não a vertente moralizante, mas sim a investigação acerca dos efeitos psicológicos provocados pelas encenações teatrais. Com isso, conforme já antecipara Berger, ele pode completar a crítica decisiva a Aristóteles, iniciada na época de sua colaboração com Breuer. Nessa perspectiva, aqui vemos o quanto o vocabulário de Freud é diferente daquele que marcava os *Estudos sobre a histeria*, baseado na ideia de "ab-reação". Agora, já no interior do campo propriamente psicanalítico, se trata literalmente de "abrir o acesso às fontes de prazer e gozo" que provém dos nossos afetos, do mesmo modo pelo qual no cômico ou no chiste, elas emanam de "nossa inteligência". Esta última, por sua vez, em vez de facilitar o acesso a essas fontes, na verdade o dificulta.

Vemos então o quanto a questão da *Aufklärung* retorna e está presente, transmutada, entretanto, pela Psicanálise: a "nossa inteligência", ao contrário da idealização "esclarecida", em vez de "iluminar" as nossas fontes de prazer e gozo, ao contrário, as obscurecem. Em primeiro plano, diz Freud, está o "*desafogar* dos próprios afetos". Como é possível depreender-se da posição de Freud, o resultado dessa "dialética do esclarecimento" em miniatura não é, de modo algum, o acesso ao mundo dos valores morais, mas a afirmação de que os processos psíquicos – Freud fala imediatamente de "identificação", nesse ponto de seu argumento – são os elementos fundamentais nesse "jogo" que se estabelece entre o que se passa no palco e o que se passa na "subjetividade" do espectador. Assim, se por um lado é possível dizer que Freud poderia ser enquadrado na terceira perspectiva adotada em relação à catarse a partir do século XVIII, ou seja, a do "genitivo subjetivo", por outro lado, ele se afasta dessa e das outras duas perspectivas, por não se referir, jamais, a qualquer forma de aperfeiçoamento moral como a finalidade do teatro.

Não se trata, portanto, para Freud, de pensar a questão da autonomia ou da heteronomia da vontade, um tema sobremaneira presente desde *Emília Galotti*, de Lessing, até *Intriga e Amor*, de Schiller, como uma característica marcante do que se chamou de "tragédia burguesa" (ALT, 1994, p. 270 ss). A questão central, o interesse fundamental de Freud se situará em outro lugar, em outra "dialética", aquela entre prazer e gozo, prazer e sofrimento, um conflito que só encontrará resoluções provisórias e passageiras. Nesse sentido, "Personagens psicopáticos no palco" ganha quase o estatuto de "manifesto", à maneira daqueles que, muito em breve, se associarão às diversas vanguardas estéticas do começo do século XX. Trata-se, antes de tudo, de alargar a caracterização do "drama" (*Drama*, outro nome para *Tragödie*, tragédia, que Freud usa indistintamente no texto) para pensá-lo como "inteiramente *psicológico*", um drama que se passa na "vida psíquica do próprio herói", marcada pelo "sofrimento" resultante de uma luta entre diferentes afetos, emoções, cujo resultado final não significa o declínio [*Untergang*] do herói, mas o daqueles afetos aos quais se faz necessário renunciar. Em seguida, Freud avança mais ainda nessa espécie de estabelecimento de princípios interpretativos: não se trata igualmente de desconhecer a relação entre o drama psicológico e o drama social ou a tragédia de caracteres, uma vez que os "conflitos internos" são produzidos pelas "instituições sociais". Para finalmente, um terceiro e último ponto, poder afirmar que só assim poderemos compreender as "tragédias amorosas", ou seja, como resultantes do conflito entre "amor e dever" consagrado nas óperas, ou seja, pela "repressão" [*Unterdrückung*] do amor por meio das instituições humanas. Esse conflito, por sua vez, se apresenta sob as mais variadas formas, uma vez que, à maneira dos "sonhos diurnos das pessoas", o que está em jogo fundamentalmente neles é o "erótico".

Ousaríamos dizer que essa espécie de "programa" – conflito psíquico, ligação com a cultura e fundamento erótico, libidinal – marca o interesse de Freud pelas artes, pelos artistas e pela literatura em especial. E que esse "programa" se desdobra à medida que os próprios conceitos psicanalíticos também se desdobram. Assim, por exemplo, em "Alguns tipos de caráter a partir do trabalho psicanalítico", o conflito é assinalado como sendo entre "princípio do prazer" e "princípio de realidade", do mesmo modo que Freud vai refinando cada vez mais seu vocabulário, na tentativa de escapar ao determinismo fácil e ao essencialismo redundante. Daí que, nesse mesmo texto, ele já falará do aspecto decisivamente "construtivo" da análise, uma vez que se trata sempre de trabalhar a partir dos "restos", dos "resíduos" das lembranças [*Erinnerungsresten*] ou ainda do "rastro" [*Spur*], palavra que foi frequentemente traduzida, de maneira problemática, como "traço". Assim, só há "construção" porque o ponto de partida é constituído por "restos", por "rastros", por "pegadas" que podem ser facilmente apagadas.

O ápice desse vocabulário ligado à "construção" se dá pelo uso – sempre no mesmo texto – da noção de "surgimento" [*Entstehung*], como em "surgimento da neurose" [*Entstehung der Neurose*], a propósito dos "que fracassam por êxito". Vocabulário próprio da crítica ao historicismo no século XIX, tal como praticada por Nietzsche e ressaltada por Foucault em seu célebre artigo "Nietzsche, a genealogia e a história". Chamo atenção para esse ponto, uma vez que ele, invariavelmente, passa despercebido: apenas um vocabulário anti-historicista pode sustentar uma posição em relação à história, para a qual o efetivamente acontecido, o dado empírico ou o fato bruto não são determinantes, uma vez que, conforme já destacamos, se trata sempre de "restos" e "rastros". Com isso, se assegura um modo de relação entre passado e presente, na qual o primeiro não morreu de todo, mas sobrevive nesses "restos" e "rastros", nisso consistindo sua "atualidade" e não na possibilidade – "ideal" do historicismo reativado pela hipnose – de poder ser reconstituído, reconstruído, tal qual ele foi.

É assim, por exemplo, que em uma passagem fundamental do *Leonardo*, a propósito da importância e da veracidade da narrativa que Leonardo fez de seu próprio sonho, Freud a avalia na contramão do ideal historicista. Chamo atenção, em primeiro lugar, para o fato de que Freud utiliza a palavra *Erzählung* para designar o modo pelo qual Leonardo relata seu sonho, palavra consagrada em alemão quando se trata de relato dos mitos, das lendas e das sagas. Palavra comprometida com a predominância da oralidade e da transmissão da tradição entre os povos sem-escrita, os chamados "pré-históricos". Freud nos lembra o quanto os críticos da cientificidade da Psicanálise, de ontem e hoje, diríamos nós, costumam associar a narrativa dos sonhos à expressão de meras fantasias do sonhador, ou seja, à quimera, à ilusão ou, ainda, a uma espécie de reativação da força do destino. Com isso, acrescenta ele, acaba-se como que se desprezando o material advindo dos mitos, lendas, sagas, tradições e assim comete-se uma "injustiça" [*Unrechte*] para com esse material, uma vez que ele expressa o que a tradição romântica já chamava de *Kultur*.

Ora, Freud invocará a Psicanálise em oposição a essa perspectiva! Se é verdade que a narração [*Erzählung*] implica uma cadeia que provoca sucessivas "distorções" e "equívocos", trata-se então de tentar entender o que torna possível tais distorções e equívocos, sob os quais repousa a "verdade histórica". Assim sendo, não há entre *Erzählung* e *historische Wahrheit* apenas uma oposição e uma hierarquia, uma vez que a "verdade" seria privilégio da *Historie*, isto é, da "ciência que se ocupa dos fatos do passado" ou ainda da "ciência que pretende reconstruir o passado tal qual ele foi", parafraseando aqui as palavras de Leopold von Ranke, figura-chave do Historicismo alemão. Pelo contrário, se há uma "verdade histórica", ela só se mostra por meio das "distorções" e "equívocos" provocados pela cadeia narrativa.

Este é o mesmo argumento que Freud utilizará para, a seguir, afirmar a importância das fantasias. Tais como as sagas, os mitos e as lendas, as fantasias também são formas distorcidas e equivocadas, sob as quais se esconde uma "verdade". No caso da análise psicanalítica dos sonhos, da qual o sonho de Leonardo é aqui o exemplo, o que se visa é o seu conteúdo erótico. E mais uma vez Freud afirma, acentua, destaca, o papel decisivo e fundamental da linguagem: alcançar esse conteúdo erótico significa "traduzir" [*übersetzen*] a "língua própria" [*eigentümlich Sprache*] das fantasias em "palavras de entendimento comum" [*gemeinverständliche Worte*]. Vejam como se constitui uma cadeia narrativa, que começa com o sonho sonhado, passa pelo sonho contado e, enfim, por aquele ou aqueles que escutam a sua narração e que tentarão descobrir o seu "mistério".

Mas como naquela brincadeira que desconhece a idade dos brincantes, na qual alguém diz uma frase no ouvido de outro, que deverá repeti-la igualmente ao próximo e assim por diante, até que ao final, quando o último ouvinte dessa cadeia tentar reproduzir a frase inicial, constata-se que ela foi distorcida e deformada, da mesma forma o analista sabe que o sonho contado já não é mais o sonho sonhado. A sua tarefa não é, entretanto, por princípio, nem a de "esclarecer" [*aufklären*] nem a de "explicar" [*erklären*], muito menos a de "compreender" [*verstehen*], mas sim a de "traduzir" [*übersetzen*]. A "tradução", por sua vez, levará certamente a um "esclarecimento" – no capítulo VI do *Leonardo*, Freud dirá que o objetivo de seu trabalho foi o "esclarecimento das inibições na vida sexual de Leonardo" – mas aqui se trata de outro tipo de "esclarecimento", ou seja, daquele que, ao contrário dos outros "esclarecimentos", visa o conteúdo erótico do sonho. Um "esclarecimento", portanto, que leva em conta o registro pulsional, que não o elide, não o denega. O problema não é, desse modo, propriamente o de "esclarecer", mas o do sentido que se atribui a esse ato, a esse processo. E justamente por se tratar de uma "tradução", a análise será sempre "terminável e interminável".[7]

Todas essas questões e problemáticas parecem estar reunidas e resumidas nos célebres parágrafos finais da segunda parte de *Totem e tabu*, nos quais Freud estabelece a relação entre as psiconeuroses (histeria, neurose obsessiva e paranoia) e as formações culturais (Arte, Religião e Filosofia). O que está em questão aqui, como sabemos, é a relação entre o polo narcísico e a alteridade, entre a formação do indivíduo e as formações da cultura.

---

[7] O texto sobre Leonardo é extremamente rico para entendermos a posição crítica de Freud em relação ao Historicismo de sua época, o que mereceria uma análise à parte, o que não é o caso aqui. Gostaria apenas de lembrar que, se referindo à "fantasia do abutre", ele diz ir em busca de sua *Entstehung*, isto é, de sua emergência, de seu surgimento. Por outro lado, a presença em Freud de um vocabulário e de uma questão ligados à ideia de "origem" também não pode nos enganar, tal como Jean Laplanche o mostrou em *Fantasias originárias, fantasia das origens, origem das fantasias* (1985).

34   OBRAS INCOMPLETAS DE S. FREUD

Podemos então afirmar que os processos de sublimação, presentes no surgimento [*Entstehung*] das formações culturais, colocam em movimento uma "dialética da alteridade", uma vez que tornam possível a inscrição da pulsão no campo da cultura.[8] Mas tais processos acabam por instituir, ao mesmo tempo, uma espécie de hierarquia entre essas formações culturais, na qual a arte ocupa o ponto mais alto e mais importante. Esse lugar fundamental, que torna a arte e, por conseguinte, a histeria, mais próximas da "verdade", diz respeito ao papel desempenhado pelo corpo e pelo desejo, uma vez que na histeria o sujeito ainda manteria contato com o corpo erógeno e com o desejo, não se deixando subsumir inteiramente ao Outro. Religião e Filosofia (Freud se refere explicitamente aos "sistemas filosóficos"), ao contrário, partilham de uma mesma ideia de verdade, ou seja, uma verdade única, eterna e imutável, garantida por uma ordem, Deus ou a Razão, a qual se está inteiramente submetido.

Novamente nesse ponto, gostaria de chamar atenção para o vocabulário que funda o paradigma "estético" de Freud: se, por um lado, diz ele, as neuroses mostram uma "evidente e profundamente rica concordância [*auffällige und tiefreichenden Übereinstimmungen*] com as produções sociais da arte, da religião e da filosofia", por outro elas são "distorções" [*Verzerrungen*] das mesmas. Nessa perspectiva, a histeria é uma espécie de "imagem distorcida" [*Zerrbild*] – e não uma "caricatura", como se costumou traduzir – de uma "criação artística" [*Kunstschöpfung*]. Ora, se o princípio da criação artística, tal como os ensaios sobre Michelangelo e Leonardo da Vinci mostraram, é o da transgressão e o da metamorfose, então a própria "criação artística" já é, ela

---

[8]   Ver a respeito Joel Birman (1997).

mesma, uma "imagem distorcida". Assim, a histeria não é a "imagem distorcida" de uma espécie de imagem pura, límpida, transparente, tal como aquela que se apresentava a Narciso, todas as vezes que ele se contemplava nas águas do lago. Ao contrário, é uma imagem que duplica a distorção própria de toda imagem, distorção essa da qual a "criação artística" é o mais eloquente testemunho. Esse princípio de "distorção" culmina na ideia que define, nessa passagem de *Totem e tabu*, a própria concepção de neurose, qual seja, a de que as neuroses são "associais", uma vez que "tratam como se fossem coisas privadas, aquilo que na sociedade resultou do trabalho coletivo".

★ ★ ★

A preparação das traduções e da "apresentação" deste volume só foi possível, em primeiro lugar, pela insistência e tenacidade de Gilson Iannini, a alma desse projeto das Obras Incompletas de Sigmund Freud, a quem agradeço a confiança depositada. Do mesmo modo, a Pedro Heliodoro Tavares, pela leitura e revisão. Sou grato ainda a Davi Pessoa, que gentilmente traduziu os trechos em italiano. Agradeço igualmente às instituições que possibilitaram o aperfeiçoamento do trabalho em estágios no exterior: ao convênio DAAD-CAPES, pela estadia em Berlim, em janeiro e fevereiro de 2013, e ao CNPq, pela estadia em Paris, no primeiro semestre de 2015; à Faculdade de Filosofia da Universidade Federal do Pará, pelas licenças concedidas. Elisabeth Bittencourt, durante muitos anos, suportou minhas tentativas de interpretar a mim mesmo. À sua paciência, o meu maior agradecimento. Esse trabalho, na sua intenção e no seu gesto, é dedicado à memória do Prof. Bento Prado Júnior.

SOBRE A TRADUÇÃO

Desde a década de 1960, a psicanalista e pesquisadora Ilse Grubrich-Simitis esteve à frente da edição das obras e da correspondência de Freud, para a Editora Fischer, de Frankfurt. A partir de um trabalho comparativo com os manuscritos, ela concluiu pela necessidade de uma nova edição, que pudesse corrigir todos os problemas. Dessa perspectiva, desde o começo da década de 1990, a Fischer reedita os textos de Freud, desta feita numa edição de bolso e com os textos agrupados por temas. São essas edições que serviram de base para a presente tradução, tal como indicamos a seguir, à exceção do trecho da carta a Fliess:

- *Der Moses des Michelangelo. Schriften über Kunst und Künstler.* Einleitung von Peter Gay. Frankfurt: Fischer, 1993.

Esse volume contém os seguintes textos: "Personagens psicopáticos no palco", "O poeta e o fantasiar", "O motivo da escolha dos cofrinhos", "O Moisés, de Michelangelo", "Complemento ao trabalho sobre o Moisés, de Michelangelo", "Transitoriedade", "Alguns tipos de caráter a partir do trabalho psicanalítico", "Uma lembrança de infância em *Poesia e verdade*", "Dostoiévski e o parricídio" e "Prêmio Goethe" ("Carta ao Dr. Alfons Paquet" e "Discurso na Casa de Goethe, em Frankfurt"),

- *Eine Kindheitserinnerung des Leonardo da Vinci.* Einleitung von Janine Chasseguet-Smirgel. Frankfurt: Fischer, 1995.

- "Der Humor". In: *Der Witz und seine Beziehung zum Unbewussten. Der Humor.* Frankfurt: Fischer: 1992.

O trecho da carta a Fliess foi extraído de:

* "Manuskript N". In: *Aus den Anfängen der Psychoanalyse. Briefe an Wilhelm Fliess. Abhandlungen und Notizen aus den Jahren 1887-1902*. Frankfurt am Main: S. Fischer Verlag, 1962; korrig. Nachdruck, 1975.

REFERÊNCIAS

ALT, Peter-André. *Tragödie der Aufklärung. Eine Einführung*. Tübingen und Basel: Francke Verlag, 1994.

BELON DU MANS, Pierre. Observations de plusieurs singularités et choses mémorables trouvées en Grèce, Asie, Judée, Égypte, Arabie et autres pays *étrangers*. Paris, 1553.

BÉNESTEAU, Jacques. *Mensonges freudiens: histoire d'une désinformation séculaire*. Sprimont: Pierre Mardaga éditeur, 2002.

BERGER, Alfred von. Wahrheit und Irrtum in der Katharsistheorie des Aristoteles. In: ARISTOTELES. *Poetik*. Übersetzt und eingeleitet von Theodor Gomperz. Leipzig: Veit, 1897.

BERNAYS, Jakob. Die Grundzüge der verlorene Abhandlung von Aristoteles über die Wirkung der Tragödie (1857). In: *Zwei Abhandlungen über die aristotelische Theorie des Drama*. Darmstadt: Wissenschaftliche Buchgesellschaft, 1968.

BIRMAN, Joel. Desamparo, horror e sublimação. In: *Estilo e modernidade em Psicanálise*. São Paulo: Editora 34, 1997.

FREUD, Sigmund. Vom Lesen und von guten Büchern. Eine Rundfrage. In: *Gesammelte Werke*. Frankfurt: Fischer Verlag, 1987.

GOETHE, J. W. Comentário à *Poética* de Aristóteles. In: *Escritos sobre Literatura*. Tradução e notas de Pedro Süssekind. Rio de Janeiro: 7 Letras, 1997.

GOETHE, J. W. Nachlese zu Aristoteles Poetik (1827). In: *Schriften über Kunst und Literatur*. Stuttgart: Reclam, 1999.

GOMES, Waldemar. *O sepulcro de Michelangelo: o movimento reformador italiano e a definição iconográfica do monumento em San Pietro in Vincoli.* Tese de Doutorado em História da Arte. IFCH/ UNICAMP, 2011.

GOMPERZ, Theodor. *Griechische Denker.* Eine Geschichte der Antike Philosophie, Leipzig: Veit & com., 1896-1909, 3 Bände; *Os pensadores da Grécia.* História da Filosofia Antiga. São Paulo: Ícone: 2013. 2 v.

GRAF, Max. Réminiscences du Professeur Sigmund Freud (1942). *L'Unebévue,* n. 3, été 1993.

JOUANNA, Arlette. La notion de Renaissance. Réflexions sur un paradoxe historiographique. In: *Revue d'Histoire Moderne et Contemporaine,* 2002, Ano V, n 49. Disponível em: <https://www. cairn.info/zen.php?ID_ARTICLE=RHMC_495_0005>. Acesso em: 21/03/2015.

LAPLANCHE, Jean *Fantasias originárias, fantasia das origens, origem das fantasias.* Rio de Janeiro: Jorge Zahar, 1985.

LE RIDER, Jacques. L'Interprétation des rêves de Freud, ou le philhellénisme d'un philologue de l'inconscient. *Revue germanique internationale,* n. 1-2, 2005.

LE RIDER, Jacques. *Freud, de l'Acropole au Sinaï.* Le retour à l'Antique des modernes viennois. Paris: PUF, 2002.

LESSING, G. E. *Hamburgische Dramaturgie.* Stuttgart: Reclam, 1999.

MACLAGAN, Eric. Leonardo in the Consulting Room. In: *The Burlington Magazine,* London, XLII, January, 1923, p. 54-57. Republicado em FARAGO, Claire (Ed.), *Biography and early art criticism of Leonardo da Vinci.*

MANGO, Edmundo Gómez; PONTALIS, J-B. *Freud avec les écrivains.* Paris: Gallimard, 2012.

MINUTES DE LA SOCIETE PSYCHANALYTIQUE DE VIENNE. Hermann Nunberg; Ernst Federn (Ed.). Paris: Gallimard, 1976, Les Premiers Psychanalystes, t. I.

NIETZSCHE, Friedrich. *Além de bem e mal*. São Paulo: Companhia das Letras, 1992.

PONTALIS, Jean-Bertrand. L'Attrait des Oiseaux. "Préface" a FREUD, S. *Un souvenir d'enfance de Léonard de Vinci*. Paris: Gallimard, 1987.

ROCHA, Guilherme Massara. Moisés de Freud. *Cogito*, Salvador, n. 13, p. 68-75, 2012.

SCHAPIRO, Meyer. Léonard et Freud. In: *Style, artiste et société*. Paris: Gallimard, 1982. Disponível em: <https://rosswolfe.files.wordpress.com/2015/02/meyer-schapiro-leonardo-and-freud-an-art-historical-study.pdf>. Acesso em: 05 abr. 2015.

SIMMONS, Laurence. Milan: Freud's eye and Leonard's tail. *Freud's Italian Journey*, n. 30, July 2006.

VASARI, Giorgio. *Vidas dos Artistas*. São Paulo: Martins Fontes, 2011.

WIENER PSYCHOANALYTISCHE VEREINIGUNG (1906-1908). Wien: Psychosozial-Verlag, 2008.

Arte, literatura e os artistas

TRECHO DO *MANUSCRITO N*, ANEXO À CARTA A FLIESS, DE 31 DE MAIO DE 1897

"Criação poética [*Dichtung*] e *fine frenzy*"[1]

O mecanismo da criação poética é o mesmo das fantasias histéricas. Goethe reúne no *Werther*[2] algo vivido, seu amor por Lotte Kästner[3] e algo ouvido, o destino do jovem Jerusalem,[4] que terminou em suicídio. Ele brinca, provavelmente, com o propósito de se matar, encontrando nisso [no destino do amigo] um ponto de contato, se identificando com Jerusalem, de quem ele empresta o tema da história de amor [do *Werther*]. Por meio dessa fantasia, ele se protege contra as consequências de sua vivência [o amor impossível por Charlotte].

Desse modo, Shakespeare tem razão ao igualar criação poética e delírio [*fine frenzy*].[5]

NOTAS

[1] Em torno da tradução das palavras alemãs *Dichter* e *Dichtung* já existe uma longa controvérsia. Tendo em vista a oscilação de seu significado, todas as vezes em que elas aparecerem nos textos aqui traduzidos, serão consignadas entre colchetes. Aqui, *Dichtung* refere-se à "criação artística", "criação poética" em geral e não a este ou àquele gênero literário, mas pode também referir-se, especificamente, à "poesia". Do mesmo modo *Dichter*, que ora pode ser o "criador literário" em geral, ora uma figura específica, a do romancista, a do contista, a do novelista, mas, principalmente, a do poeta. A própria tradição alemã mais recente, na tentativa de ultrapassar essa dificuldade, prefere chamar o poeta de *Liryker* e o escritor de *Schrifsteller*. Para uma breve mas interessante análise do problema, ver MANGO, Edmundo. "Note sur le *Dichter*". In: MANGO, Edmundo Gómez et PONTALIS, J-B. *Freud avec les écrivains*. Paris: Gallimard, 2012, p. 12-21. (N.T.)

[2] Referência ao livro de Goethe, *Os sofrimentos do jovem Werther*, marco inicial do Romantismo, publicado em 1774. (N.T.)

[3] Há um consenso de que Lotte Kästner, no romance de Goethe, tem como modelo Charlotte Buff, que era casada e por quem Goethe se apaixonou. Inúmeras passagens do romance recriam momentos e cenas de seus encontros com Charlotte. (N.T.)

[4] Referência a Karl Wilhelm Jerusalem, um jovem jurista que se tornou amigo de Goethe na mesma época em que este se apaixona por Charlotte Buff. Jerusalem, também apaixonado por uma mulher casada, diante da impossibilidade de ver realizado o seu amor, se suicida, despertando em Goethe, que vivia a mesma situação, o desejo de suicídio. É como se Freud quisesse nos dizer que Goethe, ao escrever o romance, se salvou. (N.T.)

[5] Trata-se de conhecida passagem de *Sonho de uma noite de verão*: "The poet's eye, in *a fine frenzy* rolling, doth glance from heaven to earth, from earth to heaven" (Teseu, Ato 5, Cena 1). "O olho do poeta, num *delírio excelso*, passa da terra ao céu, do céu à terra." (N.T.)

PERSONAGENS PSICOPÁTICOS NO PALCO (1942 [1905-06])

Se a finalidade da tragédia é despertar "medo [*Furcht*] e compaixão", para produzir uma "purificação dos afetos" tal como é aceito desde Aristóteles, então se pode descrever este propósito um pouco mais detalhadamente, na medida em que dizemos tratar-se da abertura das fontes de prazer [*Lust*] ou gozo [*Genuss*] que emanam de nossa vida afetiva, tal como no cômico, no chiste, etc., emanam do trabalho de nossa inteligência, por meio do qual, [até mesmo] muitas destas fontes se tornaram inacessíveis. Neste caso, certamente, é o *desafogar* [*Austoben*] dos próprios afetos que deve, antes de tudo, conduzir esse processo e o gozo daí resultante corresponde, por um lado, ao alívio por meio de uma abundante purgação, mas, por outro, corresponde à excitação sexual conjunta, a qual, se deve admitir, lucra como ganho secundário em todo despertar dos afetos e concede ao homem o sentimento tão desejado da mais alta tensão de seu estado psíquico. O olhar participativo durante o espetáculo possibilita ao adulto o mesmo que a brincadeira possibilita à criança, cuja tocante expectativa pode ser igualmente tão satisfatória para o adulto. O espectador tem muito poucas vivências, se sente como um

46 OBRAS INCOMPLETAS DE S. FREUD

"miserável, a quem nada grandioso pode suceder", alguém que abafou por muito tempo sua ambição, para se colocar como Eu[1] no centro da engrenagem do mundo, melhor dizendo, ele precisou deslocá-lo, ele quer sentir, produzir efeitos, ordenar tudo de acordo com sua vontade, em outras palavras, ser herói, e os atores-poetas [Dichter-Schauspieler] lhe possibilitam isso, na medida em que permitem sua *identificação* com um herói. Nessa situação, eles lhe poupam também de algo, pois o espectador sabe muito bem que essa sua ação heroica não é possível sem dores, sofrimentos e sombrios temores, que quase suspendem o gozo; ele sabe também que tem apenas *uma* vida e que talvez venha a sucumbir em tal luta contra as resistências. Por isso, seu gozo tem como pressuposto a ilusão, ou seja, a mitigação do sofrimento por meio da certeza de que, em primeiro lugar, é outro que age e sofre no palco e, em segundo lugar, que se trata apenas de uma brincadeira, que não pode trazer nenhum prejuízo a sua segurança pessoal. Sob tais condições, ele deve fruir como "grande", abandonar sem medo moções reprimidas [unterdrückten Regungen] como a necessidade de liberdade religiosa, política, social e respeito sexual e se purgar, por todos os lados, nas grandes cenas individuais da vida representada.

Mas estas são condições do gozo comuns a muitas formas de criação literária. A [poesia] lírica permite, sobretudo, desafogar sensações muito intensas e diferenciadas, tal como no seu tempo a dança; a épica deve, principalmente, possibilitar o gozo das grandes personalidades heroicas em sua vitória; mas o drama desce às profundezas das possibilidades afetivas, às expectativas de infelicidade que ainda dão forma ao gozo e mostra, assim, o herói vencido numa luta com uma satisfação que, ao contrário, é masoquista. Poder-se-ia caracterizar mais precisamente o drama, por meio dessa reação ao sofrimento e à infelicidade, seja como na peça teatral que desperta apenas preocupação e sossego ou como na tragédia, na qual o sofrimento se realiza. A gênese do drama a partir dos atos de sacrifício (bode e bode expiatório) no culto dos deuses não é possível sem uma ligação com esse sentido, segundo o qual se acalma a insurreição contra a ordenação divina do mundo, que instituiu o sofrimento. Os heróis, de início, se revoltam contra Deus ou algo divino, e a partir do sentimento de miséria dos mais fracos contra o poder divino, o prazer deve ser mostrado por meio da satisfação masoquista e do gozo direto da personalidade considerada como grande. É este o ânimo de Prometeu dos homens, mas que, deslocado com mesquinha solicitude, se deixa acalmar, provisoriamente, por meio de uma satisfação momentânea.

Desse modo, todos os tipos de sofrimento constituem o tema do drama, a partir do qual se promete proporcionar prazer ao espectador, resultando disso como primeira condição da forma artística, que esta não faça o espectador sofrer, que a compaixão suscitada por meio da satisfação possível, neste caso, seja compreendida como compensação, regra que falta, com frequência, em especial nos poetas modernos [*neuere Dichter*].

Nesta perspectiva, este sofrimento logo se reduz ao sofrimento *anímico*, pois ninguém que sabe o quanto o sentimento corporal modificado sempre dá um fim ao gozo anímico quer sofrer *fisicamente*. Quem está doente tem apenas um desejo: sarar, deixar o estado de quem necessita de médico, abandonar o medicamento, a agradável inibição do fantasiar, para poder gozar a partir de nosso sofrimento. Quando o espectador se transporta para o doente por causa física, nada encontra de prazer e eficiência psíquica em si e, neste caso, o doente é possível apenas como requisito, não como herói no palco, contanto que possibilite o aspecto especificamente psíquico da doença, ou seja, o trabalho psíquico, por exemplo, o abandono do doente no *Filocteto* ou o seu desamparo nas peças de tísicos.

Mas, no essencial, conhecemos os sofrimentos anímicos em conexão com as circunstâncias sob as quais eles foram adquiridos e, para isso, o drama precisa de uma ação a partir da qual tais sofrimentos derivam e começa nos introduzindo nesta ação. Uma clara exceção [existe] quando muitas peças trazem sofrimentos psíquicos prontos, tais como *Ájax*, *Filocteto*,[2] pois devido ao conhecimento do tema parece que a cortina no drama grego sempre se levanta no meio da peça. Agora, torna-se fácil apresentar exaustivamente as condições desta ação [*Handlung*], pois esta deve ser uma ação conflituosa, que contenha um esforço de vontade e de resistência. O primeiro e grandioso cumprimento desta condição aconteceu na luta contra o divino. Já foi dito que esta tragédia é insurreta, na medida em que autor e espectador tomam o partido dos rebeldes. Quanto menos o divino julga, mais vence a ordem *humana*, que se torna, com um conhecimento cada vez maior, responsável pelos sofrimentos e, então, a próxima luta do herói é contra a comunidade social humana, a *tragédia burguesa*. Outro cumprimento da mesma condição é a da luta entre os próprios homens, é a *tragédia de caráter*, que traz consigo toda a excitação do *agón* [ἀγών, conflito] e como lucro está o fato de que se passa entre pessoas que se distinguem, libertas das limitações das instituições humanas e por isso devem ter, com efeito, mais de um herói. Confusões entre os dois casos, luta do herói contra instituições, que se corporifica em caracteres fortes, são naturalmente admissíveis sem problemas. A pura tragédia de caráter carece da fonte do gozo da rebelião, que aparece novamente tão forte nas peças sociais, por exemplo, nas de Ibsen, assim como nos dramas da realeza dos clássicos gregos.

Se os dramas *religiosos*, os de *caráter* e os *sociais* se diferenciam essencialmente pelo lugar da luta, no qual a ação que origina o sofrimento vai adiante, então nós seguimos o drama até outro lugar da luta, no qual ele se torna inteiramente *psicológico*. Na vida anímica do próprio herói o sofrimento acontece numa luta criada entre diferentes moções, uma luta que não deve terminar com o declínio do herói, mas com o declínio de um afeto, ou seja, com uma renúncia. A unificação dessa condição com as anteriores, ou seja, com as que existem nos dramas sociais e de caráter, naturalmente é possível, na medida em que as instituições provocam estes conflitos internos. Eis aí o lugar das tragédias amorosas, pois a repressão [*Unterdrückung*] do amor por meio da cultura social, das instituições humanas ou a luta conhecida nas óperas entre "amor e dever" forma o ponto de partida quase infinito das variadas situações de conflito. Infinito tal como os sonhos diurnos eróticos das pessoas.

Mas a sequência das possibilidades se amplia e o drama psicológico se torna psicopatológico, já que não se trata mais do conflito entre duas moções conscientes bem próximas, mas aquele entre uma fonte consciente e uma recalcada [*verdrängt*] do sofrimento, da qual fazemos parte e a partir da qual extraímos prazer. Aqui, a condição do gozo é que o espectador também seja um neurótico. Pois apenas nele a liberação e em certa medida o reconhecimento consciente da moção recalcada pode trazer prazer em vez de simples aversão; entre não-neuróticos, tal moção é impelida pura e simplesmente à aversão e clama pela disposição a repetir o ato de recalcamento [*Akt der Verdrängung*], e assim este é aqui bem-sucedido – a moção recalcada é mantida por meio do único custo do recalque, o do equilíbrio. No neurótico o recalque é compreendido como fracasso, instável e necessitando de novo dispêndio, o que é poupado por meio do reconhecimento. Apenas nele existe esta luta, que pode ser o objeto do drama, mas nele o poeta [*Dichter*] não produz um simples *gozo* liberador, mas também *resistência*.

O primeiro destes dramas modernos é *Hamlet*. O tema trata de como alguém até então normal se torna neurótico pela natureza singular da tarefa a que ele se propõe, na medida em que uma moção até então recalcada com êxito procura se legitimar. *Hamlet* se desenha por meio de três características, que parecem importantes para nossa questão. (1) Que o herói não é psicopático, mas que se torna um pelas ações que pratica. (2) Que a moção recalcada está entre aquelas que em todos nós o é da mesma maneira, cujo recalque diz respeito ao fundamento de nosso desenvolvimento pessoal, enquanto a situação [vivida por Hamlet] abala justamente este recalque. Por meio dessas duas condições torna-se fácil que nós nos reencontremos no herói; somos capazes do mesmo conflito que ele, pois "quem em certas situações não perde seu entendimento nada tem a perder".[i] (3) Mas, como condição da forma artística, parece estar o fato de que quanto mais se está seguro de que a moção que luta para chegar à consciência é conhecida, menos ela é chamada por um nome nítido, de tal modo que o processo se completa no ouvinte com atenção diferenciada e ele é acometido por sentimentos em vez de prestar conta deles. Por meio disso, certamente, uma parte da resistência é poupada, tal como se vê no trabalho analítico, no qual os derivados do recalcado

---

[i] Lessing, *Emilia Galotti*, IV. Ato, 7. Cena.

[*Abkömmlinge des Verdrängten*], na sequência de uma baixa resistência, chegam à consciência. O conflito em *Hamlet* é, pois, tão oculto que precisei adivinhá-lo.

É possível que em consequência da não-observação dessas três condições muitas outras figuras psicopáticas se tornem inutilizáveis para o palco, assim como elas o são para a vida. Pois o neurótico é para nós alguém de cujo conflito não se pode obter nenhum conhecimento, se ele o traz pronto. Ao contrário, se conhecemos este conflito, nós o esquecemos, pois ele é um doente, assim como ele acaba por se tornar doente, quando passa a conhecer o seu conflito. A tarefa do poeta seria nos transportar para a mesma doença, e isso acontece da melhor maneira, quando acompanhamos o desenvolvimento da doença junto com ele. Isso se torna necessário especialmente onde o recalque já não subsiste mais em nós, ou seja, antes deve ser criado, representando um passo no emprego da neurose no palco para além de *Hamlet*. Onde a neurose estranha e pronta se opõe a nós, chamaremos o médico enquanto vivermos e conservaremos a figura como incapaz de subir ao palco.

Este erro parece existir em *Os outros*, de Bahr,[3] além de outros problemas, de tal modo que não nos é possível, a partir do privilégio de alguém, satisfazer inteiramente a jovem, para se convencer dos seus sentimentos. Então, seu caso não pode ser o nosso. Além deste, o terceiro [erro], o de que nada deve permanecer obscuro e que a completa resistência contra essa condição do amor, que não nos agrada, é despertada em nós. A condição da atenção flutuante parece ser a mais importante das condições formais válidas aqui.

Em geral, deve ser permitido dizer que a instabilidade neurótica do público e a arte do poeta em evitar resistências e propiciar um prazer preliminar podem caracterizar apenas os limites da utilização de caráter anormais.

NOTAS

[1] *Ich*, grafado com inicial maiúscula, faz referência ao conceito analítico e não apenas ao pronome da primeira pessoa no singular. (N.T.)

[2] Trata-se de duas tragédias de Sófocles. Ájax, o segundo melhor dentre os guerreiros gregos, é tomado pela mais terrível ira ao saber que, após a morte de Aquiles, as armas daquele que era considerado o maior dentre os guerreiros gregos, não lhe foram entregues, mas sim a Odisseu. Filocteto, por sua vez, teria sido o depositário das armas de Hércules e após ter sido picado por uma serpente que guardava o templo de uma ninfa, fora abandonado numa ilha, sofrendo terríveis dores por essa ferida que nunca se cura. (N.T.)

[3] Esta peça de teatro de Hermann Bahr (1863-1934), romancista e dramaturgo austríaco, estreou no final de 1905. A ação se ocupa com a dupla personalidade da heroína, que considera impossível livrar-se da servidão que a faz dependente da atração física por um homem. O parágrafo supracitado foi omitido na primeira edição de 1942 (em inglês), no entanto foi acrescentado na versão completa da *Standard Edition*, v. 7, p. 310. (N.E.A.)

O POETA E O FANTASIAR (1908)

Sempre foi muito atraente para nós, leigos, poder saber de onde o poeta [*Dichter*],[1] esta extraordinária personalidade, extrai seus temas – algo no sentido da questão que o Cardeal dirigiu a Ariosto[2] – e como ele consegue nos comover tanto, despertar-nos emoções [*Erregungen*], que talvez julgássemos jamais fôssemos capazes de sentir. Nosso interesse neste caso só cresceu devido à circunstância de que o próprio poeta, quando perguntado a respeito, não nos fornece nenhuma informação ou nenhuma que seja satisfatória de tal modo que ele não é perturbado pelo nosso conhecimento, de que o melhor juízo acerca das condições da escolha do material poético e da essência da arte de plasmar poeticamente em nada contribuiria para fazer de nós mesmos poetas.

Se pelo menos pudéssemos encontrar em nós mesmos, ou entre os nossos próximos, uma atividade de algum modo semelhante à do poeta! A investigação a respeito nos permitiria esperar conseguir uma primeira explicação sobre a criação poética. E realmente, existe uma perspectiva a esse respeito: o próprio poeta gosta de reduzir a distância entre o que lhe é singular e a essência humana em geral; ele nos assegura, com frequência, que em cada um existe um poeta escondido e que o último poeta deverá morrer junto com o último homem.

Não deveríamos procurar os primeiros indícios da atividade poética já nas crianças? A atividade que mais agrada e a mais intensa das crianças é o brincar. Talvez devêssemos dizer: toda criança brincando se comporta como um poeta, na medida em que ela cria seu próprio mundo, melhor dizendo, transpõe as coisas do seu mundo para uma nova ordem, que lhe agrada. Seria então injusto pensar que a criança não leva a sério esse mundo; ao contrário, ela leva muito a sério suas brincadeiras, mobilizando para isso grande quantidade de afeto. O oposto da brincadeira não é a seriedade, mas a realidade [*Wirklichkeit*].[3] A criança diferencia enfaticamente seu mundo de brincadeira da realidade, apesar de toda a distribuição de afeto, e empresta, com prazer, seus objetos imaginários e relacionamentos às coisas concretas e visíveis do mundo real. Não é outra coisa do que este empréstimo que ainda diferencia o "brincar" da criança do "fantasiar".

O poeta faz algo semelhante à criança que brinca; ele cria um mundo de fantasia que leva a sério, ou seja, um mundo formado por grande mobilização afetiva, na medida em que se distingue rigidamente da realidade. E a linguagem mantém esta afinidade entre a brincadeira infantil e a criação poética, na medida em que a disciplina do poeta, que necessita do empréstimo de objetos concretos passíveis de representação, é caracterizada como brincadeira/jogo [*Spiele*]: comédia [*Lustspiel*], tragédia [*Trauerspiel*] e as pessoas que as representam, como atores [*Schauspieler*].[4] Mas, a partir da irrealidade do mundo poético, se seguem importantes consequências para a técnica artística, pois muitas coisas que não poderiam causar gozo como reais podem fazê-lo no jogo da fantasia e muitas moções que em si são desagradáveis podem se tornar para o ouvinte ou espectador do poeta fonte de prazer.

Consideremos ainda por um momento outra relação presente na oposição entre realidade e brincadeira! Depois que a criança cresce e abandona suas brincadeiras, quando passa a se preocupar psiquicamente durante décadas em compreender as realidades da vida com a seriedade exigida, então ela pode, um dia, sucumbir a uma disposição anímica, que mais uma vez suprime a oposição entre brincadeira e realidade. O adulto pode, então, se lembrar com que grande seriedade ele conduziu suas brincadeiras infantis e, na medida em que equipara suas pretensas ocupações sérias com estas brincadeiras de criança, se desfaz de todas as pesadas opressões e alcança o maior ganho de prazer, o do *humor*.

Alguém que está crescendo deixa de brincar, renunciando claramente ao ganho de prazer que a brincadeira lhe trazia. Mas quem conhece a vida psíquica das pessoas sabe que nada é mais difícil do que renunciar a um prazer que um dia foi conhecido. No fundo, não poderíamos renunciar a nada, apenas trocamos uma coisa por outra; o que parece ser uma renúncia é, na verdade, uma formação substitutiva ou um sucedâneo. Assim, quando alguém que está crescendo deixa de brincar, nada mais faz a não ser esse empréstimo aos objetos reais; em vez de *brincar*, agora *fantasia*. Ele constrói castelos no ar, cria o que chamamos de sonhos diurnos. Acredito que a maioria das pessoas, de tempos em tempos na sua vida, forma fantasias. Trata-se de uma atividade, à qual durante muito tempo não se deu atenção e cujo significado não foi suficientemente apreciado.

É mais difícil observar o fantasiar das pessoas do que a brincadeira das crianças. De fato, a criança também brinca sozinha ou forma, com outras crianças, um fechado sistema psíquico com a finalidade de brincar, mas mesmo se também a criança não mostra nada previamente ao adulto, ela não esconde sua brincadeira diante dele. O adulto, ao contrário, se envergonha de suas fantasias e as esconde dos outros, as guarda como o que lhe é mais íntimo, em geral, prefere responder por seus delitos que partilhar suas fantasias. Pode suceder que se considere como a única pessoa que tem tais fantasias e não suspeita que suas criações sejam similares às de outras pessoas. Estas diferentes atitudes, a daquele que brinca e a daquele que fantasia, encontram sua boa fundamentação nos motivos pelos quais ambas se complementam e dão continuidade a estas atividades.

A brincadeira infantil foi dirigida por desejos, na verdade por um desejo, aquele que ajuda a educar a criança: o de se tornar grande e adulta. As crianças sempre brincam de "ser grande", imitando na brincadeira o que se tornou conhecido delas, da vida dos grandes. Elas não têm nenhum motivo para esconder esse desejo. Já o adulto é bem diferente: por um lado, sabe que se espera que ele não brinque mais ou que não fantasie mais, mas que aja no mundo real e, por outro lado, que sob suas fantasias se produzem muitos desejos que, de qualquer modo, devem permanecer necessariamente ocultos; por isso, se envergonha de suas fantasias como coisas de criança e proibidas.

Os senhores devem perguntar como se conhece com tanta exatidão essas informações acerca do fantasiar das pessoas, se estas o encobrem com tanto mistério. Ora, existe uma espécie de pessoa que conferiu, de fato, não a um Deus, mas a uma Deusa severa — a Necessidade — o encargo de dizer o que as faz sofrer e o que as alegra. Estas pessoas são os doentes dos nervos [*Nervösen*],[5] que dos médicos de quem esperam o seu restabelecimento por meio do tratamento psíquico, também esperam que respondam por suas fantasias; dessas fontes surgem o nosso melhor conhecimento e conseguimos assim fundamentar inteiramente a suspeita de que nossos doentes não nos comunicam nada diferente do que as pessoas sãs também poderiam experimentar.

Conheçamos agora algumas características do fantasiar. Deve-se dizer que quem é feliz não fantasia, apenas o insatisfeito. Desejos insatisfeitos são as forças impulsionadoras [*Triebekräfte*][6] das fantasias, e toda fantasia individual é uma realização de desejo, uma correção da realidade insatisfatória. Os desejos que impulsionam são diferentes de acordo com o sexo, o caráter e as relações da pessoa que fantasia. Mas eles podem se agrupar, sem coação [*Zwang*], de acordo com duas direções principais. Ou são desejos de ambição, que servem à elevação da personalidade, ou são eróticos. Nas jovens mulheres dominam quase exclusivamente os desejos eróticos, pois sua ambição é, em geral, consumida pela ânsia de amor; nos rapazes, ao lado dos eróticos, os desejos egoístas e ambiciosos suficientemente reforçados. De fato, não gostaríamos de acentuar a oposição entre essas duas direções, mas muito mais sua frequente unificação; como em inúmeros retábulos é visível, em um canto, a imagem do fundador, assim poderíamos descobrir, na maioria das fantasias de ambição, em um ângulo qualquer, a dama para quem o fantasiador realiza todos esses atos heroicos, em cujos pés ele lança todos os êxitos. Como os senhores podem ver, aqui existem motivos suficientemente fortes para esconder; à dama bem educada se concede, em geral, apenas um mínimo de necessidade erótica e o rapaz deve aprender a reprimir [*unterdrücken*] o excesso de egoísmo, que ele traz dos mimos da infância, com o objetivo da disciplina em uma sociedade tão rica em indivíduos com semelhantes exigências.

Não deveríamos imaginar os produtos deste processo, as fantasias individuais, como castelos no ar ou sonhos diurnos petrificados e inalteráveis. Eles são muito mais adaptáveis às mudanças das impressões da vida, se modificam a cada oscilação da situação da vida, recebendo de cada nova e eficaz impressão uma conhecida "marca do tempo". As relações da fantasia com o tempo são muito significativas. Deve-se dizer: uma fantasia paira entre três tempos, os três momentos temporais de nossa imaginação. O trabalho psíquico se acopla a uma impressão atual, a uma oportunidade no presente, capaz de despertar um dos grandes desejos da pessoa; remonta a partir daí à lembrança de uma vivência antiga, na sua maioria uma vivência infantil, na qual aquele desejo foi realizado e cria então uma situação ligada ao futuro, que se apresenta como a realização daquele desejo, seja no sonho diurno ou na fantasia, que traz consigo os traços de sua gênese naquela oportunidade e na lembrança. Ou seja, passado, presente, futuro se alinham como um cordão percorrido pelo desejo.

O exemplo mais banal pode esclarecer-vos quanto a minha posição. Vejam o caso de um jovem pobre e órfão, a quem os senhores deram o endereço de um empresário, com quem ele talvez pudesse encontrar um emprego. No caminho, ele pode se perder num sonho diurno, evadindo-se tendo em vista sua situação. O conteúdo desta fantasia era de que ele conseguiria o emprego, que agradaria ao seu novo chefe, se tornaria indispensável aos negócios, se mudaria para a casa do patrão, casaria com a sua atraente filha e então ele próprio dirigiria os negócios como sócio e depois, como herdeiro. Assim sendo, o sonhador substitui o que ele poderia ter numa infância feliz: a casa protetora, os queridos pais e o primeiro objeto de sua inclinação afetiva. Os senhores veem neste exemplo como o desejo utiliza uma oportunidade no presente para projetar, segundo um modelo do passado, uma imagem do futuro.

Haveria muito mais a se dizer sobre as fantasias: mas quero me limitar a uma interpretação mínima. A hiperproliferação e a preponderância das fantasias criam as condições da entrada na neurose ou na psicose; as fantasias também são as mais próximas preparações anímicas dos sintomas de sofrimento, dos quais queixam-se nossos doentes. Aqui se apresenta um largo caminho em direção às patologias.

Mas não posso deixar de lado a relação das fantasias com os sonhos. Também nossos sonhos noturnos nada mais são do que essas fantasias, tal como mostramos de forma evidente por meio da sua interpretação.[7] A língua há muito já decidiu, na sua intransponível sabedoria, a questão acerca da essência dos sonhos, na medida em que ela também permitiu nomear as vaporosas criações da fantasia, de "sonhos diurnos" [*Tagträume*].[8] Se apesar desse indício de sentido, nossos sonhos, no geral, permanecem obscuros para nós, logo eles comovem a partir de uma circunstância, segundo a qual tais desejos também são ativados em nós à noite, de modo que nos envergonhamos, devendo escondê-los de nós mesmos e por isso devem ser recalcados e enviados para o inconsciente. Tais desejos recalcados e seus derivados não podem ser permitidos a não ser como uma expressão ruim, deformada. Depois que a *deformação do sonho* [*Traumentstellung*] foi esclarecida pelo trabalho científico, não foi mais difícil reconhecer que os sonhos noturnos são realizações de desejo tal como os sonhos diurnos e as fantasias tão conhecidas de todos nós.

Falamos muito de fantasia, então vamos ao poeta! Deveríamos de fato tentar comparar o poeta com o "sonhador no dia mais luminoso", suas criações com sonhos diurnos? Isso leva a uma primeira diferença; devemos diferenciar os poetas que retomam temas já prontos, como os épicos e trágicos, daqueles que parecem criar livremente seus temas. Paremos um pouco nos últimos e procuremos para nossa comparação não aqueles poetas mais valorizados pela crítica, mas o narrador não exigente de romances, novelas e histórias, que por isso encontram inumeráveis e zelosos leitores e leitoras. Nas criações desses autores uma característica nos salta aos olhos: todos possuem um herói que ocupa o centro dos interesses, para quem o autor procura, por todos os meios, ganhar nossa simpatia e que ele parece proteger com uma providência especial. Se, ao final do capítulo de um romance, deixei o herói sem consciência, sangrando devido a uma ferida profunda, então estou seguro de encontrá-lo no início do próximo capítulo entregue aos maiores cuidados e a caminho da recuperação e se o primeiro volume terminou com o naufrágio do navio em meio à tempestade, no qual nosso herói se encontrava, então estou certo de que lerei no começo do segundo volume sua milagrosa salvação. O sentimento de segurança, com que acompanho o herói em meio a seu perigoso destino é o mesmo com o qual um herói real se lança nas águas, para salvar alguém que se afoga ou que se expõe ao fogo inimigo, para tomar de assalto uma artilharia; todo sentimento heroico, na verdade, ao qual um dos nossos melhores poetas presenteou com uma expressão deliciosa: "Nada pode te acontecer" (Anzengruber).[9] Mas penso reconhecer nesta traiçoeira característica de ficar ileso sem esforço sua majestade o Eu, o herói de todos os sonhos diurnos como em todos os romances.

Outros traços típicos dessas narrativas egocêntricas remetem à mesma afinidade. Se todas as mulheres dos romances sempre se apaixonam pelo herói, isso deve ser compreendido raramente como uma descrição da realidade, mas, ao contrário, deve ser simplesmente entendido como a existência necessária dos sonhos diurnos. A mesma coisa acontece quando os outros personagens dos romances são rigidamente separados entre bons e maus, renunciando, na realidade, à mistura observada no caráter humano; os "bons" são os que socorrem, mas os "maus" são os inimigos e concorrentes do Eu que se tornou herói.

Não desconhecemos, de modo algum, que diversas criações poéticas estão muito distantes do modelo ingênuo dos sonhos diurnos, mas não posso deixar de suspeitar que a mais extrema divergência, por meio de uma sequência de passagens sem interrupções, pode ser relacionada a este modelo. Ainda em muitos dos conhecidos romances psicológicos me chama atenção que apenas uma pessoa, sempre de novo o herói, é descrita neles; o autor se instala, igualmente, em sua psique e contempla as outras pessoas de fora. O romance psicológico deve sua especificidade inteiramente à inclinação do autor moderno em dividir seu eu por meio da auto-observação em Eus-parciais e, em consequência disso, personifica a avalanche de conflitos de sua vida psíquica em muitos heróis. Em uma oposição bastante específica em relação ao tipo do sonho diurno, os romances parecem ser o que se poderia caracterizar como "excêntricos", uma vez que neles a pessoa introduzida como herói representa o menor papel ativo, antes, como um espectador vê os atos e sofrimentos dos outros passarem para ele. Os romances tardios de Zola são desse tipo. Assim sendo, devo observar que a análise psicológica, não poética, reconheceu em muitas peças indivíduos que divergiam das normas estabelecidas, variações análogas dos sonhos diurnos, nas quais o Eu se contentou com o papel de espectador.

Se nossa comparação do poeta com o sonhador diurno e da criação artística com o sonho diurno pode ser valiosa, então ela deve ser justificada de um modo fecundo, seja lá como for. Tentemos utilizar nossa proposição feita antes acerca da relação da fantasia com os três tempos, assim como com os desejos, com a obra do poeta e, com sua ajuda, estudar as relações entre a vida do poeta e suas criações. Em geral, não se sabe com quais expectativas devemos nos intrometer neste problema; costumou-se apresentar esta relação de maneira muito simplificada. A partir do conhecimento adquirido com as fantasias, deveríamos esperar o seguinte conteúdo [*Sachgehalt*]: uma forte vivência atual deve despertar no poeta a lembrança de uma vivência antiga, em geral uma vivência infantil, da qual então parte o desejo que será realizado na criação literária [*Dichtung*]; a própria criação literária permite que se reconheçam tanto elementos de acontecimentos recentes quanto também antigas lembranças.

Não se espantem diante da complexidade dessa fórmula; suspeito que ela se justifica, na realidade, como um esquema demasiado precário, mas uma primeira aproximação com o real conteúdo poderia ser nela conservado e, após algumas tentativas que empreendi, dever-se-ia pensar que esta maneira de observar as produções poéticas poderia ser fecunda. Não esqueçam que o destaque, talvez estranho, às lembranças infantis na vida do poeta deriva, em última instância, da pressuposição de que a criação literária, como o sonho diurno, é uma continuação e uma substituição, a uma só vez, das brincadeiras infantis.

Retornemos ao tipo de criação literária [*Dichtung*][10] no qual entrevemos não a criação livre, mas o trabalho com um material já conhecido e pronto. Também aqui o poeta mantém uma parcela de autonomia, que se expressa na escolha dos temas e na frequente e considerável modificação destes. Mas quanto mais os materiais já estão dados, mais surgem outros dos tesouros populares dos mitos, sagas e contos de fada. A investigação acerca dessas formações da psicologia dos povos não está ainda terminada, mas, por exemplo, muito provavelmente correspondam inteiramente aos mitos os resíduos deformados das fantasias de desejo de toda uma nação, os *sonhos seculares* da jovem humanidade.

Os senhores dirão que falei muito mais de fantasias do que do poeta, do que previra no título de minha palestra. Sei disso e peço desculpas tendo em vista o estado atual do nosso conhecimento. Gostaria apenas de vos estimular e desafiar, partindo do estudo das fantasias, a atacar o problema da escolha dos temas poéticos. Ainda não tocamos no outro problema que visa, com os meios do poeta, os efeitos afetivos em nós despertados por suas criações. Gostaria ainda de pelo menos indicar o caminho que, a partir de nossas explicações sobre as fantasias, nos leva aos problemas do efeito poético.

Os senhores se recordam quando dizíamos que quem tem sonhos diurnos esconde suas fantasias cuidadosamente diante dos outros, porque sente que aí há motivos para se envergonhar. Eu acrescentaria que, mesmo que ele pudesse nos comunicar essas fantasias, não poderia nos proporcionar, por meio de tal desocultamento, nenhum prazer. Se experimentássemos essas fantasias, ou nos livraríamos delas ou permaneceríamos distantes delas. Mas, se o poeta nos apresentasse previamente suas brincadeiras ou contasse para nós aquilo que esclarecesse seus sonhos diurnos pessoais, então, sentiríamos, provavelmente a partir de diferentes fontes, um grande prazer que flui conjuntamente. Como o poeta realiza isso, eis aí o seu segredo mais íntimo; na técnica da superação desta repulsão, que certamente tem a ver com as limitações existentes entre todo o eu individual e os outros, consiste, verdadeiramente, a *Ars poetica*. Podemos supor dois meios para esta técnica: o poeta suaviza o caráter do sonho diurno egoísta por meio de alterações e ocultamentos, e nos espicaça por meio de um ganho de prazer puramente formal, ou seja, estético, o qual ele nos oferece na exposição de suas fantasias. Pode-se chamar este ganho de prazer, que nos é oferecido, para possibilitar, com ele, o nascimento de um prazer maior a partir de fontes psíquicas ricas e profundas, de um *prêmio por sedução* [*Verlockungsprämie*] ou de um *prazer preliminar* [*Vorlust*]. Sou da opinião de que todo prazer estético, criado pelo artista para nós, contém o caráter deste prazer preliminar e que a verdadeira fruição da obra poética surge da libertação das tensões de nossa psique. Talvez, até mesmo não contribua pouco para este êxito o fato de o poeta nos colocar na situação de, daqui em diante, gozarmos com nossas fantasias sem censura e vergonha. Aqui estamos diante de uma entrada para investigações mais novas, mais interessantes e mais plausíveis, mas, pelo menos desta vez, chegamos ao final de nossa explicação.

NOTAS

1 Trata-se do *Dichter* no seu sentido mais amplo e geral de poeta como "criador", englobando o escritor, o romancista, o novelista, o contista, assim como aquele "que faz versos". Freud segue aqui o sentido dessa palavra que se impõe a partir de Herder e depois, pelos Primeiros Românticos. (N.T.)

2 Freud refere-se à pergunta que teria sido feita pelo Cardeal d'Este de Ippolito ao seu protetor, o poeta Ludovico Ariosto (1474-1533), autor de *Orlando Furioso*: "de onde é que você tira tantas histórias?". (N.T.)

3 Em alemão, as palavras *Wirklichkeit* e *Realität* são, em geral, empregadas como sinônimas, designando a *"realitas"*, o que de fato é e existe, em oposição às ilusões, desejos e crenças. Entretanto, existem também sutis e, às vezes, enormes diferenças entre elas, em especial na Filosofia. Aqui, a *Wirklichkeit* é em geral tomada em oposição ao sonho, à fantasia e à aparência, constituindo, entretanto, uma "modalidade do ser", enquanto "possibilidade", "contingência", ou seja, o que é possível ser, em oposição à *Notwendigkeit*, "necessidade". Nessa passagem do texto de Freud, entretanto, é bem claro que ele usa *Wirklichkeit* no sentido daquilo que efetivamente existe, em oposição ao mundo fantasioso e imaginário das brincadeiras infantis, embora a própria criança possa estabelecer uma relação entre esses dois mundos. Nossa opção por "realidade" visa desde já indicar que os dois níveis de realidade em Freud não são o da aparência e o da essência, o do transitório e o do eterno, mas o da realidade que existe efetivamente e de outra realidade, a psíquica. (N.T.)

4 *Spiel*, *spielen*, jogo, brincadeira, jogar, brincar referem-se também à arte de representar no teatro. Assim *Lustspiel* é a "comédia", ou seja, "um jogo, uma brincadeira que dá prazer, provoca riso, é *lustig*; *Trauerspiel* é tragédia, isto é, "um jogo, uma brincadeira com algo que entristece, enluta" e *Schauspieler/in* é o "ator", a "atriz", aquele ou aquela que "joga, brinca com sua aparência", de acordo com o/a personagem. (N.T.)

5 *Nervösen*, doentes dos nervos, outro nome dado à Histeria desde o século XIX. (N.T.)

6 Nesse caso, as *Triebekräfte* são as forças que impulsionam o aparecimento das fantasias, mantendo-se com isso a referência ao verbo *treiben*, que também é "impulsionar". (N.T.)

7 Ver do autor, *Die Traumdeutung* [*Interpretação do sonho*], 1900. (Ges. Werke, Bd. II/III). (N.T.)

8 Também traduzido por "devaneios", refere-se à ideia presente já na *Interpretação do sonho*, acerca da possibilidade de sonharmos acordados,

durante o dia, isto é, mesmo sob a vigilância da consciência desperta. (N.T.)

[9] Referência a Ludwig Anzengruber (1839-1889), ator, jornalista e escritor austríaco, considerado como um "realista". Suas simpatias pelo socialismo fizeram com que o movimento operário austríaco o considerasse um de seus precursores. Nessa passagem, o herói diz essa frase a si mesmo. (N.T.)

[10] Aqui, *Dichtung* está ligada à ideia de gênero literário, no caso, a de um tipo especial, aquele que Freud caracteriza como de "criação livre". (N.T.)

Leonardo da Vinci. *Mona Lisa*. 1503-1506. Óleo sobre madeira de álamo (77 cm × 53 cm). Museu do Louvre, Paris.

Leonardo da Vinci. *A Virgem e o Menino com Sant'Ana.* 1508-1513. Óleo sobre madeira (168 cm x 112 cm). Museu do Louvre, Paris.

[Esse quadro da mãe de Maria e, portanto, da avó de Jesus, muito comum na iconografia cristã desde a Idade Média, é conhecido na tradição alemã como *heilige Anna selbdritt*, a expressão que Freud usa no texto. *Selbdritt* significa, literalmente, "fazer parte de um grupo de três". (N.T.)]

Leonardo da Vinci. *A Virgem, o Menino, Sant'Ana e São João Batista.* 1499-1500. Carvão e giz sobre papel (141,5 cm × 104,6 cm). Galeria Nacional de Londres. Freud refere-se a essa obra como "o cartão de Londres".

UMA LEMBRANÇA DE INFÂNCIA DE LEONARDO DA VINCI (1910)

Quando a pesquisa médica sobre o psiquismo, que se contenta até mesmo com o material humano mais frágil, aproxima-se de um dos grandes da humanidade não persegue, nesse caso, os motivos que são, frequentemente, estimulados pelos leigos. Ela não anseia, com isso, "escurecer o que brilha e lançar o sublime à poeira";[1] não causa nenhuma satisfação, que reduza a distância entre esta perfeição e a inacessibilidade de seus objetos habituais. Mas ela nada pode encontrar a não ser tudo o que é valioso para o entendimento, o que se deixa reconhecer em todo modelo e pensa que ninguém seria tão grande, a tal ponto que seria uma vergonha para ela derrubar as leis que dominam a atividade normal e a doentia com a mesma rigidez.

Como um dos grandes homens da Renascença italiana, Leonardo da Vinci (1452-1519) já era admirado pelos seus contemporâneos e, de fato, ele já lhes parecia misterioso, tal como agora ainda é para nós. Um gênio em todos os aspectos, "cujos contornos se podem apenas imaginar – nunca fundamentar",[1] ele exercia, como pintor, a influência mais estabelecida na sua época; enquanto isso,

---

[1] Segundo as palavras de Jakob Burckhardt, citadas por Alexandra Konstantninowa. O desenvolvimento dos tipos de Madonna em

70 OBRAS INCOMPLETAS DE S. FREUD

a grandeza do investigador da natureza (e a do técnico),[2] que estava ligada nele, à grandeza do artista, demorou a ser reconhecida sem reservas. Ainda que ele deixasse atrás de si obras-primas da pintura, enquanto suas descobertas científicas permaneciam inéditas e desvalorizadas, o pesquisador, em seu desenvolvimento, nunca deixou inteiramente de lado o artista, embora o obstruindo com frequência e, talvez, ao final, o tenha reprimido [*unterdrückt*]. Vasari colocou na sua boca, em suas últimas horas de vida, a autocensura, de que ele ofendeu Deus e os homens, na medida em que, em sua arte, não fez seu dever.[i] E, mesmo que também essa narrativa de Vasari não tenha muita verossimilhança nem externa nem interna, mas pertença à lenda que em torno do mestre misterioso começou a se formar em sua própria época, de tal modo que ela lhe confere, como testemunha do julgamento deste homem e de sua época, um valor irrepreensível.

Mas o que a personalidade de Leonardo ocultava à compreensão de seus contemporâneos? Certamente não era a multiplicidade de seus investimentos e conhecimentos, que lhe permitia se introduzir na corte de Ludovico Sforza, apelidado *il Moro* [o Mouro], duque de Milão, como tocador

---

Leonardo da Vinci, Strassburg, 1907 (Zur Kunstgeschichte des Auslands, Heft 54) [p. 51].

i   "*Egli per reverenza, rizzatosi a sedere in letto, contando il mal suo e gli accidenti di quello, mostrava tuttavia, quanto aveva offeso Dio e gli uomini del mondo, non avendo operato nell'arte come si conveniva*"[Ele por reverência, sentando-se na cama, narrando seu mal e os acidentes provenientes dele, mostrava, no entanto, o quanto havia ofendido Deus e os homens do mundo, não tendo operado na arte como convinha]. Vasari, Vite etc. LXXXIII. 1550-1584 [*Le vite de'più eccelenti Architetti, Pittori et Scultori Italiani*, Florença, 2. ed., 1568; na edição organizada por Poggi (Florença 1919), p. 43; tradução alemã por L. Schorn: *Leben der ausgezeichnetsten Maler, Bildhauer und Baumeister*, Stuttgart, 1843].

de um dos novos instrumentos por ele mesmo moldado, ou que lhe permitia escrever uma carta curiosa ao duque, na qual se vangloriava de sua capacidade como engenheiro civil e militar. Uma tal reunião de múltiplas habilidades em uma única pessoa era bastante comum na época da Renascença; de todo modo, o próprio Leonardo era um dos mais brilhantes exemplos disso. Ele também não pertencia àquele tipo de pessoas geniais, que pouco refletiam expressamente sobre a natureza, que não concediam, por seu lado, nenhum valor às formas expressivas da vida e que, na obscuridade dolorosa do seu humor, fugiam do contato com as pessoas. Ele era bastante alto e cresceu bem proporcional, com um rosto perfeitamente belo e uma força física fora do comum, fascinante nas formas de trato, um mestre da palavra, jovial e amável com todos; amava a beleza também nas coisas que lhe cercavam, trajava-se, de preferência, com pompa, e apreciava qualquer refinamento na condução da vida. Em uma passagem significativa para sua capacidade jovial de prazer, do seu *Tratado de pintura*,[i] ele a comparou com as suas artes-irmãs e descreveu as queixas do trabalho do escultor: "Ei-lo aqui com o rosto inteiramente borrado e empoado com pó de mármore, parecendo assim um padeiro, coberto com pequenas lascas de mármore, como se estivesse nevando sobre sua corcunda, e sua morada fica repleta de lascas de pedra e poeira. Completamente oposto de tudo isso é o caso do pintor – [...]; pois o pintor senta com grande comodidade diante de sua obra, bem vestido e movimenta, ligeiro, o pincel com cores graciosas. Ele está enfeitado com roupas que lhe agradam. E sua morada, cheia de pinturas

---

[i] Tratado de pintura [*Trattato dela Pittura*, tradução de H. Ludwig], nova edição, com organização e introdução de Marie Herzfeld, Jena, 1909, p. 36.

divertidas, admiravelmente limpa. Frequentemente, tem a companhia de música ou de leituras em voz alta de diferentes obras belas, e estas são ouvidas, com grande prazer, sem o retumbar do martelo ou outros barulhos."

É muito provável que a representação de um Leonardo radiante, jovial e divertido seja válida apenas para o primeiro e mais longo período da vida do mestre. A partir daí, quando o declínio do poder de Ludovico, o Mouro, lhe coagiu a deixar Milão, seu círculo de influências e uma posição segura, para administrar uma vida errante, com expressivo êxito, mas pouco rica, até seu último asilo na França, pôde-se empalidecer o brilho de seu ânimo, evidenciando sobremaneira muitos traços estranhos de sua natureza. A crescente mudança, com o decorrer dos anos, de seus interesses, de sua arte para a ciência, pôde ter também contribuído para alargar o abismo entre sua personalidade e seus contemporâneos. Todas as tentativas, com as quais ele, segundo pensava, desperdiçou seu tempo, em lugar de pintar com zelo sob encomenda e ficar rico, como o fez Perugino,[3] seu discípulo à época, lhe pareciam brincadeiras bem-humoradas ou o levavam mesmo a suspeitar de estar servindo à "arte negra".[4] Neste caso, o compreendemos perfeitamente bem, pois sabemos, a partir de seus desenhos, qual arte ele exerce. Na sua época, na qual a autoridade da igreja começava a ser confundida com a da Antiguidade e que ainda não conhecia uma investigação sem hipóteses, ele foi o precursor, sim, um concorrente nada desprezível de Bacon e Copérnico, necessariamente isolado. Quando ele dissecava cadáveres de cavalos e pessoas, construía aparelhos para voar, estudava a alimentação das plantas e sua relação com venenos, se afastou bastante, em todo caso, dos comentadores de Aristóteles e chegou próximo dos desprezados alquimistas, e, nos seus laboratórios, a pesquisa experimental encontrou, no mínimo, uma saída durante esses tempos desfavoráveis.

A consequência disso para sua pintura foi que ele pegava, sem prazer, no pincel e raramente pintava, deixando de lado os esboços incompletos e pouco cuidava do destino posterior de suas obras. Por isso, também a sua relação com a arte permaneceu um mistério, daí a censura de seus contemporâneos.

Muitos dos admiradores posteriores de Leonardo tentaram apagar a máscara da oscilação do seu caráter. Eles queriam legitimar aquilo que era censurado em Leonardo, como uma qualidade de todo grande artista em geral. Da mesma forma que Leonardo, também o enérgico Michelangelo, que se aferrava ao trabalho, tinha deixado muitas de suas obras incompletas, e isso não era considerado sua culpa. Do mesmo modo, muitos quadros não teriam ficado tão incompletos, quanto o foram declarados por Leonardo. O que ao leigo já parece uma obra-prima, para o criador da obra permanece sempre uma incorporação não satisfatória de suas intenções; ela lhe parece uma vaga ideia da perfeição, que ele, desanimado, busca restituir na imagem. Mas, no mínimo, isso quer dizer que o artista se responsabiliza pelo destino final que sua obra encontra.

Quanto mais convincentes muitas dessas desculpas também possam ser, mais elas não escondem todo o conteúdo que nos toca nas obras de Leonardo. A penosa luta com a obra, que pode ser, enfim, uma fuga dela, e a indiferença diante de seu destino reaparecem em muitos outros artistas; mas, certamente, Leonardo mostrou essa conduta ao extremo. *Edm. Solmi*[1] cita (p. 12) a declaração

---

[1] Solmi: La ressurezione dell'opera di Leonardo. In dem Sammelwerk: Leonardo da Vinci. Conferenza Fiorentine. Milano, 1910.

de um de seus alunos: *"pareva, che ad ogni ora tremasse, quando si poneva a dipingere, e péro non diede ad mai fine ad alcuna cosa cominciata, considerando la grandeza dell'arte, tal che egli scorgeva errori in quelle cose, che ad altri parevano miracoli"* [parecia que a cada hora tremesse, quando começava a pintar, porém jamais pôs fim a alguma coisa iniciada, considerando a grandeza da arte, tanto que ele via erros naquelas coisas, que a outras pessoas pareciam milagres]. Seus últimos quadros, *Leda, Madona de Santo Onofre, Baco* e *São João Batista jovem*, teriam permanecido incompletos *"comme quase intervenne di tutte le cose sue..."* [como quase acontece com todas suas coisas]. Lomazzo,[i] que terminou uma cópia da *Santa Ceia*, se referiu à conhecida incapacidade de Leonardo de terminar de pintar algo, em um soneto:

> *Protogen che il penel di sue pitture*
> *Non levava, agguaglio il Vinci Divo*
> *Di cui opera non è finita pure.*

> [Protógenes, que o pincel de sua pintura
> Não tirava, igualou-se ao Divino Vinci
> De cuja obra nada foi findado.]

A lentidão, com a qual Leonardo trabalhava, era proverbial. Ele pintou a *Santa Ceia* no mosteiro de Santa Maria delle Grazie em Milão, durante três longos anos, segundo esboços preparatórios os mais fundamentais. Um contemporâneo, o novelista Matteo Bandello, que, à época, morava no mosteiro como jovem monge, conta que Leonardo, frequentemente, de manhã bem cedo, já estava no andaime para, até o crepúsculo, não largar o pincel da mão, sem pensar em comer e beber. Se seus dias se passavam sem

---

[i] Cf. [N. Smiraglia] Scognamiglio: Ricerche e Documenti sulla Giovinezza di Leonardo da Vinci [(1452-1482)]. Napoli, 1900.

que ele descansasse a mão, deve ser provado internamente quantas horas ele passava diante dos quadros, até que ficasse satisfeito. Em outras ocasiões, saía da corte do castelo de Milão, onde construiu o modelo do cavaleiro para Francisco Sforza, para ir direto ao mosteiro, a fim de dar um par de pinceladas em um quadro, mas para interrompê-lo bruscamente.[i] No retrato de Mona Lisa, a esposa do florentino Francesco del Giocondo, ele demorou, segundo a indicação de Vasari, quatro longos anos, sem ter chegado ao último acabamento, para o qual também concorreram as circunstâncias, uma vez que o quadro não foi enviado para quem o encomendou, mas permaneceu com Leonardo, que o levou consigo para a França.[ii] Comprado pelo rei Francisco I, ele é hoje um dos maiores tesouros do Louvre.

Se reunirmos os relatos acerca do modo de trabalhar de Leonardo com o testemunho dos inúmeros e extraordinários esboços e folhas de estudo, que ficaram com ele e que variaram ao extremo, cada um deles, os temas que apareceram nos seus quadros, então devemos sinalizar para uma interpretação bem distante dessa, como se as características da ligeireza e da inconstância tivessem tido uma influência mínima sobre a relação de Leonardo com sua arte. Percebemos, ao contrário, um aprofundamento inteiramente extraordinário, uma riqueza de possibilidades, entre as quais a decisão torna-se apenas duvidosa, exigências, que raramente são suficientes, e uma inibição na execução, que também não se esclarece, de fato, por meio da necessária concordância do artista com seus princípios ideais. A vagareza, que chama atenção de qualquer

---

[i] W. v. Seldlitz: Leonardo da Vinci, der Wendepunkt der Renaissance, [2. v., Berlim] 1909, I. v., p. 203.

[ii] V. Seidlitz, op. cit., II. v., p. 48.

um no trabalho de Leonardo, se justifica como um sintoma dessa inibição, como o prenúncio do afastamento da pintura, que ele posteriormente realizou.[i] Ela também determinou o destino imerecido da *Santa Ceia*. Leonardo não podia se satisfazer com a pintura *al fresco*, que exigia um esforço muito grande, na medida em que o fundo da pintura continuava úmido; por isso, escolheu a pintura a óleo, cuja secura lhe permitia prolongar o acabamento do quadro de acordo com seu ânimo e disposição. Mas essas cores não se desprendiam do fundo, no qual elas foram representadas e que as isolava da parede; os buracos dessa parede e os destinos da sala foram acrescentados, para decidir, aparentemente, acerca da inevitável ruína do quadro.[ii]

Por meio do fracasso de uma tentativa técnica semelhante, o quadro da batalha dos cavaleiros de Anghiari parece sucumbir, de tal modo que ele, posteriormente, começou a pintar, concorrendo com Michelangelo, uma parede da Sala dos Conselhos, em Florença, também para abandoná-la inacabada. Aqui, é como se um interesse estranho, o do experimentador, o artista, tivesse inicialmente se fortalecido, para então arruinar a obra.

O caráter do homem Leonardo mostrou ainda muitos outros traços inabituais e contradições aparentes. Uma certa inatividade e indiferença parecem evidentes nele. Em uma época na qual cada um procurava ganhar o maior espaço para suas atividades, das quais não se pode abdicar,

---

[i] W. Pater: Die Renaissance. Aus dem Englisch [vom Wilhelm Schölermann], 2. ed. (Leipzig) 1906. "De fato, é certo que ele, em certo período de sua vida, por pouco não teria desistido de se tornar artista" [Na edição original (*Studies in the History of the Renaissance*, Londres, 1873): p. 100].

[ii] Cf. v. Seidlitz, Bd. I, as histórias das tentativas de restauração e recuperação do quadro.

sem que apareça uma enérgica agressão contra o outro, ele chama atenção por meio de uma serena e pacífica habilidade, evitando qualquer inimizade e discórdia. Era delicado e bondoso em relação a todos, recusando supostamente comer carne, porque não considerava justo tirar a vida de animais e, por isso, lhe dava um prazer especial presentear com a liberdade pássaros que comprava no mercado.[i] Condenava guerras e derramamento de sangue, e chamava o homem não exatamente de reis do mundo animal mas, muito mais, de o mais rude das bestas selvagens.[ii] Mas essa sensibilidade delicadamente feminina não lhe impedia de acompanhar criminosos condenados a caminho de sua execução, para estudar a mímica distorcida de seus olhos e desenhá-los no seu caderno, não lhe impedia de fazer um esboço do ataque mais cruel de armas e de se colocar a serviço de Cesar Bórgia como o engenheiro de guerra superior. Com frequência, parecia indiferente ao bem e ao mal e com um critério especial para tornar-se sensato. Em uma posição importante, participou da campanha de César, que da maneira mais cruel e desleal venceu todos os opositores para se apossar da România. Nenhuma linha dos manuscritos de Leonardo denuncia uma crítica ou condolência em relação aos acontecimentos daqueles dias. A comparação com Goethe durante a campanha da França não pode deixar de ser feita aqui.[5]

Se um ensaio biográfico quer, realmente, penetrar no entendimento da vida psíquica de seu herói, ele não deve,

---

[i] E. Müntz: Léonard de Vinci, Paris, 1899, p. 18. (Uma carta de um contemporâneo da Índia a um Medici refere-se a essa singularidade de Leonardo. Ver [J. P.] Richter: *The literary Works of Leonardo da Vinci* [London, 1883].)

[ii] F. Bottazzi: Leonardo biológico e anatômico. In: *Conferenze Fiorentine*, [Milão] 1910, p. 186.

tal como acontece na maioria das biografias por discrição ou pudor, silenciar acerca da atividade sexual, da especificidade sexual do investigado. O que se conhece de Leonardo a esse respeito é pouco, mas esse pouco é muito significativo. Em uma época na qual a sensualidade sem amarras lutava com sombria ascese, Leonardo foi um exemplo de fria negação da sexualidade, que não seria esperada de um artista ou expositor da beleza feminina. Solmi[i] cita a seguinte frase dele, que descreve sua frigidez: "O ato procriador e tudo que está relacionado a ele é tão abominável, que as pessoas logo deveriam morrer, caso não houvesse um costume há muito utilizado e se ainda não houvesse belos rostos e sensíveis aptidões". Seus escritos deixados para trás, os quais não tratavam apenas de elevados problemas científicos, mas que também continham problemas inócuos, os quais nos parecem raramente dignos de tão grande espírito (uma história natural alegórica, fábulas de animais, contos burlescos, profecias),[ii] são, em determinado grau, castos – poderíamos dizer: abstinentes –, o que em uma obra da melhor literatura deveria também hoje provocar admiração. Ela apaga todo sexual tão decididamente, como se houvesse apenas o amor, que conserva todo ser vivo, nenhuma matéria digna para o impulso de conhecimento do pesquisador.[iii] Se sabe o quão é frequente que grandes artistas se comprazam em desabafar suas fantasias com representações eróticas e mesmo grosseiramente obscenas; de

---

[i] E. Solmi. *Leonardo da Vinci*. Traduzido do alemão por Emmi Hirschberg. Berlim, 1908, p. 24.

[ii] Marie Herzfeld. *Leonardo da Vinci, o pensador, pesquisador e poeta*. [De acordo com manuscritos publicados], 2. ed., Jena, 1906.

[iii] Talvez, as oscilações reunidas por ele – *belle facezie* – que não foram traduzidas constituam, de fato, uma exceção fútil. Cf. Herzfel, op. cit, p. CLI.

Leonardo, ao contrário, possuímos apenas alguns desenhos anatômicos sobre a genitália interna das mulheres, o útero no corpo feminino, entre outros.

[*Acréscimo* de 1919]: Um desenho de Leonardo, que representa o ato sexual em um corte sagital anatômico e que certamente não deve ser chamado de obsceno, permite alguns equívocos curiosos, que o Dr. R. Reitler descobriu (*Revista Internacional de Psicanálise IV*, 1916/17 [p. 205]), no sentido das características de Leonardo aqui apontadas [cf. Fig. 1]:

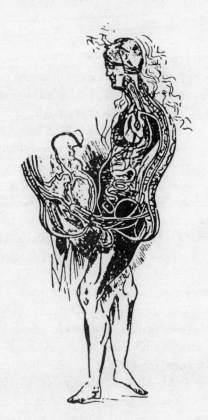

Figura 1

"E essa monstruosa pulsão de pesquisa falhou por inteiro justamente na representação do ato procriador – apenas, evidentemente, como consequência do ainda grande recalque sexual. O corpo masculino é representado por inteiro na figura, o feminino, apenas em parte. Se mostrarmos a um espectador inocente o desenho no modo pelo qual está aqui reproduzido, o qual, à exceção da cabeça, encobre todas as partes que se encontram embaixo, então se pode esperar, com certeza, que a cabeça mantida é feminina. Os cachos ondulados tanto na testa como também aqueles, ocasionais, que caem para baixo, ao longo das costas até a 4ª ou 5ª vértebra cervical, caracterizam, decididamente, a cabeça como mais feminina do que viril.

O seio feminino mostra dois defeitos, o primeiro, com respeito ao artístico, pois seu contorno oferece a visão de um seio caído, feio, pendurado, e o segundo, também do ponto de vista anatômico, pois o pesquisador Leonardo era claramente impedido por meio de uma defesa sexual de, pelo menos uma vez, deixar à vista o mamilo de uma mulher amamentando. Tivesse ele feito isso, então deveria ter percebido que o leite derramava por passagens diferentes, separadas entre si. Mas Leonardo desenhou apenas um único canal, que alcança, amplamente, a barriga lá embaixo e, provavelmente, segundo as suas ideias, liga o leite a partir da cisterna do quilo, estando talvez em alguma relação com os órgãos sexuais. Em todo caso, deve ser observado que o estudo dos órgãos internos do corpo humano naquela época era extremamente dificultado, uma vez que a dissecação dos mortos era vista como profanação de cadáver e punida severamente. Se Leonardo, de quem dispomos apenas um pequeno material, sabia algo acerca da existência de um sistema linfático no estômago, é de todo modo corretamente questionável se, de fato, sem nenhuma dúvida, ele representou no seu desenho uma cavidade a ser interpretada. Mas que ele tenha desenhado o canal da mama ainda mais profundamente para baixo até atingir os órgãos sexuais internos permite supor que ele estivesse tentando representar a coincidência temporal entre o início da separação do leite com o fim da gravidez, também por meio da evidente conexão anatômica. Se nós também desculpássemos o artista por seus conhecimentos equivocados acerca de anatomia, tendo em vista as circunstâncias de sua época, então é bem visível que Leonardo já negligenciava o genital feminino. Podemos reconhecer inteiramente a vagina e uma alusão ao *Portio uteri* [colo do útero], mas o próprio útero é desenhado com linhas completamente emaranhadas.

O genital masculino, ao contrário, Leonardo representou mais corretamente. Assim, por exemplo, ele não se satisfez em desenhar os testículos, mas, no esboço, registrou com toda exatidão, o epidídimo.

Expressamente extraordinária é a posição com a qual Leonardo compôs o coito. Há quadros e desenhos de artistas talentosos que representam o *coitus a tergo, a latere*, entre outros, mas, para desenhar um ato sexual em pé, é preciso supor um recalque sexual muito forte e especial, como causa dessa representação solitária, próxima do grotesco. Quando se quer ter prazer, cuida-se para fazê-lo da maneira mais confortável possível. Isso é válido, claro, para as duas pulsões originárias [*Urtriebe*], a fome e o amor. A maioria dos povos antigos deitava-se durante as refeições e, hoje em dia, durante o coito, deitamos, em geral, de maneira bem confortável, tal como o faziam nossos ancestrais. De certo modo, deitar-se expressa o querer demorar-se longamente na situação desejada.

Os traços femininos da cabeça masculina também mostram uma defesa francamente indesejada. As sobrancelhas estão franzidas, o olhar está dirigido para o lado, com uma expressão de vergonha, os lábios estão comprimidos e seus cantos puxados para baixo. Este rosto, realmente, não permite reconhecer nem o prazer da doação amorosa, nem a beatitude do consentimento; ele expressa apenas indignação e vergonha.

Mas Leonardo cometeu os mais grosseiros erros no desenho das duas extremidades inferiores. O pé do homem deveria ser mesmo o direito; mas, na medida em que Leonardo representou o ato de procriação na forma de um corte sagital anatômico, então o pé masculino esquerdo deveria ter sido pensado na metade superior do quadro e, ao contrário, pelos mesmos motivos, o pé feminino deveria aparecer no lado esquerdo. Mas, de fato, confunde masculino e feminino. A figura do homem possui um pé esquerdo, a da mulher, um direito. A respeito dessa confusão, nos orientamos mais facilmente, quando pensamos que os dedos maiores se localizam na parte interna do pé.

Apenas a partir desse desenho anatômico poder-se-ia concluir o recalcamento quase perturbado da libido."

[*Acréscimo* de 1923:] Essa exposição de Reitler foi, de todo modo criticada, pois não seria admissível chegar a uma conclusão séria a partir de um desenho descuidado. Não é nem sequer certo, se as partes do desenho realmente pertencem ao mesmo conjunto.[6]

Duvida-se se, alguma vez, Leonardo abraçou amorosamente uma mulher; também não se conhece nenhuma relação íntima com uma mulher, assim como a de Michelangelo com Vittoria Colonna. Quando ele vivia ainda como aprendiz na casa de seu mestre Verrocchio, foi denunciado, juntamente como outros rapazes, devido a relações homossexuais proibidas, que terminou com sua absolvição. Parece que ele caiu em suspeita, porque se servia de um adolescente de má reputação como modelo.[i] Como mestre, se cercava de belos adolescentes e jovens,

---

[i]   Acerca desse incidente, se encontra em Scognamiglio (op. cit., p. 49) uma passagem obscura e mesmo lida de diferentes maneiras do Codex Atlanticus: "*Quando io feci Domeneddio putto voi mi metteste in prigione, ora s'io lo fo grande, voimi farete peggio*" [Quando eu fiz o senhor Deus pequeno, vocês me colocaram na prisão, se agora o fizer grande, vocês me farão ainda pior].

que tomava como discípulos. O último desses discípulos, Francesco Melzi, o acompanhou à França, permanecendo ao seu lado até a morte, tornando-se seu herdeiro. Sem participar da certeza de seus biógrafos modernos, que naturalmente recusavam a possibilidade de uma relação sexual entre ele e seus discípulos, como uma ofensa sem fundamento ao grande homem, poder-se-ia considerar como amplamente provável que a relação carinhosa de Leonardo com os jovens, com quem ele, de acordo com o tipo de escola de sua época, dividia a sua vida, não acabava numa atividade sexual. Não poderíamos também supor que a atividade sexual tivesse para ele um grande valor.

A especificidade dessa vida sentimental e sexual pode ser compreendida de uma única maneira, na coexistência da dupla natureza de Leonardo como artista e pesquisador. Entre os biógrafos, dos quais o ponto de vista psicológico fica, frequentemente, muito distante, apenas um, até onde sei, Edmund Solmi, se aproximou da solução do enigma; mas um escritor, Dimitri Sergewitsch Mereschkowski, que escolheu Leonardo como herói de um grande romance histórico, fundamentou sua exposição no entendimento desse homem extraordinário e sua interpretação, não com palavras duras, mas manifestas, inconfundivelmente, de acordo com a maneira do escritor, em expressões plásticas.[i] Julgamento de Solmi sobre Leonardo: "Mas o desejo insaciável de conhecer tudo a sua volta e fundamentar com fria reflexão o mais profundo mistério de tudo que é perfeito condenou a obra de Leonardo a permanecer sempre

---

[i] Mereschkowski. *Leonardo da Vinci. Um romance biográfico na passagem do século XV.* Tradução alemã de C. v. Gütschow, Leipzig, 1903. O livro intermediário de uma grande trilogia, intitulada *Cristo e Anticristo.* Os dois outros volumes se chamam *Julião apóstata* e *Pedro, o Grande e Alexei.*

incompleta".[i] Em um artigo da Conferência Florentina é citada a expressão de Leonardo, que fornece a confissão de sua crença e a chave de sua natureza: *"Nessuna cosa si può amare ne odiare, se prima non si ha cognition di quella"* [Nenhuma coisa se pode amar ou odiar, se antes não se tem conhecimento dela].[ii]

Ou seja: Não se tem nenhum direito de amar ou odiar algo se não se conseguiu um conhecimento fundamentado de sua essência. E Leonardo repete essa mesma coisa em uma passagem do *Tratado de pintura*, onde ele parece se defender da acusação de irreligiosidade: "Mas, sobre tal castigo, gostaria de guardar silêncio. Pois esta (ação) é o modo pelo qual o mestre conhece tantas coisas maravilhosas e este [é] o caminho para amar um tão grande inventor. Pois, realmente, um grande amor surge de um grande conhecimento do objeto amado e se tu o conheces pouco, então, tu só poderás amá-lo um pouco ou nada..."[iii]

O valor dessas declarações de Leonardo não pode ser procurado no fato de que elas comunicam uma atividade psicológica significativa, mas o que elas afirmam é claramente falso e Leonardo sabia disso tão bem quanto nós. Não é verdade que as pessoas esperam com seu amor ou seu ódio, até estudarem o objeto aos quais esses afetos se ligam e os conheçam na sua essência, elas amam muito mais impulsivamente por motivos sentimentais, que nada têm a ver com conhecimento e cujo efeito foi enfraquecido, ao máximo, por meio da consciência e da reflexão.

---

[i] Solmi. *Leonardo da Vinci*. Tradução para o alemão por Emmi Hirschberg, Berlim, 1908, p. 46.

[ii] Filippo Bottazzi. *Leonardo biólogo e anatomista*, p. 193.

[iii] Leonardo da Vinci. *Tratado de pintura*. Tradução de Heinrich Ludwig. Nova organização e introdução por Marie Herzfeld. Jena, 1909 (Capítulo I, 64, p. 54).

Leonardo pode então apenas ter pensado o que as pessoas exercitam não seria o amor justo, livre de pressões, *dever-se-ia* então amar, demorar-se nos afetos, submeter a eles o trabalho do pensamento e deixá-lo, antes de tudo, livre, depois que tivesse sido bem-sucedido na prova por meio do pensamento. E, por isso, nós entendemos que ele quer nos dizer que para ele seria o seguinte: seria desejável para todos os outros, se eles se comportassem em relação ao amor e ao ódio, como ele mesmo.

E nele parece que realmente foi assim. Seus afetos foram docilizados, dominados pela pulsão de pesquisa [*Forschertrieb*]; ele amava e não odiava, mas se perguntava, de onde vinha o que devia amar ou odiar e o que isso significava e assim ele deveria parecer, de início, indiferente em relação ao bem e ao mal, ao belo e ao feio. Enquanto esse trabalho de pesquisa lançava seus símbolos ao amor e ao ódio, se transformavam, em igual medida, em interesse de pensamento. Na realidade, Leonardo não era desprovido de paixões, ele não dispensava a transmissão divina, que mediata ou imediatamente, era a força pulsional [*Triebkraft*] – *il primo motore* [o primeiro motor] – de toda ação humana. Ele transformou a paixão apenas no impulso de conhecer [*Wissensdrang*]; ele se entregou então à pesquisa com toda persistência, constância, profundidade, que decorria da paixão e no mais alto do trabalho intelectual, após ter ganhado conhecimento, ele permitia que os afetos por muito tempo contidos irrompessem, fluíssem livremente, como um braço de água conduzido pela corrente, depois que ele tinha concluído a obra. Do alto de um conhecimento, quando podia contemplar uma grande parte do conjunto, então ele compreendia o *páthos* e avaliava com palavras entusiasmadas a grandiosidade de cada parte da criação, que ele estudara, ou – em vestimenta religiosa – a grandeza de seu criador. Solmi compreendeu corretamente esse processo de transformação em Leonardo. Após a citação de uma passagem, na qual Leonardo festejava a sublime coação da natureza ("*O mirabile necessità...*"), ele diz: "*Tale transfigurazione dela scienza dela natura in emozione, quase direi, religiosa, è uno dei tratti caratteristici de' manoscritti vinciani, e si trova – cento volte espressa...*" [Tal transfiguração da ciência da natureza em emoção, quase diria, religiosa é um dos traços característicos dos manuscritos de Da Vinci, e se encontra – cem vezes expressa].[i]

Devido a sua insaciabilidade e a seu incansável impulso para pesquisa, Leonardo foi chamado de Fausto italiano. Mas, visto com todo escrúpulo, contra um possível retrocesso da pulsão de pesquisa [*Forscherstrieb*] no prazer de viver, que poderíamos aceitar como o pressuposto da tragédia de Fausto, gostaria de arriscar a observação de que o desenvolvimento de Leonardo toca no modo de pensar espinosano.

As transformações da força pulsional psíquica em diferentes formas de atividade são, talvez, no mínimo, convertíveis sem perda, tal como as das forças físicas. O exemplo de Leonardo ensina como se deve seguir nesse processo de muitas maneiras. A partir da postergação, amar depois de se ter conhecido, aparece um substituto. Não se ama nem se odeia corretamente, quando se penetra no conhecimento; permanece-se além do amor e do ódio. Pesquisou-se, em vez de amar. Talvez por isso a vida de Leonardo tenha sido tão mais pobre em amor do que as de outros grandes e de outros artistas. As paixões devastadoras, de natureza mais elevada e ardente, nas quais os outros vivem o seu melhor, parecem não lhe tocar.

---

[i] Solmi, A ressurreição etc. [1910], p. 11.

E outra consequência ainda: pesquisa-se, em vez de agir, de criar. Quem começou imaginando a extraordinária concatenação do mundo e sua necessidade perde facilmente seu próprio pequeno Eu. Mergulhado na admiração, tornando-se realmente humilde, esquece-se, facilmente, que se é mesmo uma parte dessas forças atuantes, devendo-se tentar, segundo a medida de suas forças pessoais, modificar um pouco o decorrer necessário do mundo, no qual o pequeno não é menos extraordinário e significativo.

Tal como pensa Solmi, Leonardo talvez não tenha começado a pesquisar[i] a serviço de sua arte, ele se preocupava com as qualidades e leis da luz, das cores, sombras, das perspectivas, para se assegurar de seu domínio na imitação da natureza e para indicar a outros o mesmo caminho. Provavelmente, já na época, ele superestimava o valor desse conhecimento para o artista. Então, sempre ainda na coleira das necessidades pictóricas, era impulsionado à pesquisa dos objetos da pintura, de animais e plantas, das proporções do corpo humano, a partir do exterior, pelo mesmo caminho, até o conhecimento de sua estrutura interna e de suas funções vitais, que também se expressam nos seus fenômenos e anseiam por serem representados artisticamente. E enfim, ele joga para longe a pulsão tornada dominante, até dilacerar a conexão com as exigências de sua arte, de tal modo que ele encontrou as leis gerais da Mecânica, calculou a história da sedimentação e petrificação

---

[i] A ressurreição, etc., p. 8: "*Leonardo aveva posto, come regola al pittore, lo studio della natura..., poi la passione dello studio era divenuta dominante, egli aveva voluto acquistare non più la scienza per l'arte, ma la scienza per la scienza.*" [Leonardo havia colocado, como regra ao pintor, o estudo da natureza..., depois a paixão do estudo havia se tornado dominante, ele quis adquirir não mais a ciência pela arte, mas a ciência pela ciência.]

no Arnotal,[7] até que, no seu livro, ele pôde inscrever, com letras maiúsculas, o conhecimento: *Il solo non si move* [O único não se move]. Ele estendeu sua pesquisa até quase todos os domínios da ciência da natureza, em cada um deles [foi] um descobridor ou, no mínimo, precursor ou desbravador.[i] Seu ímpeto de conhecimento permaneceu dirigido ao mundo exterior, ficando algo distante da pesquisa da vida psíquica das pessoas; na "Academia vinciana" [p. 97 ss.], para a qual ele desenhou um emblema caro e artístico, a psicologia tinha pouco espaço.

Ele tentou então voltar da pesquisa para o exercício artístico, de onde havia partido, experimentando em si a perturbação devida à nova posição de seus interesses e à natureza modificada de seu trabalho psíquico. Nos quadros, ele se interessava, sobretudo, por um problema, por trás do qual via aparecerem outros inumeráveis problemas, tal como estava acostumado nas suas infinitas e inacabadas pesquisas sobre a natureza. Ele não conseguia mais limitar a pretensão de isolar a obra de arte, de retirá-la da conexão, da qual ele sabia que ela pertencia. Depois da mais esgotante preocupação, de expressar nela tudo o que se juntava no seu pensamento, ele deveria abandoná-la incompleta ou declará-la imperfeita.

O artista havia colocado, a certa altura, o pesquisador a seu serviço, como um ajudante, mas então o serviçal tornou-se o mais forte e dominou seu senhor.

Se encontramos formada, na imagem do caráter de uma pessoa, uma única pulsão dominante, tal como em Leonardo o desejo de conhecimento, então, para seu

---

[i] Ver, entre outros, a enumeração de seus esforços científicos na bela biografia de Marie Herzfeld (Jena, 1906) e em alguns ensaios da Conferência Florentina, de 1910.

esclarecimento, invocamos uma disposição especial, sobre cuja provável necessidade orgânica, em geral, se sabe muito pouco. Mas, por meio de nosso estudo psicanalítico dos neuróticos, nos inclinamos a duas outras expectativas, para as quais gostaríamos de encontrar confirmação em alguns casos isolados. Consideramos como provável que essa pulsão muito forte já agia na mais remota infância da pessoa e que sua dominação foi estabelecida por meio de impressões da vida infantil e, por isso, aceitamos que ele recorreu às forças pulsionais sexuais originárias, para fortalecê-las, de tal modo apenas posteriormente, ele pôde representar um fragmento da vida sexual. Uma tal pessoa poderia então, por exemplo, pesquisar com a mesma dedicação apaixonada com a qual uma outra pessoa provê seu amor e poderia pesquisar em vez de amar. Não apenas na pulsão de pesquisa, mas também na maioria dos outros casos de uma pulsão com particular intensidade, ousaríamos concluir com o fortalecimento sexual desta.

A observação da vida cotidiana das pessoas nos mostra que a maioria consegue direcionar parte considerável de suas forças pulsionais sexuais para sua atividade profissional. A pulsão sexual se presta de maneira muito especial a fornecer tais contribuições devido à sua capacidade de sublimação, ou seja, ela está em condições de, eventualmente, valorizar mais seu próximo objetivo em relação a outro e não trocá-lo por um objetivo sexual. Consideramos este procedimento justificável, se a história infantil, ou seja, a história do desenvolvimento psíquico de uma pessoa nos mostra que, na época da infância, a pulsão dominante estava a serviço de interesses sexuais. Encontramos uma outra confirmação disso, se explicamos na vida sexual dos anos maduros uma clara atrofia, do mesmo modo, como se uma parte da atividade sexual tivesse sido substituída pela atividade da pulsão dominante.

O uso dessas expectativas no caso das pulsões de pesquisa dominantes parece sucumbir a uma dificuldade especial, exatamente porque a criança não gostaria de confiar nessa pulsão verídica, nem em notáveis interesses sexuais. Entretanto, essas dificuldades são fáceis de serem superadas. O desejo de saber das crianças pequenas testemunha seu prazer incansável em perguntar, o que é misterioso para o adulto, na medida em que ele não entende que todas essas questões são apenas rodeios, que elas não levam a nenhum fim, porque a criança, por meio delas, quer substituir apenas uma questão, que não foi colocada. A criança se tornou grande e inteligente, de tal modo que essa expressão do desejo de saber, com frequência, subitamente se rompe. Mas um completo esclarecimento nos é dado pela investigação psicanalítica, na medida em que ela nos ensina que muitos, talvez a maioria, em todo caso as crianças mais bem-dotadas, empreendem em um período, por volta do terceiro ano de vida, o que se pode caracterizar como o de uma *pesquisa sexual infantil*. O desejo de saber [*Wißbegierde*] aumenta entre as crianças dessa idade e tanto quanto sabemos não é espontâneo, mas despertado pela impressão de uma vivência importante, ao qual ele se segue ou por experiências externas, pelo temido nascimento de um irmãozinho, no qual a criança entrevê uma ameaça aos seus interesses egoístas. A pesquisa se dirige à pergunta: de onde vêm as crianças, como se agora a criança procurasse por meios e caminhos impedir um acontecimento tão indesejado. Experimentamos com muito espanto, que a criança se nega acreditar na informação que lhe é dada, por exemplo, rejeita energicamente a mitológica e tão rica em sentidos fábula da cegonha, de tal modo que sua própria independência data desse ato de descrença, sentindo-se frequentemente em séria oposição aos adultos e, realmente, nunca mais os desculparão por não terem dito a verdade nessa ocasião. A criança pesquisa por seus próprios caminhos, imagina sua permanência no corpo materno e cria, guiada pelas excitações de sua própria sexualidade, perspectivas sobre a proveniência da criança pela comida, sobre seu nascimento pelo intestino, sobre o papel dificilmente fundamentado do pai e já especula, naquela época, acerca da existência do ato sexual, que lhe parece algo hostil e violento. Mas, como sua própria constituição sexual ainda não está pronta para a tarefa de gerar crianças, então também sua pesquisa quanto a de onde vêm as crianças se perde e é abandonada ainda incompleta. A impressão desse fracasso na primeira prova de autonomia intelectual parece ser duradoura e profundamente deprimente.[i]

Se o período da pesquisa sexual infantil foi fechado na gaveta de um enérgico recalque sexual, para o posterior destino da pulsão de pesquisa se constituem três diferentes possibilidades, a partir de sua antiga conexão com interesses sexuais. Se a pesquisa divide o destino da sexualidade, o desejo de saber permanece desde aí inibido e a livre atividade da inteligência limitada, talvez, para todo o período da vida, em especial porque, logo depois, por meio da educação, se legitima a poderosa inibição religiosa do pensamento. Este é o tipo da inibição

---

[i] Para fortalecer essas afirmações que parecem improváveis, ver "Análise da fobia de uma criança de cinco anos", 1909 (Ges. Werke, Bd VII) e em observações semelhantes. Em um artigo sobre as "Teorias sexuais infantis", 1908 (Ges. Werke, Bd. VII), escrevi: "Mas essas ruminações e dúvidas tornam-se modelos para todo trabalho posterior de pensamento sobre problemas, e o primeiro fracasso prossegue inibidor para todas as épocas".

neurótica. Entendemos muito bem que uma fraqueza do pensamento assim adquirida favorece efetivamente para a irrupção de um adoecimento neurótico. Em um segundo tipo, o desenvolvimento intelectual é forte o suficiente, para resistir ao recalque sexual que o arrasta. Algum tempo depois do declínio da pesquisa sexual infantil, quando a inteligência está fortalecida, essa se recorda da antiga ligação, para contornar, com a sua ajuda, o recalque sexual e a pesquisa sexual dominada retorna, a partir do inconsciente, como coação a ruminar [*Grübelzwang*], em todo caso, deslocada e sem liberdade, mas forte o suficiente para sexualizar o próprio pensamento e assinalar as operações intelectuais com o prazer e o medo dos processos sexuais propriamente ditos. Pesquisar torna-se aqui atividade sexual, frequentemente para concluir que o sentimento de desempenho do pensamento, o esclarecimento, é colocado no lugar da satisfação sexual; mas o caráter inconclusivo da pesquisa infantil se repete também no fato de que esse ruminar nunca acaba e que o sentimento intelectual de solução procurado cada vez mais se distancia.

O terceiro, o mais raro e perfeito tipo, devido à especial estrutura da inibição do pensamento, escapa da coação neurótica deste. O recalque sexual aparece de fato também aqui, mas ele não assinala uma pulsão parcial da sexualidade no inconsciente, e sim que a libido se afasta do destino do recalque, na medida em que ela, desde o início, se sublima como desejo de saber e se torna visível como recalque para a poderosa pulsão de pesquisa [*Forschertrieb*]. Também aqui a pesquisa se torna, em certa medida, coação e substituto da atividade sexual, mas como consequência da completa diferenciação dos processos psíquicos subjacentes (sublimação em vez de irrupção a partir do inconsciente) permanece o caráter de neurose, suprimindo a ligação com o complexo originário da pesquisa sexual infantil e a pulsão pode agir livre, a serviço do interesse intelectual. Ele ainda leva em conta o recalque sexual, que tornou esse interesse muito forte por meio do complemento da libido sublimada, enquanto evita ocupar-se com temas sexuais.

Se considerarmos o encontro entre a poderosa pulsão de pesquisa em Leonardo com a atrofia de sua vida sexual, a qual se limita a conhecida homossexualidade ideal, estaremos inclinados a tomá-lo como um modelo do nosso terceiro tipo. Que ele tenha conseguido então colocar a atividade infantil do desejo de saber a serviço de interesses sexuais, para sublimar a maior parte de sua libido na coação a pesquisar, isso seria o cerne e o segredo de sua essência. Mas, todavia, não é fácil fornecer uma justificativa para essa interpretação. Aqui, necessitamos de um olhar no desenvolvimento psíquico de seus primeiros anos da infância e me parece tolo servir-se de tal material, quando as notícias sobre sua vida são tão parcas e tão incertas, e quando se trata, acima de tudo, de informações sobre suas relações, que ainda desviaram atenção do observador para pessoas de nossa própria geração.

Sabemos muito pouco da juventude de Leonardo. Ele nasceu em 1452, em Vinci, uma pequena cidade entre Florença e Empoli; foi um bastardo, o que naquela época certamente não era visto como uma pesada mácula burguesa; seu pai foi *Ser Piero da Vinci*, um tabelião herdeiro de uma família de tabeliões e camponês, que tiraram seu nome desse local, Vinci; sua mãe, Catarina, provavelmente uma camponesa, que posteriormente casou com outro morador de Vinci. Essa mãe não participa mais da história de vida de Leonardo, apenas o escritor Mereschkowski acreditou poder seguir seu rastro. A única informação segura acerca da infância de Leonardo aparece em um documento oficial, de 1457, em um cadastro de impostos em Florença, no qual, entre os habitantes da casa da família Vinci é introduzido o nome de Leonardo como o filho ilegítimo, de cinco anos, de Ser Piero.[i] Ele deixou a casa paterna, numa idade desconhecida, quando entrou como aprendiz no ateliê de *Andrea del Verrocchio*. Em 1472, o nome de Leonardo já se encontra no registro dos integrantes da *Compagnia dei Pittori*. E isso é tudo.

II

Tanto quanto sei, uma única vez Leonardo entremeou em um de seus manuscritos científicos uma notícia acerca de sua infância. Em uma passagem, que trata do voo dos abutres, ele se interrompeu bruscamente, para seguir uma lembrança que lhe ocorreu, de seus primeiros anos.

"Este modo de escrever distintamente do abutre parece que é meu destino, porque na primeira recordação de minha infância, me parece que, eu estando no berço, que um abutre vinha até mim e abrisse minha boca com sua cauda e muitas vezes me batesse com a cauda nos lábios".[ii]

---

[i] Scognamiglio, op. cit., p. 15.

[ii] "*Questo scriver si distintamente del nibio par che sai mio destino, perchè nella mia prima ricordatione della mia infantia e' mi pare ache, essendo io in culla, che um nibio venissi a me e mi aprissi la boca colla sua coda e molte volte mi percuotesse com tal coda dentro alle labbra*" (Cod. Atlant. F. 65 V, citado em Scoignamiglio [p. 22]). [Em um aspecto importante, a tradução de Freud não é precisa: onde Leonardo escreve "*mia prima ricordatione della mia infantia*" (minha primeira recordação da infância), Freud traduz por "*denn es kommt mir als eine ganz frühe Erinenrung in den Sinn*", ou seja, substituindo a ideia de "primeira recordação" pela de uma "lembrança muito antiga". Além disso, outro erro, não menos importante, consiste em verter *nibio* por "abutre" (*Geier*), quando se trata mais precisamente de um "milhafre". Para mais detalhes, ver "Prefácio" (neste volume, p. 22 e ss). (N.T.)]

ARTE, LITERATURA E OS ARTISTAS 95

Ou seja, uma lembrança de infância e, de fato, de uma maneira bastante estranha. Estranha devido ao seu conteúdo e à época da vida, na qual ela aconteceu. Não é, talvez, impossível que uma pessoa possa conservar uma lembrança de sua época de lactante, mas ela não pode valer como segura. O que, em todo caso, essa lembrança de Leonardo afirma, que um abutre, com sua cauda, abriu a boca da criança, soa tão improvável, soa como um conto de fadas [*märchenhaft*], que uma outra interpretação, mais bem recomendada por nosso juízo, resolveria ambas as dificuldades de uma vez só. Esta cena com o abutre não é uma lembrança de Leonardo, mas uma fantasia [*eine Phantasie*], formada posteriormente e que ele transportou para sua infância.

[*Acréscimo* de 1919]: Havelock Ellis, em uma amável resenha sobre esse escrito no *Journal of Mental Science* (July 1910 [v. 56, p. 522]), objetou contra a interpretação anterior, que essa lembrança de Leonardo poderia ter tido um fundamento bem real, pois lembranças infantis, frequentemente, remontam muito mais no tempo do que habitualmente se acredita. O grande pássaro poderia nem ter sido mesmo um abutre. Eu gostaria de concordar com isso e contribuir com a seguinte hipótese, para dirimir a dificuldade, que a mãe observou a visita do grande pássaro ao seu filho, que ela poderia simplesmente considerar um significativo augúrio e, posteriormente, contou à criança novamente o que aconteceu, de tal modo que a criança, que conservara a lembrança dessa narrativa, posteriormente, como é tão frequente que aconteça nesses casos, pode misturá-la com uma lembrança de sua própria vivência. Só que essa mudança não provoca nenhuma ruptura na coesão de minha exposição. As fantasias criadas posteriormente pelas pessoas sobre sua infância se encostam, em geral, em pequenos acontecimentos reais dessa época primitiva, já esquecida. Mas é necessário que haja um motivo, para extrair sua real anulação e construí-la dessa maneira, tal como se passou com Leonardo em relação ao pássaro chamado de abutre e ao seu ato curioso.

As lembranças de infância das pessoas, em geral, não têm outra proveniência; de modo algum, tal como nas lembranças conscientes da maturidade, elas não se fixam em vivências e se repetem, mas ressurgem, a partir de épocas posteriores, quando a infância já passou, modificadas, falsificadas, colocadas a serviço de tendências posteriores, de tal modo que elas permitem se separar, não de maneira rigorosa, de fantasias em geral. Talvez não possamos esclarecer melhor sua natureza, a não ser se pensarmos no meio e na maneira pela qual a historiografia surgiu entre os povos antigos. Enquanto o povo era pequeno e fraco, não se pensava em escrever sua história; preparava-se a terra do país, defendia-se a existência contra os vizinhos, procurava-se conquistar um país e começar a enriquecer. Era uma época heroica e não-histórica. Então, começou uma outra época, na qual começou-se a refletir, a se sentir ricos e poderosos, surgindo então a necessidade de saber de onde se chegou até aqui e como isso aconteceu. A historiografia, que começara anotando as vivências fugidias do agora, também lançou o olhar para trás, para o passado, reuniu tradições e sagas, interpretou os primitivos de todas as épocas, por meio de seus hábitos e costumes e criou assim uma história dos tempos primitivos. Foi inevitável que essa história tenha sido, antes de tudo, mais uma expressão das ideias e desejos do presente do que uma reprodução do passado, pois muito da memória dos povos já tinha sido posto de lado, outras coisas já tinham sido distorcidas, muitos rastros do passado tinham sido equivocadamente interpretados no sentido do presente e, sobretudo, a história não mais era escrita a partir de um motivo de um desejo de saber mais objetivo, e sim porque se queria causar impacto entre seus contemporâneos, estimulando-os, elevando-os, querendo mostrar-se como num espelho. A memória consciente de uma pessoa sobre as suas vivências da maturidade é então inteiramente comparável a esta historiografia, e suas lembranças infantis correspondem, realmente, segundo sua proveniência e preocupações, com a história posterior e tendencialmente arranjada da história dos tempos primitivos de um povo.[8]

Se a narrativa de Leonardo sobre o abutre, que o visitou no berço, é uma fantasia nascida posteriormente, então se deveria pensar que não seria vantajoso demorar-se demais nela. Para o seu esclarecimento, poderíamos nos satisfazer com a tendência claramente anunciada de emprestar à preocupação com o problema do voo do pássaro a benção de uma determinação do destino. Com essa depreciação, começaria uma semelhante injustiça, como se o material das sagas, tradições e interpretações da pré-história[9] de um povo fosse simplesmente jogado fora. Apesar de todas as distorções e equívocos, a realidade do passado está inteiramente representada nelas; elas são aquilo que formou um povo, a partir das vivências nos tempos primitivos sob o domínio de motivos inicialmente poderosos e com efeitos ainda hoje, e apenas por meio do conhecimento de todas as forças atuantes, essas distorções poderiam retroagir, e assim poderíamos descobrir sob esse material lendário a verdade histórica. O mesmo vale para as lembranças de infância ou fantasias individuais. É digno de nota que acreditemos lembrar de nossa infância; de fato, por trás desses restos de lembranças, que nós mesmos não compreendemos, estão escondidos testemunhos inestimáveis de traços significativos de nosso desenvolvimento psíquico.

[*Acréscimo* de 1919]: Tentei valorizar uma lembrança de infância não-compreendida também em outra grande personalidade. Goethe, na descrição de sua vida, por volta dos 60 anos (*Poesia e verdade*), relata nas primeiras páginas, como ele, por incentivo do vizinho, jogava pela janela, na rua, grandes peças de louça, de tal modo que se espatifavam e, de fato, esta é a única cena que ele relatou dos seus primeiros anos da infância. A completa ausência de coerência do seu conteúdo, cuja concordância com algumas outras crianças-homens, que não se tornaram grandes personalidades, assim como a circunstância de que Goethe não lembra de seu irmão menor nesse relato, que nasceu quando ele tinha quase quatro anos e morreu quando ele já tinha dez anos, me deram a oportunidade de empreender a análise dessa lembrança infantil. (Em todo caso, Goethe menciona esse irmão posteriormente, quando fala das muitas doenças na infância.) Eu esperava, com isso, substituí-la por uma outra história bem diferente, que se encaixaria melhor no enredo da exposição de Goethe e que por seu conteúdo era digna de ser conservada, assim como o lugar que lhe era concedido na história de vida. A pequena análise ("Uma lembrança de infância em *Poesia e verdade*", 1917, Ges. Werke, vol. XII) reconheceu, então, que lançar fora a louça era um gesto mágico, dirigida contra uma perturbadora invasão e que deveria relatar no lugar, aquele do acontecimento, ele deveria significar o triunfo sobre o fato de que nenhum segundo filho viria perturbar, a longo prazo, a íntima relação de Goethe com sua mãe. O que haveria então de extraordinário, que a mais antiga lembrança de infância, conservada com tal roupagem – em Goethe como em Leonardo –, diga respeito à mãe?

Na medida em que possuímos na técnica psicanalítica meios adequados de ajuda, para trazer à luz o escondido, nos é então permitido tentar preencher as lacunas da história de vida de Leonardo, por meio da análise de suas lembranças infantis. Com isso, não alcançamos nenhum grau satisfatório de certeza, assim deveríamos nos

ARTE, LITERATURA E OS ARTISTAS **99**

consolar com o fato de que muitas outras investigações sobre grandes e misteriosos homens não alcançaram nenhum destino melhor.

Mas, se considerarmos a fantasia do abutre de Leonardo com os olhos do psicanalista, ela não nos parece estranha por muito tempo; nós acreditamos nos lembrar que, frequentemente, encontramos algo semelhante, por exemplo, nos sonhos, de tal modo que podemos, com confiança, traduzir essa fantasia a partir de sua própria linguagem em palavras de entendimento comum. A tradução visa, desse modo, o erótico. Cauda, *coda*, é um dos mais conhecidos símbolos e caracterização substitutiva do membro masculino, em italiano, não menos que em outras línguas;[10] a situação contida na fantasia, que um abutre abre a boca da criança e com a cauda e, habilmente, se move em volta, corresponde à representação de uma felação, de um ato sexual, durante o qual o membro é introduzido na boca da pessoa que o manipula. É bem singular que essa fantasia traga consigo um caráter completamente passivo; ela também se assemelha a certos sonhos e fantasias de mulheres ou de homossexuais passivos (que representam, no ato sexual, o papel feminino).

Que o leitor possa conter-se e não recusar, com flamejante indignação, a seguir a Psicanálise, porque ela já em sua primeira aplicação, conduz a uma imperdoável vergonha na lembrança de um homem grandioso e puro. De todo modo, é claro que essa indignação não pode nunca nos dizer o que essa fantasia infantil de Leonardo significa; por outro lado, Leonardo a tornou conhecida de maneira indubitável e nós não podemos permitir perder a expectativa – ou se quisermos: o preconceito [*Vorurteil*] –, que uma tal fantasia, como toda criação psíquica, como um sonho, uma visão, um delírio, teve ter algum significado.

100 OBRAS INCOMPLETAS DE S. FREUD

Que, preferencialmente, ofereçamos, por um tempo, o trabalho analítico, o qual ainda não disse a última palavra, ao ouvinte justo.

A inclinação [*Neigung*][11] de levar o membro masculino à boca, para chupá-lo, que na sociedade burguesa se conta entre as asquerosas perversões sexuais, acontece com muita frequência entre as mulheres de nossa época – e, como antigas imagens provam, também nas épocas mais antigas – e, aparentemente, no estado de enamoramento, perde completamente seu caráter chocante. O médico se depara com fantasias, que se fundam nessa inclinação, também entre pessoas femininas [*weiblichen Personen*],[12] que não chegaram ao conhecimento de um tal tipo de satisfação sexual por meio da leitura da *Psychopathia sexualis* de von Krafft-Ebing ou por outras informações. Parece tornar-se fácil para as mulheres criar tais fantasias de desejo a partir de suas próprias fantasias.[i] Pesquisas posteriores também nos ensinam que essa situação, tão difícil de respeitar do ponto de vista dos costumes, permite as mais pobres deduções. Ela nada mais é do que a reformulação de uma outra situação, que agrada a todos nós, quando, na época da amamentação ("*essendo io in culla*" [estando eu no berço]), levamos à boca o mamilo da mãe ou da ama, para chupá-lo. A impressão orgânica desse nosso primeiro prazer na vida permanece impregnada, inteiramente indestrutível; quando, mais tarde, a criança conhece o úbere da vaca, com função semelhante à do mamilo, mas cujas forma e localização na parte inferior do corpo lembram o pênis, ela ganha a preparação para a posterior formação desta chocante fantasia sexual.

---

[i] Ver a respeito, "Fragmento de uma análise de Histeria", 1905 (Ges. Werke, v. V, [p. 210 ss.]).

ARTE, LITERATURA E OS ARTISTAS 101

Entendemos agora por que Leonardo transportou sua suposta fantasia com o abutre para a época de sua amamentação. Por trás dessa fantasia se esconde, nada mais, nada menos do que uma reminiscência do chupar – ou do ser chupado – o seio da mãe, cuja bela cena humana ele, assim como muitos outros pintores, a da mãe de Deus com seu filho, empreendeu representar com o seu pincel. Em todo caso, gostaríamos também de afirmar, o que nós não entendemos ainda, que essa reminiscência do homem Leonardo, que possui para os dois sexos o mesmo significado, tenha sido retrabalhada em uma fantasia passiva homossexual. Deixaremos temporariamente de lado qual relação liga a homossexualidade com o chupar o seio da mãe e para isso lembramos simplesmente que a tradição realmente caracterizou Leonardo como um homossexual sensível. Nesse caso, é indiferente para nós se a acusação contra o jovem Leonardo era justa ou não; a esse respeito, o que é decisivo para nós, se quisermos conhecer em alguém a especificidade da inversão,[13] não é a ação real, mas a distorção do sentimento.

Um outro traço incompreensível da fantasia infantil de Leonardo despertou, de início, nosso interesse. Nós interpretamos a fantasia de ser sugado pela mãe e encontramos a mãe substituída por um abutre. De onde vem a comoção provocada pelo abutre e como ele chegou a ocupar esse lugar?

Ocorreu-me uma ideia, tão longínqua, que fiquei tentado a renunciar a ela. Nas imagens sagradas dos antigos egípcios, a mãe é descrita, em todo caso, pela imagem do abutre.[i] Os egípcios também adoram uma

---

[i] Horapolo, *Hieroglyphica* 1, 11. ["Para caracterizar a mãe... desenhavam um abutre"].

divindade materna que tem a cabeça de um abutre ou que tem muitas cabeças, dentre as quais, no mínimo, uma era de um abutre.[i] O nome dessa deusa deveria ser pronunciado como *Mut*; será apenas um acaso a semelhança de pronúncia com nossa palavra *Mutter*?[14] Assim, realmente, se abutre tem uma relação com mãe, em que isso pode nos ajudar? Poderíamos supor que Leonardo conhecia essa história, uma vez que a leitura dos hieróglifos foi feita pela primeira vez por François Champollion (1790-1832)?[ii]

Seria interessante saber também por quais caminhos apenas os egípcios escolheram o abutre como símbolo da maternidade. A religião e a cultura dos egípcios já eram objeto de curiosidade científica dos gregos e romanos, e muito antes que nós mesmos pudéssemos ler os monumentos egípcios, já tínhamos disponíveis algumas informações sobre eles, nos escritos conservados da antiguidade clássica, escritos que em parte provêm de autores conhecidos como *Estrabão*, *Plutarco*, *Amiano Marcelino*,[15] em parte por nomes desconhecidos e incertos quanto a sua proveniência e à época de sua redação, como a *Hieroglífica*, de *Horapolo*[16] e o livro preservado sob o nome divino de *Hermes Trimegisto*, sobre a sabedoria dos sacerdotes orientais. A partir dessas fontes, ficamos sabendo que o abutre era o símbolo da maternidade, porque se acreditava que havia apenas abutres fêmeas e nenhum macho nesse tipo de pássaro.[iii] A história natural

---

[i] Roscher, Ausf. *Léxico da mitologia grega e romana*. Verbete "Coragem", II. Band [Leipzig] 1894-1897. Lanzone, *Dizionario di mitologia egipzia*. Torino, 1882.

[ii] H. Hartleben, *Champollion. Sua vida e sua obra*, [Berlim] 1906.

[iii] ["Diz-se que não há nenhum abutre macho, todos seriam do sexo feminino". Aelian, *Da natureza animal*, II, 46] In: v. Römer. Sobre a

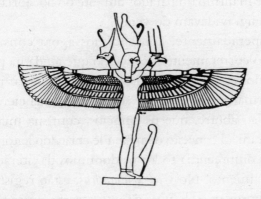

dos antigos também conheceu uma contraposição a esta delimitação; entre os escaravelhos, besouros adorados pelos egípcios como deuses, haveria, segundo eles, apenas machos.[i]

Como então se daria a reprodução dos abutres, se todos eles fossem fêmeas? Sobre isso, uma passagem de *Horapolo*[ii] dá uma boa solução. Em uma certa época, esses

---

ideia andrógina da vida. Anuário sobre os estados sexuais intermediários, V, 1903, p. 732. [A tradução do texto grego é dos editores alemães. (N.T.)]

[i] Plutarco: *"Veluti scarabaeos mares tantum esse putarunt Aegyptii sic inter vultures mares non enveniri statuerunt"*. ["Como eles acreditavam que só havia escaravelhos machos, os egípcios também pensavam que não haveria nenhum abutre masculino". De fato, a frase não é de Plutarco, mas de um comentário de C. Leemans, na obra de Horapolo, organizada por ele (Amsterdã, 1835); ver a próxima observação. (N.E.A.)]

[ii] *Horopollinis Niloy Hieroglyphica*, editada por Conradus Leemans, Amsterdã, 1835. As palavras relacionadas ao sexo dos abutres (p. 14) dizem o seguinte: μητέρα μέν επειδή άρρεν εν τούτω τῶ γένει τῶν ζώων ουχ υπάρχει. ["(Eles usam a imagem do abutre para caracterizar) uma mãe, mas, entre essa espécie, não existe nenhuma forma masculina" – Freud quis, provavelmente, citar aqui uma passagem sobre a reprodução dos abutres pelo vento, essa informação, em todo caso, falta. (N.E.A.)]

pássaros se mantinham parados durante o voo, abriam sua vagina e engravidavam do vento.

Inesperadamente, conseguimos agora considerar algo como corretamente provável, o que ainda há pouco recusávamos como absurdo. Leonardo podia estar muito bem informado, a respeito desse conto de fada científico dedicado ao abutre, que os egípcios, com sua imagem, subscreveram ao conceito de mãe. Ele era ávido leitor, cujo interesse compreendia todos os domínios da literatura e do conhecimento. No *Codex atlanticus*, estão registrados todos os livros que ele possuía numa certa época,[i] entre eles inúmeras notícias sobre outros livros que emprestara de amigos e, de acordo com os excertos que *Fr.[J.P.] Richter*[ii] reuniu a partir de suas anotações, não poderíamos subestimar o volume de suas leituras. Entre essas, não faltam também conteúdos tanto de obras antigas quanto de outras que lhes eram contemporâneas, de conteúdo ligado às ciências da natureza. Todos esses livros já tinham sido publicados à época, e Milão, mais exatamente, era na Itália a capital da recente arte de publicar livros.

Se seguimos mais adiante, nos deparamos com uma notícia, segundo a qual a veracidade quanto ao conhecimento que Leonardo tinha da lenda do abutre podia ficar mais segura. O erudito organizador e comentador da obra de *Horapolo*[17] observou o seguinte a propósito do texto acima (p. 172): *Caeterum hanc fabulam de vulturibus cupide amplexi sunt Patres Ecclesiastici, ut ita argumento ex rerum natura petito refutarent eos, qui Virginis partum negabant; itaque apud omnes fere hujus rei mentio occurrit*".[18]

---

[i] E. Müntz, *Léonard de Vinci*, Paris, 1899, p. 282.

[ii] Müntz, op. cit. [*The Literary Workes of Leonardo da Vinci*, London, 1883. (N.E.A.)]

Nesse sentido, a fábula do único sexo e da gravidez dos abutres não se tornou, de maneira nenhuma, uma anedota indiferente, assim como a que lhe era análoga, a dos escaravelhos; os padres da igreja foram reforçados por ela, ao terem na mão, contra os que duvidavam da história sagrada, um argumento que provinha da história natural. Se, segundo as melhores notícias da antiguidade, os abutres eram aí referidos por se deixarem fecundar pelo vento, por que isso não poderia se passar, pelo menos uma vez, com uma mulher humana? Devido a essa valorização, os padres da igreja se preocuparam em narrar "quase toda" a fábula dos abutres, de tal modo que restam poucas dúvidas de que, por meio de um patronato tão poderoso, ela também pudesse ser conhecida por Leonardo.

Poderíamos expor da seguinte maneira o surgimento da fantasia do abutre em Leonardo. Quando ele ficou sabendo, uma vez, por um padre da igreja ou por ter lido num livro de ciência da natureza, que abutres seriam todas fêmeas e que poderiam se reproduzir sem o auxílio de machos, então lhe ocorreu uma lembrança, moldada pela fantasia, mas que queria dizer que ele também teria nascido de um abutre, que tinha uma mãe, mas nenhum pai, e que a ela se associou, tal como apenas impressões muito antigas poderiam se expressar, uma ressonância do gozo, que ele participara no seio da mãe. A alusão feita por autores, ao fato de que todo artista deveria contribuir para uma nobre representação da Virgem Maria com seu filho, lhe permite que apareça essa fantasia valorizada e significativa. Ele pode então, desse modo, se identificar com o Cristo criança, o consolador e salvador, não apenas de uma mulher.

Ao decompormos uma fantasia infantil, desejamos depois separar seu conteúdo de lembrança real dos motivos posteriores, os quais o modificaram e o distorceram. No caso de Leonardo, acreditamos agora conhecer o conteúdo real da fantasia; a substituição da mãe pelo abutre remete ao fato de que a criança sente falta do pai e se encontra sozinha com a mãe. O fato de Leonardo ser filho ilegítimo concorda com sua fantasia do abutre; apenas por isso ele pode comparar-se a uma criança-abutre. Mas ficamos sabendo de sua próxima e certa atividade na juventude, quando ele, com a idade de cinco anos, foi acolhido na casa de seu pai; quando isso aconteceu, se poucos meses após seu nascimento, se poucas semanas antes de sua admissão no cadastro, é totalmente desconhecido. Então, introduzimos a interpretação da fantasia do abutre, que nos ensina que Leonardo não passou os decisivos primeiros anos de sua vida com seu pai e sua madrasta, mas com sua pobre, abandonada e séria mãe, de tal modo que ele tivera tempo para sentir falta do pai. Isso parece um magro resultado e ainda bem vago da preocupação psicanalítica, e apenas ganha em significado, se for mais aprofundado. A consideração das efetivas relações durante a infância de Leonardo nos ajuda a ter certeza. Segundo o relato, seu pai, Ser Piero da Vinci, ainda no ano do nascimento de Leonardo, se casou com a nobre Dona Albiera; à ausência de filhos desse casamento, ele deve sua acolhida, legalmente comprovada, com a idade de cinco anos, na casa paterna, ou melhor dizendo, na casa do avô. Não era comum, entretanto, que uma jovem mulher, que ainda contava com a dádiva de um filho, entregasse, tão cedo, um filho ilegítimo aos cuidados de outra pessoa. Isso está na melhor consonância com a interpretação da fantasia do abutre, uma vez que tinham transcorrido no mínimo três anos, talvez cinco, da vida de Leonardo, antes que ele pudesse trocar sua solitária mãe por um casal de pais. Mas era tarde demais. Nos três ou quatro anos de vida, se fixam impressões e se iniciam reações contra o mundo exterior, cujo significado não pode mais ser roubado por nenhuma vivência posterior.

Se está correto que as lembranças infantis incompreensíveis e as fantasias das pessoas nelas construídas sempre destacam o que há de mais importante no seu desenvolvimento psíquico, então, por meio da fantasia do abutre, se fortalece o fato de que Leonardo passou os primeiros anos de sua vida sozinho com a mãe, o que pode ter sido a influência mais decisiva na formação de sua vida interior. Entre os efeitos dessa constelação, não pode faltar o fato de que a criança, que em sua vida infantil encontrou mais problemas que as outras, iniciou a ruminar a respeito desse enigma, com uma paixão especial e se tornou muito cedo um pesquisador, torturado pelas grandes perguntas, de onde vêm as crianças e o que o pai tem a ver com isso. A ideia da conexão entre sua pesquisa e sua história infantil lhe fez posteriormente proclamar que estaria desde antes determinado a se aprofundar no problema do voo dos pássaros, porque, ainda no berço, recebera, em casa, a visita de um abutre. O desejo de saber [*Wißbegierde*], que se dirigia ao voo dos pássaros, deduzido da pesquisa sexual infantil, será uma tarefa posterior, fácil de ser resolvida.

III

Na fantasia infantil de Leonardo, o elemento do abutre representa para nós o conteúdo real da lembrança; a conexão, na qual o próprio Leonardo insere sua fantasia, lança uma luz clara sobre o significado desse conteúdo para sua vida posterior. Durante o progressivo trabalho de interpretação, nos deparamos com um problema estranho, porque esse conteúdo da lembrança foi retrabalhado em uma situação homossexual. A mãe a quem a criança chupa – ou melhor: em quem a criança chupa – se transforma em um pássaro abutre, que coloca sua cauda na boca da criança. Afirmamos que a *coda* do abutre, pensando numa substituição a partir do uso da língua, nada mais pode significar do que um genital masculino, um pênis. Mas nós não entendemos como a ação da fantasia pode prover exatamente o pássaro materno com o símbolo da masculinidade e, tendo em vista esse absurdo, nos faz perder a oportunidade de reduzir a estrutura dessa fantasia [*Phantasiegebilde*] a um sentido racional.

Entretanto, não devemos desistir. De quantos sonhos aparentemente absurdos já não precisamos para estabelecer seu sentido! Por que seria mais difícil com uma fantasia infantil do que com sonhos?

Lembremos que não é bom encontrar apenas uma esquisitice e nos apressamos em colocar uma segunda, ainda mais chocante, ao seu lado.

A deusa Mut dos egípcios, esculpida com uma cabeça de abutre, uma forma inteiramente despersonalizada de caráter, tal como julga Drexler no Léxico de Roscher, foi frequentemente fundida com outras divindades maternais de individualidade viva, como Ísis e Hator, mas sua existência e adoração permaneceram de lado. Foi uma particularidade especial do panteão egípcio que os deuses individuais não sucumbiram ao sincretismo. Ao lado da composição dos deuses, a simples forma divina continuou existindo independentemente. Essa divindade maternal com a cabeça de abutre foi então constituída pelos egípcios, na maioria de suas representações, de maneira fálica;[i] ela

---

[i] Cf. as reproduções que se encontram em Lanzone, op. cit., t. CXXXVI-VIII.

também trazia, entre os seios, como característica do corpo feminino, um membro masculino no estado de ereção.

Ou seja, na deusa Mut, a mesma unificação dos carácteres maternal e masculino, tal como na fantasia do abutre em Leonardo! Devemos esclarecer essa concordância por meio da hipótese de que Leonardo também conhecia a natureza andrógina do abutre maternal através dos livros que estudava? Tal possibilidade é mais que questionável; parece que as fontes às quais ele teve acesso nada continham acerca dessa estranha determinação. É evidente que a concordância retoma um motivo comum, aqui e lá eficiente, mas desconhecido.

A mitologia pode nos relatar que a formação andrógina, a unificação das características sexuais masculinas e femininas, não se restringe a Mut, mas sim também a outras divindades como Isis e Hator, mas apenas essas talvez, na medida em que elas também tinham uma natureza materna e que foram amalgamadas a Mut.[i] Ela nos ensina, além disso, que outras divindades egípcias, como Neith de Sais, que se tornou, posteriormente, a grega Atena, originariamente andróginas, foram compreendidas como hermafroditas e o mesmo para muitos dos deuses gregos, especialmente os do círculo de Dionísio, mas que também se aplica para a deusa feminina do amor, restrita a Afrodite. Ela permite então a tentativa de esclarecimento, de que o falo introduzido no corpo feminino deve significar a força originária criadora da natureza e que todas essas formas divinas hermafroditas expressam a ideia de que, antes de tudo, a unificação do masculino e do feminino poderia resultar numa representação digna da perfeição divina. Mas nenhuma dessas observações nos esclarece o

---

[i] Ver Römer, op. cit.

enigma psicológico, qual seja, que a fantasia das pessoas não ofende pelo fato de que uma figura, que deve incorporar a essência da mãe, tenha trocado a maternidade por signos opostos da força masculina.

O esclarecimento se faz pelo lado das teorias sexuais infantis. Já houve, em todo caso, um tempo em que o genital masculino se encontrava ligado à representação da mãe. Quando, por primeiro, o menino dirige seu desejo de saber para o enigma da vida sexual, ele é dominado pelo interesse por seu próprio genital. Ele considera essa parte de seu corpo muito valiosa e muito importante, como se acreditasse que ela pode faltar em outras pessoas das quais ele se sente próximo. Como ele ainda não pode intuir que existe um outro tipo de formação do genital, do mesmo valor, ele pode formular a hipótese de que todas as pessoas, incluindo as mulheres, possuem um tal membro, como ele. Esse preconceito se fixa de tal modo entre os jovens pesquisadores, que não é destruído pelas primeiras observações dos genitais das meninas [*kleiner Mädchen*]. A percepção, em todo caso, lhe diz que nelas acontece algo muito diferente do que acontece com ele, mas ele não se encontra em condições de se implicar como conteúdo dessa percepção, de tal modo que ele não pudesse encontrar um pênis nas meninas. Que o membro pudesse faltar lhe era uma representação estranha [*unheimliche*], insuportável, ele procura então uma decisão intermediária: o membro existia também nas meninas, mas ele seria ainda muito pequeno; depois, cresceria.[i] Parece que essa expectativa, em posteriores observações, não se cumpre e, então, se

---

[i] Cf. as observações no *Anuário de pesquisas em Psicanálise e Psicopatologia* [1909; 1910]. [[*Acréscimo* em 1919]: *Na Revista Internacional de Psicanálise Médica* e [nas contribuições sobre a análise de crianças] na *Imago* (N.E.A.).]

oferece a ele uma outra saída. O membro também existia nas meninas, mas foi cortado e em seu lugar ficou uma ferida. Este progresso da teoria já aproveita de algumas experiências dolorosas; entretanto, ele ouve a ameaça, de que seu querido órgão será arrancado, caso expresse claramente seu interesse por essa questão. Sob a influência dessa ameaça de castração, ele modifica sua interpretação do genital feminino e, a partir daí, temerá por sua masculinidade, mas desdenha das infelizes criaturas, nas quais, segundo pensava, a cruel punição já havia se completado.

[*Acréscimo* de 1919]: "Parece-me irrecusável supor que aqui também deve ser procurada uma raiz do ódio aos judeus introduzida de maneira tão elementar e com gestos tão irracionais entre os povos ocidentais. A circuncisão é igualada pelas pessoas, de maneira inconsciente, à castração. Se ousarmos levar nossa suspeita até o tempo primitivo [*Urzeit*] da espécie humana, podemos imaginar que a circuncisão deveria ser, na sua origem, um substituto aliviante, uma destituição, da castração."

Antes que a criança sucumba ao domínio do complexo da castração, na época em que ainda considerava a mulher valiosa, começa a se manifestar nele um intenso prazer em ver [*Schaulust*], como uma atividade pulsional erótica. Ele gostaria de ver a genitália das outras pessoas, de início provavelmente, para comparar com a sua própria. A atração erótica, que iniciava com a pessoa da mãe, logo atingia seu máximo na nostalgia por um genital, que nela, incluía um pênis. Com o conhecimento adquirido posteriormente que a mulher não possui nenhum pênis, essa nostalgia se transforma frequentemente no seu oposto, dando lugar ao asco, que pode tornar-se, nos anos da puberdade, a causa da impotência psíquica, da misoginia, da homossexualidade permanente. Mas a fixação em um objeto calorosamente desejado, o pênis da mulher, deixa rastros inapagáveis na vida psíquica do menino, na qual cada parte da pesquisa sexual infantil passou por um aprofundamento. O modo fetichista de veneração do pé e dos sapatos das mulheres parece tornar o pé apenas o símbolo substitutivo do pênis da mulher, que foi venerado uma vez e do qual se sente falta. O papel das pessoas que brincam de "cortar as tranças" realiza, sem que elas saibam, o ato de castração da genitália feminina.

Não chegamos a um correto entendimento da sexualidade infantil e, provavelmente, recorreremos a informações para declará-la pouca digna, enquanto não abandonarmos, de qualquer modo, o estágio atual da desvalorização cultural dos genitais e das funções sexuais. Para o entendimento da vida psíquica infantil, necessitamos de analogias com os tempos primitivos [*urzeitlicher Analogien*]. Para nós, os genitais são, desde uma longa sequência de gerações, os *Pudenda*, objetos de vergonha e, quando o recalque sexual se amplia, até mesmo de asco. Lancemos[19] um olhar abrangente para a vida sexual de nossa época, em especial para as camadas sociais que sustentam a cultura humana e então digamos: relutantes, os vivos de hoje apenas se resignam, na sua maioria, à exigência da reprodução e se sentem, aí, lesados e rebaixados na sua dignidade humana. O que está pressuposto, entre nós, em outra interpretação da vida sexual permaneceu rude, restrita às camadas baixas do povo, escondida entre os mais elevados e refinados, como culturalmente desvalorizada e arrisca sua expressão apenas entre as amargas ideias de uma má-consciência. Nos tempos primevos [*Urzeiten*] da humanidade era bem diferente. A partir das coleções, resultado do penoso trabalho dos pesquisadores da cultura, podemos voltar à convicção de que os genitais, naqueles tempos, eram o orgulho e a esperança das pessoas [*Lebenden*], gozavam de uma veneração divina e o caráter divino de suas funções, transmitido para todas as novas ações aprendidas pelas pessoas. Inúmeras figuras de deuses eram criadas a partir de sua essência por meio da sublimação e, agora, na medida em que a relação das religiões oficiais com a atividade sexual estava escondida da consciência em geral, cultos secretos se ocupavam dela, para que permanecessem vivos entre um número de iniciados. Finalmente, o que se passou no decorrer do desenvolvimento da cultura é que foi extraído da sexualidade o tanto que havia nela de divino e de sagrado, até que esse resto exaurido se tornasse desprezível. Mas, na impossibilidade de suprimir o fato de que todo rastro psíquico está na natureza, não é de admirar que mesmo as formas mais primitivas de adoração dos genitais são comprovadas até nos tempos mais recentes e que o uso da linguagem, costumes e crenças da humanidade atual contenha resíduos de todas as fases desse desenvolvimento.[20]

Estamos então preparados a esse respeito, através de importantes analogias biológicas, de tal modo que o desenvolvimento psíquico dos indivíduos repete, de forma abreviada, o processo de desenvolvimento da humanidade e devemos encontrar nele, não por acaso, o que a pesquisa psicanalítica do psiquismo infantil encontrou acerca da valorização infantil dos genitais. A hipótese infantil sobre a existência do pênis na mãe é, então, a fonte comum, a partir da qual deriva a formação andrógina das divindades maternas, como a egípcia *Mut* e a *coda* do abutre, na fantasia infantil de Leonardo. Chamamos a essas representações de deuses, de maneira errônea, de hermafroditismo no sentido médico da palavra. Nenhum deles unifica as reais genitálias dos dois sexos, tal como aparecem em muitas deformações, para horror dos olhos humanos; eles simplesmente acrescentam os seios, como sinal da maternidade, ao membro masculino, tal como este existia nas primeiras representações da criança acerca do corpo materno. A mitologia manteve, para os crentes, essa formação venerada do corpo materno, fantasiada nos tempos primitivos. Nós poderíamos traduzir o destaque dado à cauda do abutre na fantasia de Leonardo, da seguinte maneira: naquela época, quando minha inclinação carinhosa se dirigia à mãe e eu lhe atribuía, ainda, um genital como o meu. Um outro testemunho acerca da precoce pesquisa sexual de Leonardo, a qual, segundo pensamos, foi rejeitada por toda sua vida posterior.

Façamos agora uma curta reflexão, de tal modo que não nos contentemos com o esclarecimento acerca da cauda do abutre na fantasia infantil de Leonardo. Ele parece conter algo mais, que ainda não entendemos. Seu traço mais marcante foi, de fato, que ela transformou o chupar o seio da mãe em um ser chupado, ou seja, em passividade e, com isso, em uma situação de indubitável caráter homossexual. Lembrando da histórica verossimilhança, de que Leonardo se comportou na vida como alguém que se sente homossexual, somos levados a perguntar se essa fantasia não se liga a uma relação causal entre a relação de Leonardo, quando criança, com sua mãe e suas posteriores manifestações, como também a uma homossexualidade ideal. Não nos atreveríamos a concluir tal coisa, a partir da reminiscência distorcida de Leonardo, quando não sabemos a partir da investigação psicanalítica de pacientes homossexuais, se essa tal homossexualidade ideal existe, se ela é profunda e necessária.

Os homens homossexuais, que exercem em nossos dias uma enérgica ação contra as limitações legais de sua atividade sexual, gostam de se colocar, por meio de seus porta-vozes teóricos, desde o princípio, como um tipo especial de sexualidade, como uma sexualidade intermediária,[21] como um "terceiro sexo". Eles seriam homens, cuja condição orgânica, no seu cerne, necessitava da satisfação com homens, o que, com as mulheres, faltaria. Tanto subscrevemos com prazer, por consideração humanitária, suas exigências, quanto devemos permanecer reservados em relação às suas teorias, expostas sem considerar a gênese psíquica da homossexualidade. A Psicanálise oferece o meio de preencher essa lacuna e de submeter à prova a afirmação da homossexualidade. Ela pode realizar essa tarefa, inicialmente, com um número reduzido de pessoas, mas todas as investigações até aqui efetuadas tiveram um resultado propriamente surpreendente.[i] Em todos os nossos homossexuais masculinos havia, por primeiro, na infância posteriormente esquecida desses indivíduos, uma ligação erótica muito intensa com uma mulher [*eine weibliche Person*], em geral a mãe, suscitada e favorecida pelo excessivo carinho da própria mãe [*Überzärtlichkeit der Mutter selbst*], além disso sustentada por um retorno do pai à vida infantil. Sadger destaca que as mães de seus pacientes homossexuais eram, com frequência, mulheres-homens [*Mannweiber*], mulheres com traços enérgicos de caráter, que podiam tirar o pai do lugar que pertencia a eles; oportunamente, vi a mesma coisa, mas tendo a forte impressão, nesses casos, de que o pai faltou desde o início ou saiu de casa muito cedo, de tal modo que a criança foi abandonada à influência feminina. É como se a presença

---

[i] Trata-se das investigações anteriores de I. *Sadger*, que eu, a partir de minha própria experiência, posso confirmar, no essencial. Além disso, sei que W. *Stekel*, em Viena, e S. *Ferenczi*, em Budapeste, chegaram aos mesmos resultados.

116 OBRAS INCOMPLETAS DE S. FREUD

do pai assegurasse ao filho a correta decisão acerca da escolha do objeto, para o sexo oposto.

[*Acréscimo* de 1919]: A pesquisa psicanalítica nos ensinou a não duvidar de duas evidências acerca do entendimento da homossexualidade, sem que, com isso, acreditasse esgotar as causas desse desvio [*Abirrung*]. A primeira diz respeito à mencionada fixação às necessidades amorosas ligadas à mãe, a outra expressa na afirmação de que todos, incluindo o mais normal, é capaz da escolha de um objeto homossexual, seja a tendo realizado alguma vez na vida e mantendo-a em seu inconsciente, seja se assegurando contra ela, por meio de uma enérgica oposição. Essas duas constatações possibilitam tanto a exigência dos homossexuais de serem reconhecidos como um "terceiro sexo", assim como a de acabar a significativa diferença entre homossexualidade herdada e adquirida. A presença de traços somáticos de outro sexo (o montante de hermafroditismo psíquico) é bastante proveitosa para a manifestação da escolha de objeto homossexual, mas não decisiva. É lamentável dizer que os representantes dos homossexuais no campo da ciência nada aprenderam a partir das investigações da Psicanálise.

Após esse estádio preparatório ocorre uma mudança, cujo mecanismo nos é conhecido, cuja força pulsional ainda não compreendemos. O amor pela mãe não pode fazer parte do posterior desenvolvimento consciente, sucumbindo ao recalque. O menino recalca o amor pela mãe, na medida em que ele mesmo se coloca no lugar dela, identificando-se a ela e tomando-a como modelo e nessa semelhança, ele escolhe seus novos objetos de amor. Desse modo, ele se tornou homossexual; na verdade, ele recaiu no autoerotismo, na medida em que os garotos, que o adulto agora ama, são apenas substitutos e renovadores de sua própria pessoa, quando criança, a quem ele ama tanto quanto a sua própria mãe o amou quando criança. Nós dizemos que ele encontrou seu objeto de amor pelo caminho do *narcisismo*, porque a saga grega chama um jovem de Narciso, a quem nada mais compraz do que a própria imagem no espelho e que se transformou na bela flor que leva esse nome.

Profundas considerações psicológicas legitimam a afirmação de que por esse caminho, nos que se tornaram homossexuais, permaneceu fixada inconscientemente a lembrança da imagem de sua mãe. Por meio do recalque do amor pela mãe, ele conserva o mesmo em seu inconsciente e permanece, desde então, fiel à mãe. Quando ele, como amante [*Liebhaber*], parece estar correndo atrás de um rapaz [*Knaben*],[22] na verdade ele corre de uma outra mulher, que lhe poderia ser infiel. Poderíamos também justificar, por meio de uma direta observação particular, que a visível sensibilidade aos estímulos masculinos, na verdade, a atração que parte das mulheres, sucumbe normalmente; mas ele se apressa, todas as vezes que a excitação vem de uma mulher, em transportá-la para um objeto masculino e sempre repete o mecanismo, por meio do qual adquiriu sua homossexualidade.

Longe de nós exagerarmos acerca do significado desse esclarecimento sobre a gênese psíquica da homossexualidade. É inteiramente evidente que ela se opõe cruamente às teorias oficiais dos porta-vozes homossexuais, mas nós sabemos que ela não é suficientemente abrangente, para possibilitar um definitivo esclarecimento do problema. O que se chama, por motivos práticos, de homossexualidade pode surgir a partir de diversos processos de inibição psíquico-sociais, e o processo por nós reconhecido é, talvez, apenas um dentre muitos e se relaciona apenas a um tipo de "homossexualidade".

Devemos também sustentar que, entre nosso tipo de homossexual, o número de casos nos quais as condições por nós colocadas são visíveis excede os casos nos quais o efeito deduzido delas realmente aparece, de tal modo que também nós não podemos recusar a colaboração de fatores constitucionais desconhecidos, dos quais a homossexualidade como um todo poderia ser deduzida. Nós não teríamos tido, de modo algum, a oportunidade de introduzir a questão da gênese psíquica da forma de homossexualidade estudada por nós, se não fosse a forte suposição de que exatamente Leonardo, de cuja fantasia do abutre partimos, pertence a esse tipo de homossexual.

Uma vez que conhecemos tão pouco do comportamento sexual do grande artista e pesquisador, devemos então confiar na possibilidade de que as declarações de seus contemporâneos não sejam, no geral, equivocadas. À luz dessa tradição, ele nos parece como alguém cuja necessidade e atividade sexual foi, extraordinariamente, posta de lado, como se um anseio superior tivesse se elevado nele, para além da comum necessidade animal dos homens. Permanece em suspenso, se ele alguma vez ou sobre quais caminhos ele procurou a direta satisfação sexual ou se pôde evitá-la inteiramente. Mas também temos o direito de procurar nele, por algum fluxo de sentimentos, que, de outros domínios, impulsionem para a ação sexual, pois não podemos acreditar que em alguma vida psíquica humana, em cuja construção o desejo sexual no sentido amplo, ou seja, a libido, não tenha deixado de fazer parte, mas isso nos levaria longe de nosso objetivo original ou nos deteria antes de sua exposição.

Não devemos esperar de Leonardo, mais do que rastros de uma inclinação sexual inalterada. Mas esses rastros levam numa direção e permitem ainda incluí-lo entre os homossexuais. Foi destacado por todos que ele claramente apenas tomava como discípulos belos adolescentes e jovens. Era bondoso e indulgente em relação a eles, preocupava-se e cuidava deles quando estavam doentes, como uma mãe cuida de suas crianças, como sua própria mãe gostaria de ter cuidado dele. Devido tê-los escolhido por sua beleza e não por seu talento, nenhum deles – Cesare da Sesto, G. Boltraffio, Andrea Salaino, Francesco Melzi e outros – tornou-se pintor importante. A maioria não chegou a lutar por sua autonomia em relação ao mestre, desapareceu após a sua morte, sem deixar na história da arte uma determinada fisionomia. Os outros que, por suas criações, poderiam ser chamados, por direito, de seus discípulos, como Luini e Bazzi, conhecido por *Sodoma*, ele, provavelmente, não os conheceu pessoalmente.

Nós sabemos que iniciamos a oposição à ideia de que o comportamento de Leonardo em relação aos seus discípulos nada teria a ver com motivos sexuais e que não é possível encontrar nenhuma solução a respeito de seu modo sexual próprio. Ao contrário, queremos com todo cuidado legitimar que nossa interpretação esclarece alguns traços específicos no comportamento do mestre, os quais deveriam, até mesmo, permanecer em segredo. Leonardo tinha um diário; com sua letra pequena, da direita para a esquerda, fez anotações, que eram dirigidas apenas para ele. Nesse diário, ele se trata, de maneira notável, por "tu": "Aprende com o mestre Luca a multiplicação das raízes".[i]

"Deixa que o Mestre d'Abacco te mostre a quadratura do círculo".[ii] Ou, por ocasião de uma viagem:[iii] "Por causa do assunto dos jardins, vou para Milão... Faça

---

[i] Edm. Solmi, *Leonardo da Vinci*. Tradução alemã, 1908, p. 152.

[ii] Idem.

[iii] Solmi, *Leonardo da Vinci*, p. 203.

duas malas. Deixa que te mostrem o trono de Boltraffio, para tratar uma pedra nele. – Deixa que o livro do mestre Andrea il Todesco".[i] Ou um propósito com outro significado: "Deve mostrar no seu tratado que a terra é uma estrela, como a lua ou aproximadamente, e, assim, demonstrar a nobreza de nosso mundo".[ii]

Nesse diário, no qual, a propósito – como os diários de outros mortais – com frequência, os acontecimentos mais frequentes do dia são mencionados com poucas palavras ou totalmente silenciados, se encontram alguns registros, os quais, devido a sua singularidade, são citados por todos os biógrafos de Leonardo. São anotações sobre pequenas edições dos mestres, de uma exatidão penosa, como se derivassem de um pai de família filisteu, severo, econômico, enquanto os atestados acerca da utilização de grandes somas faltam, e nada confirma que o artista entendia de economia. Uma dessas anotações diz respeito a uma manta que ele comprara do discípulo Andrea Salaino:[iii]

Brocado de prata	15 liras	4 moedas
Veludo azul com debrum	9 liras	-
Cordéis	-	9 moedas
Botões	-	12 moedas

---

[i] Leonardo se comporta aí como alguém que está acostumado a dirigir suas confissões diárias a outra pessoa e agora substitui essa pessoa pelo diário. Encontra-se uma suspeita de quem seria essa pessoa em Mereschkowski, p. 367.

[ii] M. Herzfeld, Leonardo da Vinci, 1906, p. CXLI.

[iii] Para o original, ver Mereschkowsi, op. cit., p. 282.

Uma outra notícia muito detalhada agrupa todas as despesas que um outro discípulo[i] lhe causa, devido a suas péssimas qualidades e sua inclinação ao roubo: "No dia 21 de abril de 1490 iniciei esse livro e o cavalo começa de novo.[ii] Giácomo chega até mim no dia de Magdalena de mil 490, com a idade de 10 anos (anotação à margem: ladrão, mentiroso, caprichoso, glutão). No segundo dia, pedi a ele que levasse duas camisas, um par de calças e um corpete para costurar e quando coloquei ao lado o dinheiro para pagar as coisas mencionadas, ele me roubou o dinheiro da bolsa e não foi possível fazê-lo confessar, embora eu tivesse a respeito toda certeza (anotação à margem: 4 liras...)". O relato sobre o ato condenável do pequeno continua e termina com a prestação de contas: "No primeiro ano, uma manta, 2 liras; 6 camisas, 4 liras; 3 corpetes, 6 liras; 4 pares de meia, 7 liras, etc.".[23]

Os biógrafos de Leonardo, os quais, além disso, nada esquecem quando querem fundamentar os enigmas na vida psíquica de seu herói a partir de suas pequenas fraquezas e singularidades, tratam de anexar a essas estranhas contas uma observação, que destaca a bondade e a indulgência do mestre em relação aos seus discípulos. Eles esquecem que não é a conduta de Leonardo, mas as ações, que esses testemunham deixam para trás, que precisam de um esclarecimento. Na medida em que é impossível atribuir-lhe motivo que nos forneça a prova de sua bondade, devemos supor que esses manuscritos dão margem a um outro motivo, um motivo afetivo. Não é fácil intuir qual é esse motivo, e nada saberíamos informar, se uma outra conta

---

[i] Ou modelo.

[ii] O cavalo do monumento em homenagem a *Francesco Sforza*.

122 OBRAS INCOMPLETAS DE S. FREUD

encontrada entre os papéis de Leonardo não tivesse lançado uma clara luz sobre essas curiosas e pequenas anotações sobre roupas, entre outras, de seus discípulos:

Despesas, após a morte, para o sepultamento de Katharina	27 florins
1 quilo de cera	18 florins
Para o desgaste e elevação da cruz	12 florins
Estrado	4 florins
Carregador de cadáveres	8 florins
A 4 religiosos e 4 clérigos	20 florins
Sinos	2 florins
Ao coveiro	16 florins
Para aprovação – os funcionários	1 florim
Soma	108 florins.
Despesas anteriores:	
Ao médico	4 florins
Para açúcar e luz	12 florins
	16 florins
Soma total	124 florins.[i]

O pintor Mereschkowski é o único que pode nos dizer quem era essa Katharina. A partir de duas outras

---

[i] Mereschkowski, op. cit., p. 372 – Como prova enganosa sobre a incerteza das notícias esparsas sobre a vida íntima de Leonardo, menciono que as mesmas despesas em Solmi (tradução alemã, p. 104), são reproduzidas com uma emenda substancial. A mais questionável é que florins são substituídos por moedas. Deve-se supor que nessa conta florins não significam as antigas *Goldguden*, mas o tamanho da conta utilizado posteriormente, que são iguais a 1 2/3 liras ou 33 1/3 moedas. Solmi torna Katharina uma meretriz, que administrara a casa de Leonardo durante um certo tempo. As fontes das quais surgiram as duas versões dessa conta não me foram acessíveis. [Alguns números variam também em Freud, nas diferentes edições de sua obra. (N.E.A.)]

anotações, ele conclui que a mãe de Leonardo, a pobre camponesa de Vinci, foi para Milão em 1493, para visitar seu filho, à época com 41 anos, e que lá ela adoeceu, foi levada para o hospital por Leonardo e, quando morreu, foi sepultada por ele, com tão honrosas despesas.[i]

Essa interpretação do romancista conhecedor de almas não se justifica, mas ela pode reivindicar muita verossimilhança interna, concordando muito bem com tudo o que nós conhecemos da atividade sentimental de Leonardo, de tal modo que não posso me conter em reconhecê-la como correta. Ele fez isso para colocar seus sentimentos sob o jugo da pesquisa e impedir a sua livre expressão; mas havia também para ele casos em que o dominado forçava uma expressão e a morte da mãe tão calorosamente amada, era um deles. Nessa nota de despesa com os custos do sepultamento, temos diante de nós uma expressão distorcida, que leva até o desconhecimento, do luto pela mãe. Admiramo-nos de como tal distorção pode se realizar e também não podemos entendê-la sob o ponto de vista dos processos psíquicos normais. Mas, sob as condições desviantes da neurose e, muito especialmente, da conhecida *neurose obsessiva*, é-nos inteiramente conhecida. Nela, vemos a expressão muito intensa de sentimentos tornados inconscientes pelo recalque, deslocada para funções insignificantes e, mesmo, bobas. As forças opostas conseguem rebaixar tanto essa expressão, de tal modo que se passa a avaliar sua intensidade como de grande insignificância; mas, na

---

[i] "Katharina sepultada em 16 de julho de 1493." – "Giovannina – um rosto de contos de fada – pergunta por Katharina no hospital." [De fato, Mereschkowski não traduziu corretamente a segunda observação. Ele deveria dizer: "Giovannina – um rosto de contos de fato, permaneceu no hospital Santa Catarina" (N.E.A.)].

peremptória coação, com a qual essa mínima expressão de ações se impõe, se revela o efetivo poder das emoções enraizadas no inconsciente, que a consciência gostaria de desmentir [*verleugnen*]. Apenas uma tal acusação aos acontecimentos na neurose obsessiva pode esclarecer a conta com as despesas de Leonardo com o cadáver, por ocasião da morte de sua mãe. Inconscientemente, ele ainda estava ligado a ela, tal como na infância, por meio de uma inclinação tingida de erotismo; o conflito, que o recalque posteriormente introduziu, não permitiu que, no diário, fosse feita uma outra e honrosa homenagem à mãe, mas o que resultou, como compromisso, a partir desse conflito neurótico, deveria ser mostrado e assim a conta teria sido registrada, chegado como incompreensível para o conhecimento da posteridade.

Parece não haver nenhum risco em transportar a perspectiva alcançada a partir da conta do sepultamento, para a conta das despesas com os discípulos. Portanto, também seria este o caso em que, em Leonardo, os parcos restos libidinais das emoções criaram, coercitivamente, uma expressão distorcida. A mãe e os discípulos, a ilustração de sua própria beleza juvenil, teriam sido seus objetos sexuais − tão longe quanto o recalque sexual que dominava seu ser, permita tal caracterização −, e a coação, para anotar as despesas feitas com cuidadoso constrangimento, seria a estranha traição desse conflito rudimentar. Disso resultaria que a vida amorosa de Leonardo faria realmente parte do tipo de homossexualidade, cujo desenvolvimento psíquico nós poderíamos descobrir e o aparecimento da homossexualidade na sua fantasia do abutre poderia ser entendida por nós, não podendo ser dita de outra maneira, como o que já afirmamos anteriormente acerca desse tipo. Isso exige uma tradução:

por meio dessa relação erótica com a mãe, tornei-me um homossexual.[i]

IV

A fantasia do abutre de Leonardo sempre ainda nos prende. Em palavras, que excessivamente ainda ressoam à descrição de um ato sexual ("e bateu muitas vezes com sua cauda nos meus lábios"), Leonardo acentua a intensidade da relação erótica entre mãe e filho. Não é difícil intuir, a partir dessa ligação da atividade da mãe (do abutre) com o destaque à região da boca, um segundo conteúdo da lembrança dessa fantasia. Poderíamos traduzir assim: a mãe me deu incontáveis beijos apaixonados na boca. A fantasia se constitui a partir da lembrança do ser sugado e do ser beijado pela mãe.

Ao artista, uma boa natureza deu a possibilidade de expressar, por suas criações, suas emoções psíquicas mais secretas, escondidas dele mesmo, as quais comovem profundamente os estranhos ao artista, sem que estes mesmos possam dizer de onde provém essa comoção. A obra da vida de Leonardo nada deveria testemunhar daquilo que sua lembrança conservou como a mais forte impressão de sua infância? Dever-se-ia esperar por isso. Mas, se ponderarmos qual foi a profunda transformação sofrida por uma impressão da vida do artista, antes que ela tenha dado sua contribuição para a obra de arte, dever-se-ia

---

[i] As formas de expressão pelas quais a libido recalcada em Leonardo pode se manifestar, complicações e interesse por dinheiro, pertencem aos traços característicos derivados da erótica anal (cf. Caráter e erotismo anal, 1908, Ges. Werke, Bd. VII).

reduzir, exatamente em Leonardo, a medidas modestas, a exigência de certeza das provas.

Quando se pensa nos quadros de Leonardo, logo vem à lembrança um sorriso estranho, encantador e misterioso, com o qual ele enfeitiçou os lábios de suas figuras femininas. Um sorriso permanente, estendido, oscilando, ao longo dos lábios; isso se tornou característico desse sorriso, que passou a ser chamado, preferencialmente, de "leonárdico".

[*Acréscimo* de 1919]: O especialista em arte pensará aqui no sorriso propriamente severo, mostrado nas esculturas da arte grega arcaica, por exemplo, nas Eginas, talvez descubra seme-lhanças com as figuras de Verrocchio, o mestre de Leonardo e, por isso, queira seguir, não sem lembrar, as representações que se seguem.[24]

Diante da bela e estranha face [*Antlitz*] da florentina Mona Lisa de Giocondo, o contemplador se comove ao extremo e se perturba. Esse sorriso ansiou por uma inter-pretação e encontrou as mais diversas, das quais nenhuma é satisfatória: "*Voilà quatre siècles bientôt que Monna Lisa fait perdre la tête à tous ceux qui parlent d'elle, après l'avoir longtemps regardée*" [Eis que logo serão quatro séculos que a Mona Lisa faz com que os que dela falam percam sua cabeça após tê-la contemplado por um longo tempo].[i]

Muther:[ii] "O que fascina inteiramente o contem-plador é o encanto demoníaco desse sorriso. Centenas de poetas e escritores escreveram sobre essa mulher, que ora nos seduz, ora nos sorri, ora parece enrijecida, ora fria e sem alma, fixada no vazio e ninguém consegue

---

[i] Gruyer, citado por Seidlitz, L. da V. II. v., p. 280.

[ii] (1909), v. 1, 314.

decifrar seu sorriso, ninguém interpretou seus pensamentos. Tudo, a paisagem também, é fantasticamente misteriosa, em meio a uma sensualidade trêmula, tempestuosa, abafada".

A ideia de que no sorriso da Mona Lisa se reúnem dois elementos diferentes é encontrada em outros julgamentos. Eles veem, por isso, na expressão facial da bela florentina, a mais perfeita representação dos antagonismos que dominam a vida amorosa da mulher, a reserva e a sedução, a devotada ternura, a imprudente, a suplicante, a esgotada sensualidade, de algum modo estranha ao homem. Sobre isso, assim se expressa Müntz:[i] *"On sait quelle énigme indéchiffrable et passionnante Monna Lisa Gioconda ne cesse depuis bientôt quatre siècles, de proposer aux admirateurs pressés devant elle. Jamais artiste (j'emprunte la plume du délicat écrivain que se cache sous le pseudonyme de Pierre de Corlay) a-t-il traduit ainsi l'essence même de la féminité: tendresse et coquetterie, pudeur et sourde volupté, tout le mystère d'un cœur qui se réserve: d'un cerveau qui réfléchit, d'une personnalité qui se garde et ne livre d'elle-même que son rayonnement..."* [Sabemos que enigma indecifrável e apaixonante a Mona Lisa Gioconda não cessa de apresentar aos admiradores que há quase quatro séculos se espremem diante dela. Jamais um artista (tomo aqui as palavras do delicado escritor que se esconde sob o pseudônimo de Pierre de Corlay) traduziu de tal modo a própria essência da feminilidade: ternura e coqueteria, pudor e secreta volúpia, todo o mistério de um coração que se reserva, de um cérebro que reflete, de uma personalidade que se guarda e apenas concede, de si própria, sua iluminação]. O italiano Angelo Conti[ii]

---

[i] *Op. cit.*, p. 417.

[ii] A. Conti, Leonardo pintor, [in:] Conferências fiorentinas, *op. cit.*, p. 93.

vê o quadro, no Louvre, vivificado pelo raio de sol: "*La donna sorrideva in una calma regale: i suoi intinti di conquista, di ferocia, tutta l'eredità dela specie, la volontà della seduzione e delli agguato, la grazia del inganno, la bontà che cela un proposito crudele, tutto ciò appariva alternativamente e scompariva dietro il velo ridente e si fondeva nel poema del suo sorriso... Buona e malvaggia, crudele e compassionevole, graziosa e felina, ella rideva...*" [A dama sorria numa calma real: seus instintos de conquista, de fúria, toda a herança da espécie, a vontade da sedução e da emboscada, a graça do engano, a bondade que oculta um propósito cruel, tudo isso surgia alternadamente e desaparecia por trás do véu risonho e se fundia no poema de seu sorriso... Boa e má, cruel e piedosa, graciosa e felina, ela ria...].

Leonardo pintou esse quadro durante quatro anos, talvez entre 1503 e 1507, durante sua segunda temporada em Florença, com mais de 50 anos de idade. Segundo o relato de *Vasari*, ele utilizou os mais seletos artifícios, para distrair a dama durante as sessões, para manter esse sorriso com seus traços. De toda delicadeza, que seu pincel, à época, restituiu na tela, o estado atual do quadro conservou muito pouco; é como se ele ainda estivesse em gestação, como o ápice, que a arte poderia produzir; mas é certo que o próprio Leonardo não estava satisfeito, de tal modo que ele não disse que o quadro estava terminado, não o enviou a quem o encomendou e o levou consigo para a França, onde seu protetor, Francisco I, o adquiriu dele para o Louvre.

Deixemos sem solução o enigma fisionômico de Mona Lisa e registremos o fato indubitável de que seu sorriso não menos fortemente fascinou o artista, do que todos os espectadores há 400 anos. Esse sorriso encantador retorna, desde então, em todos os seus quadros e os de seus discípulos. Na medida em que a Mona Lisa de Leonardo é um retrato, não podemos admitir que ele tenha emprestado ao seu rosto um traço de tão difícil expressão, que ela própria não possuísse. Parece que nós não poderíamos acreditar em outra coisa a não ser que ele encontrou esse sorriso em seu modelo e que sucumbiu de tal maneira à sua fascinação que, a partir daí, moldou, com ele, a livre criação de sua fantasia. Essa evidente interpretação é expressa, por exemplo, por A. Konstantinowa:[i] "Durante o longo tempo no qual o Mestre se ocupou com o retrato de Mona Lisa de Giocondo, ele se imiscuiu, com uma tal participação dos sentimentos, na delicadeza fisionômica desse rosto de mulher, de tal modo que transportou esses traços – em especial o sorriso misterioso e o estranho olhar – a todos os rostos que, na sequência, pintou ou desenhou; a singularidade dos traços de Gioconda pode mesmo ser percebida no quadro de João Batista, no Louvre; mas, sobretudo, eles são claramente reconhecíveis nos traços do rosto de Maria, no quadro de Sant'Ana".

Só que podemos chegar a essa mesma interpretação, de outra maneira. A necessidade de uma motivação profunda dessa atração, que o sorriso de Gioconda provoca no artista e que não o larga mais, interessou a mais de um biógrafo. *W. Pater*, que vê no quadro de Mona Lisa "a incorporação de toda experiência da cultura humana com o amor" e trata com muita delicadeza "esse sorriso impenetrável, o qual Leonardo parece ligar sempre com uma espécie de anunciador de algo funesto", nos conduz a um outro rastro, quando ele diz:[ii] "De todo modo, esse quadro é um retrato. Nós podemos investigar como nele

---

[i] Op. cit., p. 44.

[ii] W. Pater, A Renascença, 2. ed., 1906, p. 157. (Traduzido do inglês.)

se mistura da infância até o tecido dos seus sonhos, de tal modo que gostaríamos de acreditar, e os testemunhos expressos não falariam contra, que ele seria seu, finalmente encontrado e incorporado, ideal de mulher...".

M. Herzfeld tem algo semelhante em mente, quando disse que na Mona Lisa o próprio Leonardo se encontrou, pois ela lhe teria possibilitado transportar para o quadro muito de sua própria essência, "cujos traços, desde sempre, se encontravam, numa misteriosa simpatia, na alma de Leonardo".[i]

Tentemos esclarecer essas alusões. As coisas poderiam ter acontecido de tal modo que Leonardo foi aprisionado pelo sorriso de Mona Lisa, porque este despertou algo nele, que estava há muito tempo adormecido na sua alma, provavelmente uma antiga lembrança. Essa lembrança era importante o suficiente, para não mais abandoná-lo, depois que ela tivesse sido desperta; ele deveria sempre lhe dar uma nova expressão. A certeza de *Pater*, que nós poderíamos perseguir, de como um rosto como o de Mona Lisa se imiscuísse da infância até no tecido dos sonhos de Leonardo, parece crível e deve ser entendida literalmente.

Vasari menciona como a primeira tentativa artística de Leonardo *"teste di femmine, che ridono"* [cabeças de mulheres, que riem].[ii] A passagem, que é inteiramente insuspeita, pois não quer justificar nada, diz o seguinte, por completo, na tradução alemã: "Enquanto isso, na sua juventude, ele moldava, com terra, alguns rostos femininos sorridentes, que foram copiados em gesso, e alguns rostos

---

[i] M. Herzfeld, op. cit., V, p. LXXXVIII.

[ii] Cf. Scognamiglio, op. cit., p. 32.

de crianças, tão belos, como se tivessem sido feitos por mãos de mestre...".

Ficamos sabendo, então, que Leonardo iniciou seus exercícios artísticos com a representação de diferentes objetos que nos fazem pensar em dois objetos sexuais, os quais deduzimos a partir da análise de sua fantasia com o abutre. Se as belas cópias de rostos de crianças forem cópias dele mesmo, quando criança, então, as mulheres sorridentes nada mais são que a repetição de Catarina, sua mãe, e começamos a supor a possibilidade de que sua mãe possuía o sorriso misterioso, que ele havia perdido e que o prendeu tanto, quando o reencontrou na dama florentina.[i]

O quadro de Leonardo, que é o mais contemporâneo da Mona Lisa, é o conhecido *Sant'Ana no grupo de três*, Sant'Ana com Maria e Jesus criança. Ele mostra o sorriso leonardiano, expresso da maneira mais bela, nos dois rostos de mulher. Não é possível saber quanto tempo antes ou depois do retrato de Mona Lisa ele começou a ser pintado. Como os dois trabalhos se estenderam por muitos anos, podemos supor que o mestre se ocupou deles ao mesmo tempo. Isso estaria de melhor acordo com nossa expectativa, se exatamente o aprofundamento nos traços da Mona Lisa tivesse motivado Leonardo a moldar sua composição de Sant'Ana, a partir de sua fantasia. Pois, se o sorriso de Gioconda evocou nele a lembrança da mãe, então entendemos em que medida essa lembrança

---

[i] Mereschkowski adota essa ideia, quando imaginou uma história infantil para Leonardo, a qual difere, em pontos essenciais, dos nossos resultados, criados a partir da fantasia do abutre. Mas, se o próprio Leonardo mostra esse sorriso (o que, de todo modo, Mereschkowski percebe), então a tradição teria apenas deixado de nos relatar essa coincidência.

o impulsionou a criar uma homenagem à maternidade e a devolver à mãe o sorriso que ele encontrou na nobre dama. Nessa perspectiva, deveríamos deixar que nosso interesse pelo retrato de Mona Lisa nos leve a outro, um quadro não menos belo, que agora também se encontra no Louvre.

Na pintura italiana, Sant'Ana com a filha e o neto é um tema raramente tratado; a representação de Leonardo, em todo caso, vai além do que é conhecido. Muther diz:[i] "Alguns mestres, como Hans Fries, Holbein, o velho, e Girolamo dai Libri, deixavam Ana sentada ao lado de Maria e a criança ficava entre as duas. Outros, como Jacob Cornelisz, em seus quadros berlinenses, mostram, literalmente, 'Sant'Ana no grupo de três', ou seja, eles a representam, como se ela tivesse mantido nos braços a pequena figura de Maria, na qual o Cristo criança ainda mais pequeno está sentado". Em Leonardo, Maria está sentada e inclinada para a frente, no colo de sua mãe e agarra com os dois braços o menino, que brinca, um pouco maltratando-o, com um cordeirinho. A avó mantém escorado no quadril um braço descoberto, e olha para baixo, para os dois, com seu sorriso bem-aventurado. O grupo, certamente, não está inteiramente à vontade. Mas o sorriso, que brinca nos lábios das duas mulheres, embora irreconhecível, do mesmo modo que no quadro da Mona Lisa, perdeu seu caráter de estranheza [*unheimlich*] e mistério; ele expressa intimidade e serena bem-aventurança.[ii]

---

[i] Op. cit., p. 309.

[ii] A. Konstantinowa, op. cit. [p. 44]: "Maria olha para baixo, com total intimidade, para seu amado, com um sorriso, que lembra a misteriosa expressão da Gioconda", e outros [p. 22], sobre Maria: "Em torno de seus traços, paira o sorriso de Gioconda".

Um certo mergulho nesse quadro chega ao espectador, como um súbito entendimento: apenas Leonardo poderia pintar esse quadro, apenas ele poderia transformar em arte a fantasia do abutre. Nesta imagem, está introduzida a síntese de sua história infantil; as particularidades desta são esclarecidas por todas as impressões mais pessoais da vida de Leonardo. Na casa de seu pai, ele não apenas encontrou Dona Albiera, a boa madrasta, mas também a avó, a mãe de seu pai, Mona Lucia, a qual, devemos supor, não era indelicada em relação a ele, como avós costumam ser. Essa situação pode aproximar a representação de sua infância protegida pela mãe e pela avó. Um outro traço evidente do quadro ganha um significado ainda maior. Sant'Ana, a mãe de Maria e a avó do menino, que deveria ser uma matrona, é aqui talvez um pouco mais madura e séria do que Santa Maria, mas apresentada como uma jovem mulher, que conserva sua beleza. De fato, Leonardo deu à criança duas mães, uma que lhe estende o braço e uma outra no fundo, e ambas moldadas com o bem-aventurado sorriso da felicidade maternal. Essa singularidade do quadro não deixou de provocar a admiração dos estudiosos; Muther pensa, por exemplo, que Leonardo não podia se decidir em pintar idosos, dobras, rugas e, por isso, também tornou Ana uma mulher de deslumbrante beleza. Como se pode ficar satisfeito com esse esclarecimento? Outros se agarraram à informação, para desmentir, de todo, a "mãe e filha com a mesma idade".[i] Mas a tentativa de esclarecimento de Muther é inteiramente suficiente para justificar que a impressão de rejuvenescimento de Sant'Ana advém do quadro e não de uma tendência fingida.

---

[i] Ver v. Seidlitz, op. cit., II v., p. 274, Nota.

A infância de Leonardo foi tão estranha quanto esse quadro. Ele teve duas mães, a primeira foi sua verdadeira mãe, Catarina, de quem foi separado na idade entre três e cinco anos, e uma jovem e carinhosa madrasta, a mulher de seu pai, Dona Albiera. Na medida em que ele fixou esse fato de sua infância com as primeiras mencionadas, com as presenças da mãe e da avó,[25] para condensá-las em uma unidade mista, plasmando-as na composição de Sant'Ana com as três. A forma maternal, distante do menino, que se chama avó corresponde segundo sua aparição e suas disposições no espaço em relação ao menino à verdadeira mãe, à primeira, Catarina. Com o sorriso feliz de Sant'Ana, o artista negou a inveja e encobriu a infelicidade sentida, como se ela devesse ceder à nobre rival, tanto o marido, como antes, como também o filho.

[*Acréscimo* de 1919]: Tenta-se, nesse quadro, separar as figuras de Ana e de Maria, mas não se consegue isso com facilidade. Gostaríamos de dizer que ambas estão tão fundidas uma na outra, como numa formação onírica mal condensada, de tal maneira que, em muitos lugares, fica difícil dizer onde termina Ana e onde começa Maria. Aquilo que, de algum modo, aparece como falha diante de uma consideração crítica, como um erro de composição, se justifica diante da análise por meio da referência ao seu sentido oculto. Para o artista, as duas mães de sua infância deveriam confluir numa única forma.

[*Acréscimo* de 1923]: É bastante estimulante comparar a Sant'Ana no grupo de três, do Louvre, com o famoso cartão existente em Londres, que mostra uma outra composição do mesmo tema (ver Fig. 3). Aqui, as duas figuras de mãe ainda estão intimamente fundidas uma com a outra, a separação entre elas ainda incerta, de tal maneira que o crítico, cuja preocupação está distante de uma interpretação, deveria dizer

Figura 2 – "Sant'Ana no grupo de três, do Louvre" (Paris)

Figura 3 – "Cartão de Londres"

que elas parecem "como se duas cabeças tivessem crescido do mesmo tronco".

A maioria dos autores concorda que esse cartão de Londres deveria ser um trabalho anterior e estabelece sua criação na primeira temporada de Leonardo em Milão (antes de 1450). Adolf Rosenberg (monografia de 1898), ao contrário, vê na composição do cartão uma posterior – e mais feliz – reprodução da mesma realização e, apoiado em Anton Springer, considera que o cartão foi composto depois da Mona Lisa. Para nossa explicação, estamos inteiramente de acordo de que o cartão surgiu em uma época bem mais antiga. Também não é difícil imaginar como o quadro do Louvre pode surgir do cartão, ao passo que a posição contrária não resulta em nenhuma compreensão. Partindo da composição do cartão, veremos como Leonardo sentiu a necessidade de superar a sonhada fusão das duas mulheres, as quais correspondiam a sua lembrança de infância e de separar, espacialmente, os dois rostos. Isso aconteceu, na medida em que ele distanciou a cabeça e o busto de Maria da figura da mãe e a inclinou para baixo. Devido a esse deslocamento, o menino Jesus deixou o colo e foi colocado no chão, não havendo mais lugar para o pequeno João, que foi substituído pelo carneiro.

[*Acréscimo* de 1919]: A partir do quadro do Louvre, Oskar Pfister fez uma descoberta extraordinária, que de modo algum torna falho o seu interesse, mesmo que não estejamos inclinados a necessariamente reconhecê-la. Ele encontrou na própria composição, e não facilmente compreensível da posição de Maria, o *contorno do abutre* e interpretou-o como um *enigma inconsciente*.

"No quadro, no qual o artista representa a mãe, se encontra, de fato, com absoluta clareza *o abutre, o símbolo da maternidade.*

Vê-se a caracterização expressa da cabeça do abutre, a garganta, o começo incisivamente curvado do tronco, no lenço azul, que está visível na cintura da mulher que está à frente e que se espalha na direção do colo e da perna direita. Quase nenhum observador, a quem apresentei a pequena descoberta, poderia negar a evidência desse enigma" (Criptolália, Criptografia e enigmas inconscientes entre as pessoas normais. Anuário de Pesquisa Psicanalítica e Psicopatológica, V, 1913 [p. 147]).

Nesse momento, certamente o leitor não economizará esforços de olhar para o suplemento da imagem que esse escrito mostra, para procurar nele o *contorno do abutre* visto por Pfister. O lenço azul, cujas bordas a enigmática imagem desenha, é retirado na reprodução como campo de luminosidade cinza, do fundo obscuro do restante do vestuário.[26]

Pfister prossegue: "Mas a pergunta importante é: qual o alcance dessa imagem enigmática? Sigamos o lenço que se afasta tão fortemente de seu entorno, que se afasta a partir do meio das asas, então percebemos que ele, por um lado, vai para baixo até os pés da mulher, mas, por outro lado, próximo dos ombros, elevando a criança. As primeiras partes seriam, aproximadamente, as asas e, naturalmente, a cauda [*Schweif*] do abutre, as últimas uma barriga pontuda, em especial se observarmos as linhas na forma de raios, semelhantes ao contorno de penas, uma ampla cauda de pássaro, cuja ponta direita *exatamente como no sonho de infância, decisivo para o destino de Leonardo*, conduz à boca da criança, ou seja, o próprio Leonardo".

O autor procura, então, levar ainda mais adiante uma pormenorizada interpretação, tratando das dificuldades que, nesse caso, se apresentam.

E assim, partindo de uma outra obra de Leonardo, pudemos confirmar a suposição de que o sorriso da Mona Lisa de Giocondo despertou nele a lembrança da mãe de seus primeiros anos da infância. Madonas e damas aristocratas mostram, a partir daí, para o pintor italiano, a inclinação encurvada da cabeça e o sorriso estranhamente feliz de Catarina, a pobre camponesa que trouxe ao mundo o filho esplêndido, destinado a ser o pintor, o pesquisador, o sofredor.

Se Leonardo conseguiu, no que se refere a Mona Lisa, restituir o duplo sentido que esse sorriso tinha, a promessa de uma ternura sem limites, assim como a ameaça da fatalidade por vir (nas palavras de *Pater*), ele também permaneceu aí fiel ao conteúdo de sua mais antiga lembrança. Pois a ternura da mãe tornou-se para ele uma fatalidade, determinou seu destino e a privação que lhe esperavam. A impetuosidade dos beijos amorosos, sinalizada na fantasia do abutre, fora apenas demasiado natural; a pobre mãe abandonada deveria permitir todas as lembranças da ternura prazerosa, assim como a nostalgia por novas lembranças, fluidas no amor materno; essa impetuosidade foi coagida, não apenas a ser compensada, na medida em que ela não tinha um marido, mas também pela criança, que não tinha um pai, a quem quisesse acariciar com amor. Assim, à maneira de todas as mães insatisfeitas, ela colocou o pequeno filho no lugar do seu marido e roubou dele, por meio do amadurecimento precoce de seu erotismo, uma parte de sua masculinidade. O amor da mãe pelo lactante, que ela alimenta e cuida, é algo muito mais profundo do que a afeição, posterior, pela criança crescida. Ele é, por natureza, uma relação amorosa plenamente satisfatória, que realiza não apenas todos os desejos psíquicos, mas também todas as necessidades corporais e se ele representa uma das formas de felicidades alcançáveis pelas pessoas, então ele, no mínimo, deriva da possibilidade de satisfazer, sem censura, moções de desejo [*Wunschregungen*] há muito recalcadas e chamadas de perversas.[i] No seu muito feliz e recente casamento, o pai percebeu que a criança,

---

[i] Ver "Três ensaios sobre a teoria da sexualidade", 5. ed., 1922.

especialmente o pequeno filho, se tornou seu rival, e uma inimizade, profundamente enraizada no inconsciente contra os preferidos, começou aí.

Quando Leonardo, no zênite de sua vida, reencontrou esse extasiante e feliz sorriso, tal como ele aparecia na boca de sua mãe durante suas carícias amorosas, ele ficou durante muito tempo sob o efeito de uma inibição, que lhe proibia desejar novamente tais carinhos dos lábios de uma mulher. Mas ele se tornou pintor e se preocupou tanto em recriar, com seu pincel, esse sorriso que ele o colocou em todos os seus quadros, seja nos feitos por ele mesmo, seja nos feitos com seu comando, por seus discípulos, nos quadros de Leda, de João, de Baco. Os dois últimos são versões do mesmo tipo. Muther[27] diz: "A partir da praga de gafanhotos da Bíblia, Leonardo fez um Baco, um Apolo adolescente, com um sorriso misterioso nos lábios, com as pernas delicadamente cruzadas, que nos olha com olhos sensivelmente sedutores". Esses quadros respiram uma mística, em cujo mistério não ousamos penetrar; podemos tentar, ao máximo, estabelecer uma filiação entre eles e as primeiras criações de Leonardo. As figuras são novamente masculino-femininas, mas não no sentido da fantasia do abutre, são belos adolescentes com delicadeza feminina e formas femininas; mas não lançam mais o olhar para baixo e sim olham misteriosos, triunfantes, como se soubessem de uma grande felicidade, sobre a qual devemos silenciar; o conhecido sorriso cativante permite pensar que se trata de um segredo de amor. É possível que Leonardo tenha negado nessas figuras a infelicidade de sua vida amorosa e a superado artisticamente, na medida em que ele, em tal unificação feliz da natureza masculina e feminina, representou a realização do desejo da criança acariciada pela mãe.

V

Entre os registros dos diários de Leonardo, encontramos um que, devido ao seu conteúdo importante e por um minúsculo erro formal, prende a atenção do leitor.

Ele escreve em julho de 1504: *"Adì 9 di Luglio 1504 mercoledì a ore 7 morì Ser Piero da Vinci, notalio al palazzo del Potestà, mio padre, a ore 7. Era d'età d'anni 80, lasciò 10 figlioli maschi e 2 femmine".* [No dia 9 de julho de 1504, quarta-feira, às 7h, morreu Ser Piero da Vinci, tabelião do Palácio de Podestà, meu pai, às 7h. Tinha 80 anos, deixou 10 filhos e 2 filhas.][i]

A notícia diz respeito à morte do pai de Leonardo. O pequeno erro na sua forma consiste no fato de que determinação do tempo, "às 7 horas" é repetida duas vezes, como se Leonardo tivesse esquecido, ao final da frase, o que ele já havia escrito acima, no começo. Trata-se de uma coisa mínima, a partir da qual qualquer um que não seja psicanalítica nada pode fazer. Talvez, ele não tivesse percebido nada e isso nem lhe tivesse chamado atenção e então, ele diria: isso pode acontecer com qualquer um, por distração ou afeto e não tem nenhum significado.

O psicanalista pensa de maneira totalmente diferente; nada que expresse processos psíquicos ocultos lhe é pequeno; há muito, ele aprendeu, que tais esquecimentos ou repetições são plenos de significado e que, a partir da "distração", nós podemos pensar, se eles não permitem a traição até mesmo de excitações [*Regungen*] escondidas.

Nós diríamos que essa notícia também corresponde, tal como as despesas com o enterro de Catarina, às contas com os custos dos discípulos, num caso, no qual a

---

[i] Cit. por E. Müntz, op. cit., p. 13, Nota.

dominação dos afetos, por parte de Leonardo, fracassou e o que ficou longo tempo escondido foi coagido a se expressar de maneira distorcida. Também a forma tem uma semelhança, a mesma exatidão pedante, o mesmo caráter de urgência das datas.[i]

Nós chamamos uma tal repetição de preservação. Ela é uma extraordinária ajuda, para assinalar a tonalidade [*Betonung*] afetiva. Pensemos, por exemplo, no discurso raivoso de São Pedro contra seu indigno representante na terra, no "Paraíso", de Dante:[ii]

> *Quegli ch'usurpa in terra il luogo mio,*
> *Il luogo mio, il luogo mio, che vaca*
> *Nella presenza del Figliuol di Dio,*
>
> *Fatto ha del cimiterio mio cloaca*
>
> [Aquele que lá usurpa o posto meu,
> O posto meu, o posto meu que vaga
> Ora em presença do Filho do Céu,
>
> Faz que de sangue e lia sua fossa traga][28]

Sem a inibição dos afetos de Leonardo, o registro no diário poderia dizer o seguinte: Hoje, às 7 horas morreu meu pai, Ser Piero da Vinci, meu pobre pai! Mas o deslocamento da preservação para caracterizar a maior indiferença em relação à notícia da morte, à hora da morte, retira da notícia qualquer *páthos* e nos deixa, assim, reconhecer, que aqui há algo que foi escondido e reprimido [*unterdrückt war*].

---

[i] Não quero tratar do grande erro que Leonardo comete nessa anotação, pois ele dá ao pai 80 anos, quando este tinha apenas 77.

[ii] Canto XXVII, V. 22-25.

Ser Piero da Vinci, tabelião e herdeiro de tabeliões, era um homem de grande força vital, o que lhe trazia prestígio e prosperidade. Ele foi casado quatro vezes, as duas primeiras esposas morreram sem lhe deixar filhos, só com a terceira, em 1476, conseguiu o primeiro filho legítimo, quando Leonardo já tinha 24 anos e há muito já havia trocado a casa do pai pelo ateliê de seu mestre Verrocchio; com a quarta e última esposa, com quem casou já com 50 anos, teve ainda nove filhos e duas filhas.[i]

Certamente, esse pai também se tornou muito importante para o desenvolvimento psicossexual de Leonardo e, de fato, não apenas negativamente, por meio de sua ausência nos primeiros anos da infância do menino, mas também, diretamente, quando de sua presença, posteriormente. Quem, quando criança, deseja a mãe, quem não pode evitar isso, quer se colocar no lugar do pai, para se identificar em sua fantasia com ele e, posteriormente, transformar sua superação na tarefa da vida. Quando Leonardo ainda não tinha cinco anos, e foi admitido na grande casa do pai, certamente a jovem madrasta Albiera, nos seus sentimentos, ocupou o lugar de sua mãe e assim ele entrou na chamada rivalidade normal com o pai. A decisão [*Entscheidung*] pela homossexualidade apareceu primeiro, como é conhecido, às portas da puberdade. Quando isso aconteceu, a identificação com o pai perdeu todo significado para sua vida sexual, mas foi deslocado para outras regiões, de atividades não eróticas. Sabemos que ele amava brilhos e belas roupas, possuía criados e cavalos, embora, de acordo com as palavras de

---

[i] Parece que Leonardo, em uma passagem do diário, também se enganou quanto ao número de seus irmãos, o que se coloca em clara oposição a sua aparente exatidão.

Vasari, "quase nada comesse e trabalhasse pouco"; não podemos responsabilizar apenas sua sensibilidade para a beleza, por essas preferências, pois também reconhecemos nelas a compulsão [*Zwang*] a copiar e ultrapassar o pai. O pai tinha sido o nobre senhor em relação à pobre camponesa, daí ter permanecido no filho o aguilhão de também representar um nobre senhor, a compulsão "*to out-herod Herod*", para mostrar ao pai, como a autêntica nobreza parece.

Quem cria como artista também certamente se sente em relação a sua obra como pai. Para as obras pictóricas de Leonardo, a identificação com o pai teve uma funesta consequência. Ele as criou e não mais se preocupou com elas, como seu pai não tinha cuidado dele. O cuidado posterior do pai nada poderia mudar nessa compulsão, pois essa deriva das primeiras impressões da infância e o recalcado que permaneceu inconsciente não é corrigível pelas experiências posteriores.

Na época da Renascença, todo artista necessitava – como também posteriormente – de um prestigiado senhor e protetor, um mecenas [*Padrone*], que lhe contratava e em cujas mãos seu destino era depositado. Leonardo encontrou seu mecenas em Lodovico Sforza, conhecido como *il Moro*, que aspirava alto, era amante do luxo, astuto diplomata, mas volúvel e infiel. Na sua corte, em Milão, Leonardo passou a época mais brilhante de sua vida, a seu serviço ele desdobrou, sem a mínima inibição, sua força criativa, da qual a *Santa Ceia* e a estátua de cavaleiro de Francesco Sforza são o testemunho. Ele deixou Milão, antes que a catástrofe caísse sobre Ludovico Mouro, que morreu prisioneiro em um cárcere francês. Quando a notícia do destino de seu protetor chegou a Leonardo, ele escreveu em seu diário: "O duque perdeu sua terra, sua propriedade,

144 OBRAS INCOMPLETAS DE S. FREUD

sua liberdade e nenhuma das obras, que ele empreendeu, foi terminada".[i] É espantoso, e certamente não despido de significado, que Leonardo fez aqui, contra seu mecenas, a mesma censura que a posteridade deveria lançar contra ele, quando quis responsabilizar uma pessoa da série paterna, por ele mesmo ter deixado suas obras incompletas. De fato, ele não cometera nenhuma injustiça em relação ao duque.

Mas, se a imitação [*Nachahmung*] do pai o prejudicou como artista, sua revolta contra o pai foi, talvez, a condição infantil de seu extraordinário trabalho como pesquisador. Segundo a bela metáfora de Mereschkowski, ele se assemelhava a uma pessoa que se acordava muito cedo, quando ainda estava escuro, enquanto os outros todos ainda dormiam.[ii] Ele ousou dizer a corajosa frase que contém a justificativa de toda pesquisa livre: *"Quem, no debate de ideias, apela a uma autoridade trabalha com sua memória, em de vez de com seu entendimento"*.[iii] Assim, ele se tornou o primeiro investigador moderno da natureza e devemos a sua coragem um sem-número de conhecimentos e ideias, desde a época dos gregos, ele foi o primeiro a se amparar apenas na observação e no próprio julgamento, para tocar nos segredos da natureza. Mas, quando ele desprezou a autoridade e ensinou a lançar fora os "antigos", se referindo sempre ao estudo da natureza como a fonte de toda verdade, então, ele apenas repetiu, no mais alto grau, os partidários da sublimação alcançável, que já se impuseram aos

---

[i] *"Il duca perse do stato e la roba e libertà e nessuna sua opera si fini per lui"*. Cf. Seidlitz, op. cit., II, p. 270.

[ii] Op. cit., p. 348.

[iii] *"Chi disputa alegando l'autorità non adopra l'ingegno ma piuttosto la memoria"*; Solmi [A ressureição, etc. In:] Conferências Florentinas, [Milão, 1910], p. 13.

pequenos, aos meninos, que olhavam o mundo admirados. Remetidos da abstração científica à experiência concreta e individual, os antigos e a autoridade correspondiam apenas ao pai, e a natureza se tornava novamente a mãe carinhosa e bondosa, que lhe alimentava. Enquanto na maioria das outras crianças – ainda hoje como nos tempos primitivos – a necessidade de uma sustentação em alguma autoridade é imperiosa, de tal modo que, para elas, o mundo vacilaria, caso essa autoridade fosse ameaçada, só Leonardo pôde dispensar todos esses apoios; mas ele não poderia ter feito isso, se ele não tivesse aprendido, nos primeiros anos de sua vida, a renunciar ao pai. A frieza e a independência com as quais ele conduziu, posteriormente, sua pesquisa científica pressupõem a pesquisa sexual infantil não impedida pelo pai e que prosseguiu, às expensas do sexual.

Se alguém como Leonardo, em sua primeira infância,[29] se confrontou, por meio do pai, com o que há de amedrontador, e em sua pesquisa recusou ser absorvido por uma autoridade, então a contradição mais engraçada contra toda nossa expectativa seria a de que o mesmo homem se tornou um crente e que não teria sido possível para ele afastar-se da religião dogmática. A Psicanálise nos deu a conhecer a íntima ligação entre o complexo paterno e a crença em Deus, nos mostrou que o Deus pessoal nada mais é, psicologicamente, do que um pai aumentado e, cotidianamente, nos coloca diante dos olhos o quanto os jovens perdem a crença na religião, à medida que a autoridade do pai, para eles, decai. No complexo paterno reconhecemos, desse modo, a raiz das necessidades religiosas; o Deus justo, todo-poderoso, e a bondosa natureza aparecem para nós como sublimação extraordinária do pai e da mãe, do que como renovação e reinstalação das representações que tivemos de ambos na mais tenra infância. A realidade se remete, biológica e continuamente, ao desamparo e à necessidade de ajuda da pequena criança humana, a qual, posteriormente, quando reconhecer seu real abandono e fraqueza diante dos grandes poderes da vida, sua situação, semelhante ao que sentia quando criança, tenta negar seu desconsolo por meio da regressiva renovação dos poderes protetores da infância. A proteção contra o adoecimento neurótico, que a religião promete aos crentes, se explica facilmente a partir disso, na medida em que ela lhes corta o complexo paterno, no qual a consciência de culpa dos indivíduos, assim como a de toda humanidade, se pendura, resolvendo-o por eles, enquanto o descrente deve concluir essa tarefa sozinho.[30]

Não parece que o exemplo de Leonardo possa comprovar o erro dessa interpretação da crença religiosa. Acusações contra os descrentes ou, como se chamam em cada época, culpados pela decadência da crença cristã foram estimuladas já na época da vida de Leonardo e encontraram uma determinada expressão, na primeira descrição de sua vida, dada por Vasari.[i] Na segunda edição de seu *Vida*,[ii] em 1568, Vasari deixou de lado essa observação. É-nos perfeitamente compreensível que, devido à extraordinária sensibilidade de sua época em relação às coisas religiosas, ele tenha contido expressões diretas sobre sua posição a respeito do Cristianismo, assim como em suas anotações. Como pesquisador, no mínimo, ele não se deixou abalar pelo relato da criação na Bíblia; ele contestou, por exemplo, a possibilidade de um dilúvio universal e calculou na Geologia, sem hesitar, como os modernos com milhares de séculos [*Jahrhunderttausenden*].

---

[i] Müntz, op. cit., *La religion de Léonard*, op. cit., p. 292 e ss.

[ii] Freud se refere à famosa obra de Giorgio Vasari, *Vida dos melhores arquitetos, pintores e escultores italianos*, cuja primeira edição é de 1550.

ARTE, LITERATURA E OS ARTISTAS 147

Entre as suas "profecias", se encontra, mais que nunca, a do sentimento delicado, a qual, por exemplo, poderia ofender um cristão crente:[i]

"As imagens mais adoradas dos santos".

"Haverá homens que falarão com outros homens, os quais nada percebem, que têm os olhos abertos e nada veem; eles falarão para esses e não obterão nenhuma resposta; eles pedirão graças para os que têm ouvidos e nada ouvem; eles acenderão luzes, para quem é cego."

Ou: *"Das queixas na sexta-feira santa"* (p. 297)

"Em todas as partes da Europa, todas as grandes nações choraram pela morte de um único homem, que morreu no Oriente".

Acerca da arte de Leonardo, julgou-se que ele emprestou às figuras religiosas o último vestígio de sua ligação com a igreja, transformando-as em figuras humanas, para representá-las com grandes e belas emoções humanas. Muther exalta nele o fato de que ele superou a atmosfera de decadência e restituiu aos homens o direito à sensualidade e ao gozo alegre da vida. Nos esboços, nos quais Leonardo mostra ter mergulhado na fundamentação dos grandes mistérios da natureza, não faltam expressões de admiração pelo Criador, o fundamento último de todos esses magníficos mistérios, mas isso não indica que ele quisesse manter uma relação pessoal com esse poder divino. Os princípios, nos quais ele alcançou a profunda sabedoria de seus últimos anos de vida, respiram a resignação do homem que se submeteu às leis da natureza, Ἀνάγκη [necessidade], e que não espera nenhum alívio pela bondade

---

[i] Cit. por Herzfeld, p. 292.

e graça de Deus. Não há dúvida de que Leonardo superou tanto a religião dogmática quanto a pessoal e se distanciou bastante, por meio do trabalho de pesquisa, da visão de mundo dos cristãos.

A partir dos conhecimentos por nós mencionados acerca do desenvolvimento da vida psíquica infantil, sugerimos a hipótese de que as primeiras pesquisas de Leonardo na época de sua infância se ocuparam com o problema da sexualidade. Mas ele próprio nos trai, com um translúcido ocultamento, na medida em que acoplou sua compulsão pela pesquisa à fantasia com o abutre e destacou o problema do voo dos pássaros, como algo que se abateu sobre ele, por meio de uma especial corrente do destino, para ser trabalhado. Em uma passagem bem obscura de suas anotações, que soa como uma profecia acerca do voo dos pássaros, atesta, da melhor maneira possível, que ele, com muitos interesses afetivos, fê-la dependente do desejo de poder imitar a própria arte de voar: "O grande pássaro fará seu primeiro voo, no dorso do seu grande cisne, enchendo o universo com assombro, seus escritos com sua fama, e a eterna glória será do lugarejo, onde ele nasceu".[i] Ele esperava, provavelmente, poder ele mesmo voar, pelo menos uma vez, e nós sabemos, a partir dos sonhos como realização dos desejos, qual felicidade se pode esperar pela realização dessa esperança.

Mas por que muitas pessoas sonham em poder voar? Nesse caso, a Psicanálise dá a resposta, pois voar ou ser um pássaro é apenas a capa de um outro desejo, para cujo conhecimento, se é conduzido por mais de uma

---

[i] Citado por M. Herzfeld, op. cit., V, p. 32: "O grande cisne" deve significar um morro, o Monte Cecero, próximo a Florença. [Agora "Monte Ceceri", *cecero* é a palavra italiana para "cisne". (N.E.A.)]

ponte linguística e objetiva. Quando se conta a jovens com desejo de conhecer que um grande pássaro, como a cegonha, trazia as crianças, se os antigos criaram o falo alado, se a caracterização mais utilizada para atividade sexual das pessoas na Alemanha se chama *vögeln*,[31] se o membro masculino entre os italianos se chama explicitamente *l'uccello* (pássaro),[32] então estas são apenas pequenos fragmentos de um grande conjunto, que nos ensina que o desejo de poder voar nada mais significa, nos sonhos, do que a nostalgia de ser capaz de uma atividade sexual.

[*Acréscimo* de 1919]: Segundo a investigação de Paul Federn e aquela de Mourly Vold (1912), um pesquisador norueguês, que era distante da Psicanálise.

Trata-se de um desejo da mais tenra infância. Quando o adulto se lembra de sua infância, ela lhe parece uma época feliz, na qual se alegra com o instante e não deseja escapar do futuro e, assim, ele inveja a criança. Mas, se a própria criança pudesse dar informações bem antigas,[33] ela, provavelmente, relataria coisas bem diferentes. Parece que a infância não é esse idílio feliz, tal como nós, posteriormente, distorcemos isso,[34] uma vez que a criança é fustigada, durante os anos da infância, muito mais pelo desejo de ficar grande. Esse desejo impulsiona todas as suas brincadeiras. No decorrer de sua pesquisa sexual, as crianças imaginam que o adulto conhece algo extraordinário nessa tão importante e misteriosa região, que lhes falta conhecer e fazer, nelas estimulando desse modo um desejo impetuoso de poder fazer o mesmo, e elas sonham com isso na forma de asas ou preparam essa vestimenta do desejo para seus posteriores sonhos de voar. Assim, também a Aviatik,[35] que em nossa época, finalmente, alcançou seu objetivo, tem sua raiz no erotismo infantil.

Na medida em que Leonardo nos responde que ele percebe no problema do voar, desde a infância, uma relação particular e pessoal, ele nos confirma que sua pesquisa infantil era dirigida ao sexual, tal como a nossa investigação sobre a infância em nossa época nos permite supor. Este é um problema que, no mínimo, não foi atingido pelo recalque, que, posteriormente, o alienou da sexualidade; a partir da infância até a época da mais completa maturidade intelectual, permaneceu interessado nele, mesmo com pequenas alterações de sentido, e é inteiramente possível que a arte por ele desejada tenha alcançado um sentido primariamente sexual, assim como mecânico, uma vez que os dois permaneceram para ele desejos frustrados.

Durante toda a sua vida, o grande Leonardo permaneceu, em muitos aspectos, infantil; pode-se dizer que todos os grandes homens conservam algo de infantil. Como adulto, ele continuou brincando e, por causa disso, tornou-se para seus contemporâneos, muitas vezes, estranho [unheimlich] e incompreensível. Quando ele, para as festividades da corte ou para as recepções solenes, confeccionava brinquedos mecânicos mais perfeitos artisticamente, então não ficaríamos contentes em saber que o mestre não gostava de dispender suas forças com tais bugigangas; ele próprio não parece relutante em se submeter a essas situações, conforme coloca Vasari, fazia isso, mesmo que nenhum contrato o obrigasse a tal: "Lá (em Roma), ele aprontava uma massa de cera e modelava, quando ela estava fluida, animais delicados, cheios de ar: ele os assoprava até que voassem e quando acabava o ar, caíam no chão. Para uma lagartixa, encontrada por um vinicultor do Belvedere, ele fez asas a partir da pele retirada de outra lagartixa, que ele encheu de mercúrio, de tal modo que ela se movimentou e tremia quando

ARTE, LITERATURA E OS ARTISTAS 151

andava; então, ele lhe fez olhos, barba e chifres, a domesticou, colocou-a numa caixa e atemorizava seus amigos com ela".[i] Com frequência, tais brincadeiras lhes serviam para expressar pensamentos difíceis: "Muitas vezes, ele limpava tão delicadamente os intestinos de um carneiro, de tal modo que eles pudessem caber na mão fechada; carregava-os então para um aposento grande, colocando em uma sala adjacente um par de foles de ferro, fixava neles os intestinos e então soprava até que ocupassem toda a sala e então fugia para a esquina. Desse modo, ele os mostrava como se tornavam, pouco a pouco transparentes, quando cheios de ar e que eles, no começo limitados a lugar pequeno, se alastravam cada vez mais nos espaços maiores, comparando-se a um gênio".[ii] Esse mesmo prazer no brincar com inocentes dissimulações, artisticamente disfarçado, é testemunhado por suas fábulas e enigmas, essas últimas tendo a forma de "profecias", quase todas ricas em ideias, mas, de maneira impressionante, destituídas de humor [*des Witzes entbehrend*].

Essas brincadeiras e travessuras, que proveram a fantasia de Leonardo, levaram seus biógrafos, que desconheceram esse aspecto, em alguns casos, a graves erros. Entre os manuscritos milaneses de Leonardo, por exemplo, se encontram esboços de uma carta a "Diodario da Síria, governador do sagrado sultão da Babilônia", na qual Leonardo se apresenta como engenheiro, que foi enviado a essa região do Oriente, para dirigir certos trabalhos, se defende contra a acusação de preguiça, descreve geograficamente cidades e montanhas e, finalmente, descreve um

---

[i] Vasari, traduzido por Schorn, 1843 [p. 39].
[ii] Idem, p. 39.

152 OBRAS INCOMPLETAS DE S. FREUD

acontecimento inteiramente elementar, que acontecera na presença de Leonardo.[i]

J. P. Richter, em 1883, procurou justificar, a partir desses fragmentos de escritos, que Leonardo realmente colocou a serviço do sultão do Egito essas observações de viagem e que ele mesmo, no Oriente, havia se convertido à religião muçulmana. Essa temporada deveria ter sido na época anterior a 1483, ou seja, antes de sua mudança para a corte do duque de Milão. Não foi difícil, apenas a partir da crítica de outros autores, saber que as evidências de uma possível viagem de Leonardo ao Oriente são na verdade produção da fantasia do jovem artista, que as criou para seu próprio divertimento, nas quais, talvez, ganhasse expressão seu desejo de ver o mundo e de viver aventuras.

Outra fantasia é também, provavelmente, a "Academia vinciana", cuja aceitação se baseia na existência de cinco ou seis emblemas, confeccionadas astuciosamente de forma altamente artificial, com a inscrição da Academia. Vasari menciona esse desenho, mas não a Academia.[ii] Müntz, que coloca esse ornamento sob o manto das grandes obras de Leonardo, é um dos poucos que acreditou na realidade de uma "Academia vinciana".

É provável que essa pulsão lúdica em Leonardo tenha diminuído na sua maturidade, que também ela tenha

---

[i] Sobre esta carta e as combinações nela presentes, ver Müntz, op. cit., p. 82 ss; sobre a redação da mesma e outras anotações a ela referentes, ver M. Herzfeld, op. cit., p. 223 e ss.

[ii] "Além disso, ele perdeu muito tempo, enquanto desenhava um cordão entrelaçado, no qual se podia percorrer o fio de um lado a outro, até que ele retratasse uma figura inteiramente circular; um desenho muito difícil e muito bonito, do tipo que se faz em cobre, em cujo meio leem-se as palavras: 'Academia Leonardo da Vinci'" (Vasari, tradução de Schorn, 1843], p. 8).

desaguado na atividade de pesquisa, a qual significou o último e maior desdobramento de sua personalidade. Mas sua longa permanência pode nos ensinar o quão lentamente se desprendeu da infância aquele que gozou na sua infância a maior felicidade erótica, que nunca mais foi alcançada posteriormente.

VI

Seria inútil enganar-se, achando que o leitor de hoje acha todas as patografias algo de mau gosto. A rejeição se recobre na censura de que um trabalho patográfico sobre um grande homem não galga nunca o entendimento de seu significado e do seu desempenho; seria, então, uma maldade inútil estudar coisas nele, que se poderiam encontrar muito melhor em outro. Mas tal crítica é tão claramente injusta que é compreensível apenas como desculpa e dissimulação. A patografia não tem, de modo algum, como objetivo tornar compreensível o desempenho do grande homem; não se deve jamais censurar alguém por não ter feito o que não prometeu fazer. Os reais motivos das resistências são outros. Nós a encontramos, quando levamos em consideração que biógrafos, de uma maneira muito própria, se fixam nos seus heróis. Com frequência, eles os escolheram como seu objeto de estudo, porque eles, devido a sua vida afetiva pessoal, lhes confrontaram de antemão, com um afeto especial. Eles se dedicam então a um trabalho de idealização, que se esforça em inserir o grande homem no interior de seus modelos infantis, para reviver nele a imagem do pai. Eles apagam esses desejos, preferindo os traços individuais em sua fisionomia, apagam os rastros de sua luta com resistências internas e externas, não toleram neles nenhum resto de fraqueza humana ou imperfeição e nos dão, realmente, uma imagem ideal, fria, estranha em vez de uma pessoa, que poderíamos sentir como um parente distante. Deve-se lamentar que, ao fazer isso, eles sacrificam a verdade por uma ilusão, renunciando, em troca, às suas fantasias infantis e à oportunidade de se imiscuir nos mistérios mais excitantes da natureza humana.[i]

O próprio Leonardo, por seu amor à verdade e por sua compulsão ao conhecimento, nunca abandonou a tentativa de intuir, a partir das pequenas esquisitices e dos enigmas do seu ser, as condições de seu desenvolvimento psíquico e intelectual. Nós o homenageamos, na medida em que aprendemos com ele. Não obstruímos sua grandeza, quando estudamos as vítimas que custaram ao seu desenvolvimento desde criança, quando reunimos os momentos que cunharam em sua pessoa os traços trágicos da infelicidade.

Salientamos expressamente que jamais contamos Leonardo entre os neuróticos ou os "doentes dos nervos", tal como desagradavelmente se diz. Quem deplora que tenhamos nos arriscado, a partir do ponto de vista da patologia, a nos voltarmos para ele então ainda está aferrado a preconceitos, que nós hoje já abandonamos com razão. Não acreditamos mais que saúde e doença, normal e nervoso se separam rigorosamente um do outro e que traços neuróticos possam ser julgados como uma justificativa de uma inferioridade geral. Sabemos hoje que os sintomas neuróticos são formações substitutivas de certos processos recalcados, que levamos a cabo no decorrer de nosso desenvolvimento da infância até nos tornarmos

---

[i] Essa crítica tem alcance geral, não se limitando especialmente aos biógrafos de Leonardo.

homens da cultura, que nós todos produzimos tais formações substitutivas e que apenas o número, a intensidade e a participação delas justificam o conceito prático de estar doente, concluindo por uma inferioridade constitucional. Segundo as pequenas alusões à personalidade de Leonardo, poderíamos colocá-lo às proximidades desse tipo de neurótico que caracterizamos como "tipo obsessivo", sua pesquisa como "compulsão a refletir" [*Grübelzwang*] dos neuróticos, podendo-se comparar suas inibições com a conhecida abulia.

O objetivo de nosso trabalho foi o esclarecimento das inibições na vida sexual de Leonardo e em sua atividade artística. O que nos subsidia, para resumir esse objetivo, é o que podemos intuir acerca do seu desenvolvimento psíquico.

O conhecimento de suas relações hereditárias nos é insuficiente para, ao contrário, reconhecermos que as circunstâncias acidentais de sua infância exercem um efeito perturbador muito profundo. Seu nascimento ilegítimo não lhe permitiu, até talvez os cinco anos, a influência do pai, abandonando-o à sedução carinhosa de uma mãe, cujo único consolo era ele. Beijado por ela, de forma escandalosa, levado a uma maturidade sexual precoce, ele foi introduzido em uma fase da atividade sexual infantil, da qual apenas uma única expressão é atestada, a intensidade de sua pesquisa sexual infantil. Pulsão de ver e de conhecer, por meio de impressões muito antigas da infância, foi fortemente estimulada; as zonas eróticas orais receberam um destaque que jamais foi superado. A partir de um comportamento posterior contrário, como a enorme compaixão pelos animais, podemos concluir que não faltou nesse período infantil traços sádicos muito fortes.

Um enérgico nível de repressão já tinha, ao final, preparado esse excesso infantil e estabelecido as disposições, que puderam ser vistas nos anos da puberdade. A utilização de cada uma dessas atividades altamente sensuais tornou-se o resultado mais evidente dessa transformação; Leonardo pôde viver na abstinência e dar a impressão de ter sido assexual. Quando as marés da puberdade ultrapassaram o adolescente, elas não o tornaram doente, na medida em que lhe foram custosas e necessitaram de formações substitutivas prejudiciais; a maior parte da necessidade da pulsão sexual pôde então ser sublimada da preferência anterior de um desejo de conhecimento sexual para uma compulsão pela ciência em geral e, assim, o recalque foi evitado. Uma pequena parte da libido permaneceu voltada para objetivos sexuais e representaram a vida sexual atrofiada do adulto. Em consequência do recalque do amor pela mãe, essa parte foi impulsionada para uma posição homossexual e se deu a conhecer na forma do amor aos rapazes [*Knabenliebe*]. No inconsciente, permaneceu a fixação à mãe e a feliz lembrança da relação com ela, mas preservada, provisoriamente, na inatividade. Dessa maneira, recalque, fixação e sublimação se dividem na disposição das contribuições que conduziram Leonardo da pulsão sexual à vida psíquica.

Dos tempos sombrios da adolescência, surge diante de nós o Leonardo como artista, pintor e escultor, devido a um específico talento, cujo fortalecimento se deve ao despertar precoce da pulsão de ver [*Schautriebes*], nos primeiros anos da infância. Nós gostaríamos de informar melhor de que maneira a atividade artística retornou às pulsões anímicas originárias [*seelischen Urtriebe*], se exatamente aqui os nossos meios não tivessem sido insuficientes. Nós nos resignamos em destacar as atividades menos duvidosas, de tal modo que a criação artística também possa ser deduzida do desejo sexual de Leonardo e, para ele, para referir à notícia transmitida por Vasari, de que rostos de mulheres sorrindo e belos adolescentes, ou seja, representações de seu objeto sexual, foram uma de suas primeiras tentativas artísticas. Leonardo parece, na florescente juventude, trabalhar, de início, sem inibições. Como ele tomou seu pai como modelo na condução de sua vida, então viveu uma época de masculina força criativa e produtividade artística em Milão, onde encontrou, por graça do destino, no duque Ludovico Mouro, um substituto do pai. Mas, logo, se conserva nele a experiência de que a quase total repressão [*Unterdrückung*] da vida sexual real não resulta na melhor condição para o manejo da ânsia sexual sublimada. O caráter modelar da vida sexual se faz valer quando começa a tolher a atividade e a capacidade para decisões rápidas, a inclinação a ponderar e a hesitar já é perceptível de forma perturbadora na *Santa Ceia* e determina, por meio da influência da técnica, o destino dessa obra extraordinária. Devagar, se realiza nele um processo que apenas pode ser colocado ao lado das regressões nos neuróticos. O desdobramento da puberdade do seu ser, que o levou a ser artista, é ultrapassado pelos condicionamentos da mais tenra infância, que o levaram a ser pesquisador; a segunda sublimação de suas pulsões eróticas recua diante da originária, preparada pelo primeiro recalque. Ele se torna pesquisador, primeiro a serviço de sua arte, depois independentemente dela e separado dela. Com a perda do protetor substituto do pai e a crescente sede de vida, agarra essa regressão substitutiva cada vez mais em volta de si. Ele se torna *impacientissimo al pennello*, como um correspondente da marquesa Isabella d'Est relata, que quer ainda possuir por completo uma imagem de sua mão.[i] Ele é dominado pelo poder do seu passado infantil. Mas o pesquisador, que substitui nele a criação artística, parece trazer consigo alguns desses sinais, os quais caracterizam a confirmação das pulsões inconscientes, a insaciabilidade, a insensata petrificação, a capacidade insuficiente de se adaptar às relações reais.

No auge de sua vida, logo após os 50 anos, numa época em que nas mulheres os caracteres sexuais já estão regredidos e nos homens, não raro, a libido ainda ousa uma enérgica investida, acontece uma nova mudança em Leonardo. Camadas ainda mais profundas de seus conteúdos psíquicos tornam-se novamente ativas; mas sua arte, que estava atrofiada, tira proveito dessa regressão maior. Ele encontra a mulher que lhe desperta a lembrança do sorriso feliz e sensualmente arrebatador da mãe e, sob a influência desse despertar, ele retoma novamente o impulso que o conduz a iniciar suas tentativas artísticas, de pintar mulheres sorrindo. Ele pinta a Mona Lisa, Sant'Ana e a sequência de quadros extraordinários com sorrisos misteriosos, enigmáticos. Com a ajuda de suas moções [*Regungen*] eróticas mais antigas, ele festeja o triunfo de, mais uma vez, ter superado as inibições em sua arte. Esse último desenvolvimento naufraga, para nós, na idade que se aproxima. Seu intelecto ainda se elevara antes até o seu desempenho maior de uma visão de mundo que deixou bastante para trás a sua época.

Introduzi, nos itens anteriores, o que pode justificar uma tal exposição das etapas do desenvolvimento de Leonardo, até uma certa classificação de sua vida, e o esclarecimento de sua oscilação entre arte e ciência.

---

[i] Ver Seidlitz, II, p. 271.

Se eu também for julgado por essa exposição, também pelos amigos e conhecedores de Psicanálise, como tendo escrito um romance analítico, então eu responderei que certamente não exageraria sobre a certeza desses resultados. Como os outros, também sucumbi ao encanto que parte desse homem tão grande e misterioso, em cujo ser acredita-se perceber potentes paixões pulsionais, que então só puderam se expressar de maneira estranhamente abafada.

Mas não podemos desistir de nossa tentativa de tentar fundamentar psicanaliticamente o que sempre pode ser a verdade sobre a vida de Leonardo, até que possamos resolver uma outra tarefa. Nós devemos demarcar, em geral, as fronteiras a partir das quais a capacidade da Psicanálise de se haver com biografias é estabelecida, de tal maneira que, com isso, não interpretemos como fracasso o esclarecimento que ficou subtendido. A partir da investigação psicanalítica, estão à disposição materiais e etapas da história de vida, por um lado, o acaso dos acontecimentos e a influência do meio, por outro lado, as reações relatadas do indivíduo. Baseada no seu conhecimento dos mecanismos psíquicos, ela busca, então, fundamentar o ser do indivíduo a partir de suas reações dinâmicas, a fim de descobrir suas forças pulsionais psíquicas originárias, assim como seus posteriores desenvolvimentos e transformações. Alcançado isso, então o comportamento diante da vida, por parte da personalidade, é esclarecido por meio da ação conjunta da constituição e do destino, forças internas e poderes externos. Quem, num tal empreendimento, como talvez o seja no caso de Leonardo, não alcance nenhum resultado seguro, a culpa não é de um método equivocado ou insuficiente, mas da incerteza e das lacunas do material, os quais dispõem a tradição dessa pessoa. Ou seja, pelo fracasso, não se deve responsabilizar apenas o autor, que necessitou da Psicanálise, por ter feito uma avaliação a partir de um material tão carente.

Mas, mesmo numa disposição substancial do material histórico e no mais acertado manejo dos mecanismos psíquicos, uma investigação psicanalítica não poderia mostrar em dois aspectos significativos, o do conhecimento e o da necessidade, nenhuma outra coisa a não ser que o indivíduo só poderia ser assim e não de outro jeito. Nós tornamos Leonardo o representante de uma ideia, segundo a qual o caráter ocasional de seu nascimento ilegítimo e o carinho excessivo de sua mãe exerceram a influência mais decisiva sobre sua formação de caráter e seu destino posterior, na medida em que após essa fase da infância o recalque sexual aí introduzido possibilitou-lhe a sublimação da libido em compulsão de conhecimento, mantendo sua inatividade sexual para toda sua vida posterior. Mas, após as primeiras satisfações eróticas da infância, esse recalque não poderia ter acontecido; talvez em outro indivíduo ele não tivesse acontecido ou, caso acontecido, não seria tão amplo. Nós deveríamos reconhecer aqui um grau de liberdade que psicanaliticamente não pode mais ser extinto. Tampouco deve-se apresentar a saída desse impulso ao recalcamento como a única possível. Uma outra pessoa certamente não teria conseguido desviar o recalcamento da parte principal da libido, por meio da sublimação, tornando-a desejo de saber; sob os mesmos efeitos, como Leonardo, ela teria contribuído para uma permanente obstrução do trabalho de pensamento ou uma disposição não superada a neurose obsessiva. Poupar estas duas particularidades de Leonardo, como se não pudessem ser esclarecidas pelo empenho psicanalítico: sua inclinação muito especial ao recalcamento das pulsões e sua extraordinária capacidade de sublimar as pulsões primitivas [*primitiven Triebe*].

As pulsões e suas transformações são a última coisa que a Psicanálise pode conhecer. A partir daí, ela dá lugar à pesquisa biológica. Inclinações ao recalcamento assim como capacidade de sublimação nos coagem a retornar aos fundamentos orgânicos do caráter, sobre os quais, inicialmente, se eleva a construção psíquica. Na medida em que o talento artístico e a capacidade de desempenho se casam intimamente com a sublimação, deveríamos confessar que também a natureza do desempenho artístico nos é inacessível psicanaliticamente. A pesquisa biológica de nossa época tende a esclarecer que as características principais da constituição orgânica de uma pessoa por meio da quantidade de elementos masculinos e femininos no sentido material [químico], a beleza do corpo, assim como o fato de Leonardo ser canhoto ganham aqui muito apoio. De fato, não queremos abandonar o chão da pura pesquisa psicológica. Nosso objetivo permanece o de justificar o nexo entre vivências exteriores e reações da pessoa no caminho da atividade pulsional. Se a Psicanálise também não esclarece a atividade artística de Leonardo, então ela nos torna compreensível as expressões e limitações desta. Parece, então, que apenas um homem com as vivências infantis de Leonardo poderia pintar a Mona Lisa e Sant'Ana, suas obras preparam esse triste destino, e assumir, de maneira tão inaudita, seu crescimento como pesquisador da natureza, como se fornecessem a chave de todo seu desempenho e sua má sorte, escondidos na fantasia infantil do abutre.

Mas não devemos nos ofender com os resultados de uma investigação que concede ao acaso da constelação parental uma influência tão decisiva no destino de alguém, o destino de Leonardo, por exemplo, o torna dependente de um nascimento ilegítimo e da infertilidade de sua primeira madrasta, Dona Albiera? Creio que não temos nenhum direito de fazer isso; quando se considera o acaso desonroso, para decidir sobre nosso destino, recai-se simplesmente numa visão de mundo devota, cuja superação o próprio Leonardo preparara, quando ele anotou que o sol não se movia. Nós adoecemos, claro, quando um Deus justo e uma boa profecia não nos protegem melhor de tais consequências nos momentos mais desprotegidos de nossas vidas. Esquecemos com prazer que, de fato, tudo na nossa vida é acaso, desde nosso surgimento por meio do encontro entre espermatozoide e óvulo, acaso que tem sua parte na regularidade e necessidade da natureza, livre apenas da relação com nossos desejos e ilusões. A divisão das determinações de nossas vidas, entre a "necessidade" de nossa constituição e o "acaso" de nossa infância, pode ser, nos casos individuais, ainda incerta; mas, no geral, não persiste mais nenhuma dúvida acerca do significado dos primeiros anos de nossa infância. Todos nós ainda mostramos pouco respeito diante da natureza, a qual, de acordo com as obscuras palavras de Leonardo, que lembram as de Hamlet, "é plena de infinitas razões, que jamais se dão a nossa experiência" ("*La natura è piena d'infinite ragioni che non furono mai in isperienza*". [A natureza é plena de infinitas razões, que jamais se deram em experiência] M. Herzfeld, *op. cit.*, p. 11). Cada um de vós, seres humanos, corresponde a um desses inúmeros experimentos, nos quais essas *ragioni* da natureza penetram na experiência.

NOTAS

[1] Freud retoma, em sentido inverso, as palavras de Friedrich Schiller, em *A donzela de Orleans* (1801). No texto de Schiller lemos: "*Es liebt die Welt, das Strahlende zu schwärzen und das Erhabene in den Staub zu ziehen*", ou seja, "Gosta-se de escurecer o que brilha no mundo, e de lançar o sublime à poeira". (N.T.)

[2] As palavras entre parênteses foram acrescentadas em 1925. (N.E.A.)

[3] Pietro di Cristoforo Vanucci ou Pietro Perugino (1450-1523), pintor italiano nascido em Perugia, companheiro de Leonardo no ateliê de Andrea del Verrocchio. (N.T.)

[4] Na época de Leonardo, "arte negra" dizia respeito tanto ao fato de que livros e jornais eram impressos na cor preta, quanto, no campo das artes, dizia respeito à gravura em cobre, água-forte, litografia, tipografia, ligadas à nascente impressão de livros "de arte", ou seja, com reproduções de obras de arte. (N.T.)

[5] Na época em que era conselheiro político e econômico na corte Weimar, Goethe acompanhou o grão-duque Carlos Augusto na campanha desastrosa contra a França, na chamada Guerra dos Sete Anos, que culminou na batalha de Valmy, em 1792. Sobre isso, ele escreveu dois romances: *A campanha da França* e *O cerco de Mainz*. (N.T.)

[6] Observação dos organizadores da *Studienausgabe*, v. 10 (1969), p. 99: "O desenho anatômico aqui reproduzido do original de Leonardo, analisado por Reitler e por ele (como, em seguida, também por Freud) é, na verdade, como se provou nesse meio-tempo, a reprodução de uma litografia de Wehrt, ela mesma por sua vez reproduzida em 1830, como cópia de uma gravura de Bartolozzi, de 1812. Bartolozzi complementou os pés que Leonardo omitira e Wehrt acrescentou na face do homem a expressão moura. O desenho original de Leonardo, que se encontra no castelo de Windsor (*Cadernos de anatomia*, III folio, 3 v.), mostra a face com uma expressão mais tranquila e mais neutra". (N.E.A.)

[7] Região da Toscana, na Itália, banhada pelo rio Arno. (N.T.)

[8] Traduzo *Vorzeit* e *Urzeit* por "tempos primitivos", não só por entender que Freud os emprega como sinônimos, mas também para manter a ideia de "primitivo", comum à historiografia e à antropologia da época em que Freud foi formado. (N.T.)

[9] *Vorgeschichte* é traduzida por "pré-história", ou seja, no contexto da argumentação de Freud e de acordo com as concepções de sua época, a história dos povos anterior ao aparecimento da escrita, fundada, portanto, na transmissão oral do "material lendário". (N.T.)

[10] Freud, certamente, se refere ao fato de que na cultura germânica "cauda" [*Schwanz*] também significa "pênis", ao contrário da cultura brasileira em que o equivalente "rabo" designa o "ânus", privilegiando a localização em detrimento da forma. (N.T.)

[11] Diferenciamos entre *Tendenz* (tendência) e *Neigung* (inclinação), uma vez que a primeira remete mais às explicações médico-psiquiátricas da época de Freud. (N.T.)

[12] Freud parece incluir nesse termo, tanto as mulheres quanto os homossexuais passivos, referidos anteriormente no texto. (N.T.)

[13] Na primeira edição: "da homossexualidade". (N.E.A.)

[14] Palavra alemã para "mãe". Normalmente, em alemão, também se diz *Muti* para "mãe", cujo som é inteiramente próximo ao do nome da deusa egípcia. Vale lembrar que *Schwanz*, "cauda", é certamente o nome mais comum para designar "pênis". (N.T.)

[15] O nome correto é Amiano Marcelino. (N.E.A.)

[16] Horapolo é um escritor do século IV, cuja existência é duvidosa e que teria decifrado a escrita dos hieróglifos. Mais tarde, o trabalho de Champollion mostrou que o livro atribuído a Horapolo era uma mistificação. (N.T.)

[17] C. Leemans (1835), citado acima. (N.E.A.)

[18] "Mas, essa fábula sobre os abutres foi apropriada com entusiasmo pelos padres da igreja, para se contrapor por meio de uma justificativa a partir da doutrina da natureza, aos que negavam o nascimento sem perda da virgindade. A justificativa é retomada, a partir daí, por quase todos eles". (N.E.A.)

[19] Esta frase – até os dois pontos – foi introduzida em 1919. (N.E.A.)

[20] Ver Richard Payne Knight [*Uma discussão sobre o culto a Príapo*, etc., Londres, 1786], *Le culte de Priape*, traduzido do inglês, Bruxelas, 1883. (N.E.A.)

[21] Nas *Gesammelten Werken*, de forma inteiramente enganosa, "intermediários" [*Zwischenstufen*] em vez de "intermediário" [*Zwischenstufe*]. (N.E.A.)

[22] Nesta passagem, a tradução de *Knaben* por "rapaz" se justifica – o quem nem sempre é possível, dependendo do contexto - pelo fato de que grande parte da interpretação da homossexualidade feita por Freud nesse texto, como muitos comentadores já observaram, também tem por modelo a experiência grega da relação entre um adulto, o mais velho, o *Erasta*, isto é, o *Liebhaber*, e o mais jovem, o rapaz, o *Erômeno*. Lembramos ainda que o "amor grego" é traduzido em alemão, justamente, por *Knabenliebe*. (N.T.)

[23] Para o original completo, ver M. Herzfeld, op. cit., p. XLV. (N.E.A.)

[24] Freud se refere aqui aos frontões do templo de Atena Afaia, na ilha de Egina, considerados um dos maiores exemplos da arte escultórica da Grécia Antiga. As figuras desse frontão são representadas, em sua maioria, sorrindo. Por outro lado, a famosa tela de Andrea del Verrocchio, o mestre não só de Leonardo, mas também de Botticelli, "O batismo de Cristo", é uma bela mostra da importância da expressão dos sentimentos por meio dos lábios, na arte renascentista. (N.T.)

[25] As últimas seis palavras foram incluídas em 1923. (N.E.A.)

[26] Ver a reprodução na página 70, assim como a Fig. 2. (N.E.A.)

[27] Op. cit., p. 314. (N.E.A.)

[28] ALIGHIERI, Dante. *A divina comédia*. Tradução de Ítalo Eugenio Mauro. São Paulo: Editora 34, II edição, 2014, p. 680. (N.T.)

[29] Essa palavra foi incluída em 1925. (N.E.A.)

[30] Esta última frase do parágrafo foi incluída em 1919. (N.E.A.)

[31] Freud quer mostrar, é claro, a aliteração entre *Vogel* (pássaro) e *vögeln* (transar, fazer sexo). (N.T.)

[32] Creio não encontrarmos no Brasil nenhuma ligação direta entre sexo e pássaros, embora haja pelo menos uma alusão indireta quando, por exemplo, falamos em "ninho do amor". (N.T.)

[33] Nas edições anteriores a 1923, em vez de *früher* (antigas), aparece *darüber* (sobre). (N.E.A.)

[34] Já na primeira edição aparece *es* (isso), talvez, por engano, em lugar de *sie* (ela, a infância). (N.E.A.)

[35] Freud se refere aqui a uma conhecida empresa alemã de aviação, a *Aviatik*. O modelo de avião biplano e com dois lugares, também chamado de *Aviatik B1*, especializado em voos de reconhecimento, só será criado em 1913 e entrará em operação apenas em 1914, isto é, posteriormente à primeira edição deste texto de Freud. Nesse modelo, e no B2, mais potente e veloz, os aviadores ficavam sentados sem nenhuma cobertura, para, exatamente, poderem melhor observar, o que intensifica a ideia de voar como os pássaros. É claro que ambos os modelos foram largamente utilizados na Primeira Guerra Mundial. (N.T.)

O MOTIVO DA ESCOLHA DOS COFRINHOS (1913)

I

Duas cenas de Shakespeare, uma alegre e uma trágica, deram-me a oportunidade, há pouco tempo, de colocar um pequeno problema e resolvê-lo.

A cena alegre é a escolha do pretendente entre três cofrinhos, em *O mercador de Veneza*. A bela e sagaz Pórcia se comprometeu, de acordo com a vontade de seu pai, apenas a aceitar como marido o candidato que fizer a escolha certa entre os três cofrinhos que lhe são apresentados. Os três cofrinhos são de ouro, prata e cobre; o correto é aquele que contém o seu retrato. Dois candidatos não tiveram êxito, eles escolheram ouro e prata. Bassânio, o terceiro, se decidiu pelo de cobre; com isso, ganhou a noiva, que já tinha uma inclinação por ele antes da prova do destino. Cada um dos candidatos expôs a motivação de sua decisão em um discurso, no qual fez a propaganda do metal escolhido enquanto desacredita os dois outros. A mais difícil das tarefas coube ao feliz terceiro pretendente; o que ele podia dizer para enaltecer o cobre diante do ouro e da prata é pouco e soa forçado. Diante de um tal discurso, se nos mantivermos na prática psicanalítica, deveríamos então pressentir que por trás do fundamento insatisfatório haveria motivos secretos.

Não foi o próprio Shakespeare quem inventou o oráculo da escolha dos cofrinhos, ele o tomou de uma narrativa da *Gesta Romanorum*,[1] na qual uma mocinha procedeu à mesma escolha, para conquistar o filho do imperador.[i] Também aqui, foi o terceiro metal, o cobre, aquele que trouxe a felicidade. Não é difícil presumir que aqui se encontra um antigo motivo, o qual reclama por interpretação, dedução e recondução. Uma primeira suposição acerca do que poderia significar a escolha entre ouro, prata e cobre logo encontra confirmação por meio de uma expressão de Eduard Stucken,[ii] que se ocupa em uma relação mais ampla com o material propriamente dito. Ele diz: "As escolhas de Pórcia esclarecem quem são seus pretendentes: o príncipe do Marrocos escolhe o cofre dourado: ele é o sol; o príncipe de Aragão escolhe a prata: ele é a lua; Bassânio escolhe o de cobre: ele é a estrela polar". Para apoiar esta interpretação ele cita um episódio de *Kalevipoeg*, uma epopeia popular da Estônia, na qual os três pretendentes aparecem fantasiados como o jovem sol, a jovem lua e a jovem estrela ("os filhinhos mais velhos da estrela polar") e a noiva, mais uma vez, escolhe o terceiro.

Assim sendo, nosso pequeno problema conduziu a um mito astral! Pena que com esse esclarecimento não tenhamos chegado ao fim. As questões continuam postas,

---

[i] G. Brandes, Shakespeare, Paris, 1896.

[ii] Ed. Stucken. Astralmythen [der Hebräer, Babilonier und Ägypter], p. 565.

pois não acreditamos em muitas pesquisas sobre mitos, que os deduzem do céu, julgamos muito mais, seguindo Otto Rank,[i] que eles são projetados no céu, depois que surgiram, em algum lugar, sob condições puramente humanas. É esse conteúdo humano que nos interessa.

Tenhamos mais uma vez nosso material diante dos olhos. Na epopeia da Estônia, assim como na narrativa da *Gesta Romanorum*, trata-se da escolha de uma mocinha entre três pretendentes, na cena do *Mercador de Veneza* aparentemente acontece o mesmo, mas, ao mesmo tempo, neste último acontece algo como que uma mudança do motivo: um homem escolhe entre três – cofrinhos. Se isso tivesse alguma coisa a ver com um sonho, pensaríamos imediatamente que os cofrinhos também são mulheres, símbolos do que há de essencial em uma mulher e, por isso, a própria mulher, assim como caixas, latas, estojos, cestos, entre outros. Permitam-nos tomar um tal substituto simbólico também para o mito, de tal modo que a cena dos cofrinhos no *Mercador de Veneza* diz respeito realmente à modificação que presumimos. Com um empurrão, tal como ele é descrito apenas nos contos de fada, retiramos do nosso tema a roupagem astral e vemos então que se trata de um motivo humano, o da *escolha de um homem entre três mulheres*.

Mas, do mesmo modo, o conteúdo de outra cena de Shakespeare em um de seus dramas mais aterradores, desta feita sem escolha de uma noiva, se acopla por meio de semelhanças bastante misteriosas com a escolha dos cofrinhos no *Mercador*. O velho rei Lear decide, ainda durante sua vida, dividir seu reino entre as três filhas, de

---

[i] O. Rank, Der Mythus von der Geburt des Helden [O mito do nascimento do herói], Leipzig und Wien, 1909, S. 8ff.

acordo com a medida do amor que elas lhe devotam. As duas mais velhas, Goneril e Regan, se desdobram para confirmar e exaltar seu amor, a terceira, Cordélia, recusa-se a isso. O rei deveria reconhecer e recompensar este amor silencioso, que não se mostra, da terceira, mas ele não o reconhece, repudia Cordélia e divide o reino entre as outras duas, para sua infelicidade e a de todos. Não se trata, novamente, de uma cena de escolha entre três mulheres, das quais a mais jovem é a melhor, a perfeita?

Imediatamente, nos vêm à cabeça mitos, contos de fada, criações poéticas, cujo conteúdo é o mesmo: o pastor Páris tem de escolher entre três deusas, considerando a terceira como a mais bela. A Cinderela é, do mesmo modo, a mais jovem, a quem o príncipe prefere às duas irmãs mais velhas, Psique no conto de Apuleio é a mais bela e a mais jovem entre três irmãs, Psique, que, por um lado, é venerada como a forma humana de Afrodite, por outro, é tratada por esta deusa como a Cinderela o é por sua madrasta, que deve aplainar um grande monte de sementes sortidas e realiza isso com a ajuda de pequenos animais (pombas por Cinderela, formigas por Psique).[i] Quem quiser continuar olhando o material poderia ainda encontrar, certamente, outras figuras do mesmo tema, que mantém seus mesmos traços essenciais.

Contentemo-nos com Cordélia, Afrodite, Cinderela e Psique! As três mulheres, dentre as quais a terceira é a mais perfeita, devem ser todas compreendidas como similares, se fossem apresentadas como irmãs. Não devemos ser induzidos ao erro, se na tragédia do rei Lear elas sejam as três filhas daquele que escolhe, isso talvez não signifique outra coisa que não o fato de que Lear deva

---

[i] Agradeço a referência a esta conformidade, ao Dr. Otto Rank.

ser representado por um homem velho. Pois um homem velho não pode facilmente escolher entre três mulheres; por isso, estas tornaram-se suas filhas.

Mas quem são estas três mulheres e por que a escolha deve recair sobre a terceira? Se pudéssemos responder a esta pergunta, estaríamos de posse da interpretação procurada. Mas, há pouco, já nos utilizamos da técnica psicanalítica, quando esclarecemos que os três cofrinhos simbolizam três mulheres. Se tivermos coragem para prosseguir com este procedimento, então adentramos num caminho que, primeiramente, nos levará talvez, de modo imprevisto, incompreensível e por desvios, a um objetivo.

Percebemos que a terceira, que é perfeita, em inúmeros casos, possui, além de sua beleza, uma certa especificidade. Trata-se de qualidades que parecem ansiar por uma certa unidade; não devemos, de todo modo, esperar que, em todos os exemplos, elas estejam cunhadas da mesma maneira. Cordélia se desfigura, se torna invisível, como o cobre, ela permanece calada, ela "ama e silencia". Cinderela se esconde, de tal modo que ninguém possa encontrá-la. Devamos, talvez, associar o esconder-se e o calar-se. Elas foram, de todo modo, apenas dois casos de cinco que nós recolhemos. Mas uma alusão a respeito se encontra, curiosamente, também em duas outras. Já concluímos que Cordélia, a rabugenta recusada, é comparável ao cobre. Disso se diz, na curta fala de Bassânio, durante a escolha dos cofrinhos, de fato, repentinamente:

> *Thy paleness moves me more than eloquence*
> (*plainness*, numa outra leitura)

Ou seja: tua simplicidade é-me mais próxima do que as outras duas naturezas eloquentes. Ouro e prata "falam", o cobre permanece calado, realmente como Cordélia, que "ama e silencia".[i]

Na antiga narrativa grega do julgamento de Páris, uma tal contenção de Afrodite não existe. Cada uma das três deusas fala ao jovem e tenta seduzi-lo, para ganhar. Mas, em uma versão bem moderna da mesma cena, reaparece de maneira singular o traço característico que chamou nossa atenção. No libreto da *Bela Helena*, Páris conta, depois de relatar os apelos das duas outras deusas, como Afrodite se comportou nessa competição pelo prêmio da beleza:

> E a terceira – sim, a terceira –
> Ficou à parte e permaneceu calada.
> A ela dei a maçã, etc....[2]

Decidimos ver concentradas as propriedades de nossas terceiras no "silenciar", como nos diz a psicanálise: silenciar é, no sonho, uma representação usual da morte.[ii]

Há mais de vinte anos, um homem muito inteligente me relatou um sonho que ele valorizava como justificativa da natureza telepática dos sonhos. Ele via um amigo ausente, de quem há muito não tinha nenhuma notícia e claramente lhe repreendeu por seu silêncio. O amigo não deu nenhuma palavra. Isso aludia ao fato de que, mais ou menos na época desse sonho, o amigo tinha se suicidado. Deixemos de lado o problema da telepatia; que o silenciar no sonho torna-se representação da morte parece aqui indubitável. Também o esconder-se, o não ser

---

[i] Na tradução de Schlegel esse jogo de palavras se perde, se transforma em oposição: "Tua natureza simples fala discutindo comigo".

[ii] Também Stekel, "Linguagem dos sonhos", 1911, o cita entre os símbolos da morte.

encontrável, tal como o príncipe do conto de fadas vivencia por três vezes na Cinderela, é no sonho um irreconhecível símbolo da morte; não menos a evidente palidez, a qual lembra a *paleness* do cobre, num modo de ler o texto de Shakespeare.[i] Mas a transposição desta interpretação da esfera do sonho para o modo de expressão do mito com o qual nos ocupamos nos aliviará essencialmente, quando pudermos, provavelmente, interpretar o silenciar como sinal do estar morto também em outras produções, que não sejam sonhos.

Retomo aqui o nono dos contos populares dos irmãos Grimm, que tem como título *Os doze irmãos*.[ii] Um rei e uma rainha tiveram doze filhos, garotos barulhentos. Então, o rei disse que, se a décima terceira criança fosse uma menina, os garotos deveriam morrer. Na expectativa desse nascimento, ele mandou fazer doze caixões. Os doze filhos fogem com a ajuda da mãe, se escondem numa floresta e juram de morte toda garota que encontram.

Nasce uma menina, que cresce e fica sabendo pela mãe que tinha doze irmãos. Ela então decidiu procurá-los e encontra os garotos na floresta, que a reconhecem, mas ela procura se esconder, por causa do juramento dos irmãos. A irmã diz: eu quero, de bom grado, morrer, se com isso puder salvar meus irmãos. Mas os irmãos a recebem felizes, ela fica com eles e passa a tomar conta da casa.

Ao lado da casa, em um pequeno jardim, crescem doze lírios; então, a garota os colhe para presentear os irmãos com cada um deles. Neste momento, os irmãos se transformam em corvos e desaparecem da casa e do jardim. Os corvos são animais com alma, a morte dos

---

[i] Stekel, op. cit.

[ii] P. 50 da Edição da [Editora] Reclam, v. 1.

doze irmãos pela irmã é representada, de maneira nova, pela colheita das flores, assim como a entrada dos ataúdes e o desaparecimento dos irmãos. A garota, que está novamente pronta para salvar seus irmãos da morte, fica sabendo que a condição para isso é que deve ficar calada durante sete anos, não deve dizer uma única palavra. Ela se submeteu a esta prova, que colocaria a ela mesma em perigo de vida, ou seja, ela própria morre pelos irmãos, tal como ela tinha sido exaltada antes do encontro com eles. Por meio da manutenção do silêncio, ela conseguiu, finalmente, a salvação dos corvos.

De maneira inteiramente semelhante, no conto de fadas sobre os "Seis cisnes", os irmãos transformados em pássaros são salvos pela irmã, isto é, ressuscitados. A garota tomou a firme decisão de salvar os irmãos, mesmo "que isso custasse a sua vida" e novamente coloca sua vida em perigo, como esposa do rei, quando não quis abandonar sua mudez a despeito das acusações.

Poderíamos certamente fornecer ainda outras justificativas, a partir dos contos de fada, nos quais o silêncio é entendido como representação da morte. Se devêssemos seguir esses sinais, a terceira de nossas irmãs, entre as quais a escolha acontece, seria uma morta. Pois ela pode ser outra coisa, a própria morte, a deusa da morte. Devido a um não raro adiamento, as qualidades que uma deusa divide com os homens podem ser atribuídas a ela mesma. No mínimo, tal adiamento por parte das deusas da morte nos é estranho, pois na moderna compreensão e opinião antecipados aqui, a própria morte é apenas um morto.

Mas, se a terceira das irmãs é a deusa da morte, então nós conhecemos as irmãs. Elas são as filhas do destino, as Moiras ou Parcas (ou Nornas), e a terceira, que se chama Átropos: a inexorável.

II

Coloquemos a preocupação acerca do quanto a interpretação encontrada foi acrescentada aos nossos mitos, provisoriamente deixados de lado, e nos voltemos para os ensinamentos dos mitólogos acerca do papel e da proveniência das deusas do destino.[i]

A mitologia grega arcaica conhece apenas uma Μοῖρα (Moira) como personificação do destino inescapável (em Homero). O desenvolvimento desta única Moira para uma comunidade de irmãs composta por três (raramente duas) divindades aconteceu, provavelmente, em apoio a outras figuras divinas, das quais as Moiras estão próximas, as três Graças e as Horas.[3]

Originariamente, as Horas são divindades das águas celestiais, que doam chuva e umidade, divindades das nuvens, de onde cai a chuva e porque essas nuvens são compreendidas como tecidos, se atribui a essas deusas o caráter de aranhas, o qual é então fixado nas Moiras. Nos países mediterrâneos, agraciados pelo sol, este caráter é o da chuva, de quem a fertilidade do solo depende e, então, as Horas se transformam em divindades vegetais. Devemos a elas a beleza das flores, e a riqueza das frutas as provém com uma abundância de traços amáveis e graciosos. Elas se tornam as representantes divinas das estações do ano e talvez por meio dessa conexão tenham se tornado três, caso a natureza sagrada delas não seja suficiente para seu esclarecimento. Pois estes povos antigos só diferenciavam, inicialmente, três estações: inverno, primavera e verão. O outono só foi introduzido na época posterior,

---

[i] Ver a respeito, para o que segue, Roscher, [Ausführlichem] Lexikon der griechischen und römischen Mythologie, Leipzig, 1884-1937.

greco-romana; assim, a arte retratou, frequentemente, quatro Horas.

As Horas mantiveram a relação com o tempo; posteriormente, elas velaram os tempos do dia como antes, as estações do ano; finalmente, seu nome foi rebaixado para caracterizar as horas (*heure, ora*). As Nornas da mitologia alemã, que são seres aparentados das Moiras e das Horas, expõem, em seu nome, esse significado temporal. Mas não poderíamos ignorar que a natureza dessas divindades atinge profundamente e foi transposta na regularidade da mudança das estações, assim as Horas se tornam as protetoras da lei da natureza e da organização sagrada, a qual permite que a sequência inalterável da natureza possa retornar sempre.

Esse conhecimento da natureza retorna na opinião acerca da vida humana. O mito da natureza se transforma em mito humano. As deusas do tempo se tornam deusas do destino. Mas este aspecto das Horas se expressou, primeiro, nas Moiras, as que vigiam impiedosamente a organização necessária da vida humana, assim como as Horas, a regularidade da vida da natureza. O rigor inconsciente da lei, a relação com a morte e com o declínio, que foram evitadas na figuração corpórea das Horas, ficaram impregnadas nas Moiras, como se o homem tivesse sentido então, pela primeira vez, toda a gravidade da lei natural, quando ele submete a ela a organização de sua própria pessoa.

O nome das três aranhas encontrou também entre os mitólogos uma compreensão significativa. A segunda, Láquesis, parece caracterizar "em meio à regularidade do destino ocasional"[i] – nós diríamos, a vivência – como

---

[i] J. Roscher, apud Preller [L., und] Robert [C. (Hrs.)], Griechische Mythologie [Berlin 1894(4. Aufl.)].

Átropos, o inevitável, a morte, e então coube a Cloto o significado da predisposição ao funesto.

E então, é chegado o tempo de voltarmos à interpretação do motivo pressuposto na escolha entre as três irmãs. Com profundo desconforto, perceberemos o quanto as situações consideradas se tornam incompreensíveis, quando nelas inserirmos a interpretação encontrada e quais contradições relativas ao seu conteúdo aparente dela resultam. A terceira das irmãs deve ser a deusa da morte, a própria morte, e no julgamento de Páris ela é a deusa da vida, no conto de Apuleio, por fim, uma dessas incomparáveis belezas, no *Mercador*, a mais bela e mais inteligente mulher, no *Lear* a pudica filha fiel. Uma contradição pode ser pensada no seu todo? Sim, pois esta improvável valorização está muito perto. Ela mostra realmente quando, nos nossos motivos, dentre as mulheres se dá uma escolha livre e quando a escolha deve recair sobre a morte, a quem, de fato, ninguém escolhe, a quem o destino escolhe sacrificar.

Entretanto, contradições de um certo tipo, substituições por meio de opostos completamente contraditórios não causam à interpretação analítica nenhuma dificuldade séria. Não vamos aqui nos reportar ao fato de que antagonismos nos modos de expressão do inconsciente são representados, como nos sonhos, de maneira muito frequente, por meio de um único elemento apropriado. Mas, a este respeito, pensamos que existem motivos na vida psíquica, cuja substituição por meio do oposto ocasiona a conhecida formação reativa e que podemos procurar um ganho para o nosso trabalho exatamente na descoberta de tais motivos ocultos. A criação das Moiras é o resultado de uma intuição, segundo a qual o homem imagina que ele também seria uma parte da natureza e, desse modo, submete-se à inalterável lei da morte. Algo no homem deve se rebelar contra essa submissão e que apenas com muita má vontade renuncia a seu lugar de exceção. Nós sabemos que o homem utiliza sua capacidade de fantasiar para satisfazer seus desejos não satisfeitos na realidade e assim se apoia nela contra a perspectiva incorporada no mito das Moiras, criando o mito decorrente daí, segundo o qual a deusa da morte é substituída pela deusa do amor e por tudo o que lhe é humanamente semelhante. A terceira das irmãs não é mais a morte, mas sim a mais bela, a melhor, a mais desejada, a mais amada entre as mulheres. E esta substituição não foi, de maneira nenhuma, tecnicamente difícil; ela foi preparada por uma antiga ambivalência, há muito ela se consumou numa arcaica conexão, que não poderia ser esquecida por muito tempo. A própria deusa do amor, que agora ocupa o lugar da deusa da morte, fora uma vez idêntica a ela. A Afrodite grega ainda não se afasta inteiramente da ligação com o mundo inferior, embora ela tenha deixado, há muito tempo, seu papel ctônico para outra figura divina, a de Perséfone, a tripla Ártemis-Hécate. Mas todas as grandes deusas-mãe dos povos orientais parecem ter sido tanto geradoras quanto destruidoras, deusas da vida e da procriação quanto deusas da morte. Assim, a substituição, nos nossos motivos, remete, por meio de um desejo contrário, a uma identidade arcaica.

A mesma ideia nos responde à pergunta acerca de onde vem o que caracteriza, no mito, a escolha. Encontrou-se aqui, novamente, um desejo invertido. Escolher está no lugar da necessidade, do destino. Assim, o homem supera a morte que ele reconhecera no pensamento. Aqui não se pensa, de forma alguma, um poderoso triunfo da realização de um desejo. Escolhe-se, na realidade, obedecendo a uma coação [*Zwang*], e o que se escolhe não é a pavorosa, mas a mais bela e a mais valorizada.

Vendo mais de perto, todavia, observamos que a transmutação do mito originário não é suficiente para não sermos traídos pelos seus resíduos. A livre escolha entre as três irmãs não é propriamente livre, pois a terceira deve ser necessariamente a escolhida, caso contrário, como no *Rei Lear*, todas as desgraças vão acontecer. A mais bela e melhor, que entrou no lugar da deusa da morte, mantém os traços que roçam no sinistro [*Unheimliche*], de tal modo que podemos, a partir deles, intuir o que está oculto.[i]

Até aqui, perseguimos o mito e suas mutações e esperamos ter mostrado os misteriosos fundamentos destas. Desse modo, a utilização do mito pelo poeta pode nos interessar. Temos a impressão de que, quando o poeta procedeu a uma redução do motivo do mito originário, então, o sentido deste último, cuja apreensão por meio desta atitude o enfraqueceu, é novamente pressentido por nós. Por meio dessa redução da deformação, no retorno, por vezes, ao originário, o poeta atinge o profundo efeito que ele produz em nós.

---

[i] Também a Psique, de Apuleio, conservou uma riqueza de traços, que a imaginam na sua relação com a morte. Seu casamento é saudado como um funeral, ela deve descer ao mundo inferior e depois cai num sono semelhante à morte (O. Rank). Sobre o significado de Psique como deusa da primavera e como "noiva da morte", ver A. Zinzow, "Psyche und Eros" (Halle, 1881).

Em outro conto dos irmãos Grimm (N. 179, A pastora de gansos à beira do poço) encontramos, como na Cinderela, a metamorfose de bela e feia da terceira filha, na qual se pode ver bem à alusão a sua dupla natureza – antes e depois da substituição. Essa terceira, após uma prova, deve ser penalizada por seu pai, a qual é quase inteiramente idêntica à do *Rei Lear*. Assim, ela deve alegar, como as outras irmãs, o quanto ama ao pai, mas não encontra nenhum outro modo de expressar seu amor a não ser com o sal (Amiga contribuição do Dr. Hanns Sachs).

Para evitar equívocos, quero dizer que não foi minha intenção falar novamente que o drama do rei Lear teria reforçado as duas teorias referidas, de que não se deve renunciar durante a vida aos seus bens e aos seus direitos, mas devemos nos resguardar e levar a sério o adulador. Essas e outras ideias podem ser retiradas, realmente, da peça, mas parece-me impossível esclarecer ou aceitar o inominável efeito do *Rei Lear* a partir da impressão causada pelo conteúdo dessas ideias, uma vez que os motivos pessoais do poeta, com a intenção de manifestar essas ideias, se esgotariam. Também a informação de que o poeta queria nos apresentar a tragédia da ingratidão, cuja mordida ele sentiu no seu próprio corpo e que o efeito da peça diz respeito ao momento puramente formal do revestimento artístico, me parece não substituir a compreensão que nos foi aberta por meio da avaliação crítica do motivo da escolha entre as três irmãs.

Lear é um velho. É por isso, já dissemos, que as três irmãs aparecem como suas filhas. A relação paterna, da qual pôde fluir frutíferos estímulos dramáticos, não foi valorizada no decorrer do drama. Mas Lear não é apenas um velho, é também um moribundo. Assim sendo, o inseparável pressuposto da divisão da herança perde então toda sua estranheza. Mas aquele que está sendo vencido pela morte não quer renunciar ao amor das mulheres, ele quer ouvir o quanto é amado. Pensemos na última e comovente cena, um dos pontos altos do trágico no drama moderno. Lear traz o cadáver de Cordélia para o palco. Cordélia é a morte. Se invertermos a situação, ela se torna compreensível e familiar. É a deusa da morte, que retirou o herói morto do campo de batalha, assim como as Valquírias na mitologia alemã. A sabedoria eterna, sob a vestimenta do mito arcaico, aconselha o velho homem a abdicar do amor e escolher a morte, para se familiarizar com a necessidade do morrer.

O poeta nos aproxima do antigo motivo, na medida em que permite que a escolha entre as três irmãs por um ancião moribundo se realize. O tratamento regressivo que ele efetua de tal modo, deformando o mito por meio da metamorfose do desejo, permite que seu sentido transpareça tão longe, que talvez também nos possibilite uma interpretação superficial, alegórica, das três figuras femininas do motivo. Poder-se-ia dizer que para o homem as três constituiriam a inevitável ligação com as mulheres, que aqui são assim representadas: a que procria, a companheira, a que arruína. Ou as três formas pelas quais a imagem da mãe se modifica, para ele, no decorrer da vida: a própria mãe, a amada, que ele escolhe de acordo com a imagem desta e, por fim, a mãe terra, que novamente o acolhe. Mas o ancião ambiciona, em vão, o amor da mulher, tal como ele o recebeu, de início, pela mãe; apenas a terceira das mulheres do destino, a deusa muda da morte, o tomará em seus braços.

NOTAS

[1] Uma coletânea de contos medievais de origem desconhecida. (N.E.A.)

[2] Trata-se de *A bela Helena*, ópera bufa ou paródica de Jacques Offenbach, encenada pela primeira vez, em Paris, em 1864. (N.T.)

[3] As Horen são as deusas das estações e da ordem da natureza: permanência, justiça e paz. *Die Horen* foi também o título da conhecida revista fundada por Schiller, em 1795. (N.T.)

O MOISÉS, DE MICHELANGELO (1914)[1]

Aviso, de antemão, que não sou nenhum conhecedor de arte, e sim um leigo. Percebi com frequência que o conteúdo de uma obra de arte me atrai mais fortemente do que suas qualidades formais e técnicas, às quais, de fato, o artista atribui valor em primeira linha. Para muitos meios e efeitos da arte, me falta, realmente, um entendimento correto. Devo dizer isso para assegurar um julgamento indulgente de minha tentativa.

Mas obras de arte exercem um forte efeito sobre mim, em especial obras literárias e esculturas, raramente pinturas. Isso já me levou, em oportunidades adequadas, a me demorar longamente diante delas e a querer compreender tal efeito à minha maneira, ou seja, explicar a mim mesmo, por quais meios surtem efeito. Onde não posso fazer isso, por exemplo, na música, sou quase incapaz da fruição. Uma constituição racionalista ou, talvez, analítica teima em resistir a que eu venha me comover, sem que possa saber por que me comovo.

Nesse caso, passei a me dar conta de uma ação aparentemente paradoxal, segundo a qual, de fato, algumas das criações artísticas mais extraordinárias e mais irresistíveis permaneceram obscuras ao nosso entendimento. Nós as admiramos, sentimo-nos dominados por elas, mas não sabemos dizer o que elas representam. Não sou erudito o suficiente para saber se isso já foi observado ou se algum especialista em Estética já não concluiu que tal desorientação de nossa capacidade de compreender seria, até mesmo, uma necessária condição dos efeitos mais elevados que uma obra de arte deve evocar em nós. Para mim, seria muito difícil acreditar nessa condição.

Não que os conhecedores de arte ou os entusiastas não tenham encontrado nenhuma palavra para isso, quando elogiam tais obras. Devo imaginar que encontraram palavras suficientes. Mas, diante de tais criações magistrais do artista, diz-se, em geral, algo bem diferente e nada daquilo com o qual um entusiasta comum resolveria o mistério. O que nos empolga de forma tão intensa pode ser, de fato, segundo minha interpretação, apenas a intenção do artista, na medida em que ele conseguiu expressá-la na obra e nos permite compreendê-la. Sei que não se trata de uma apreensão meramente intelectual; trata-se do estado dos afetos, da constelação psíquica, que devem levar, no artista, a força pulsional até a criação. Mas por que a intenção do artista não pode ser transmissível e ser compreendida em uma palavra, como qualquer outra atividade da vida anímica? Talvez porque, nas grandes obras de arte, isso não seja alcançado sem a utilização da análise. Então, a própria obra deve possibilitar essa análise, quando ela é a expressão das intenções e emoções do artista, que nos atingem. E, para alcançar esta intenção devo, antes de tudo, encontrar o *sentido* e o *conteúdo* do que é representado na obra, ou seja, devo poder *interpretá-la*. Torna-se então possível que uma obra de arte necessite da interpretação e que, só depois que ela esteja acabada, eu possa saber por que sucumbi a uma impressão tão violenta. Eu mesmo tenho a esperança de que essa impressão não sofra nenhum abalo, quando uma tal análise nos deixa felizes.

Pensemos pois em *Hamlet*, há mais de três séculos, a obra-prima de Shakespeare.[i] Consultando a literatura psicanalítica sobre ela, concluo afirmando que foi a Psicanálise que, ao remeter o material da peça ao tema do Édipo, solucionou, pela primeira vez, o enigma do efeito dessa tragédia. Mas, antes dela, que enorme quantidade de tentativas de interpretações tão diferentes, tão incompatíveis entre si, que conjunto de ideias acerca do caráter do herói e da intenção do poeta! Shakespeare teria exigido nossa simpatia por um doente, por alguém que se sentia suficientemente inferior ou por um idealista demasiado bom para o mundo real? E o quanto muitas dessas interpretações nos deixaram tão frios, de tal modo que não puderam esclarecer nada a respeito do efeito da peça, nos levando a pensar que seu fascínio se fundamentava apenas na impressão causada por suas ideias e pelo brilho da linguagem! Mas essas preocupações não expressam, exatamente, a necessidade de encontrar outra fonte desse efeito?

Outro exemplo de uma dessas obras de arte inteiramente enigmáticas e maravilhosas é a estátua de mármore de Moisés, esculpida por Michelangelo, na igreja de San Pietro in Vincoli, em Roma, conhecida apenas por ser parte, como monumento, de um imenso sepulcro, que o artista teve que erigir para o poderoso papa Júlio II.[ii] Alegro-me

---

i Provavelmente, foi representada, pela primeira vez, em 1602. [Antes da redação do "Moisés", pelo menos dois dos mais íntimos amigos de Freud já haviam escrito sobre a peça de Shakespeare: Ernst Jones (*Hamlet e o complexo de Édipo*. Rio de Janeiro: Zahar Editor, 1970) e Otto Rank (*Der Künstler*. Leipzig und Wien: Hugo Heller & Cia, 1907). (N.T.)]

ii Segundo Henry Thode, a estátua foi esculpida entre 1512 e 1516.

todas as vezes em que, a propósito dessa escultura, leio coisas que a consideram "o ápice da escultura moderna" (Herman Grimm [1900, p. 189]). Pois nunca antes experimentei um efeito tão forte quanto diante dessa estátua. Com a mesma frequência com que subi pela íngreme escada do feio Corso Cavour até a solitária praça na qual se localiza a igreja abandonada, sempre tentei sustentar o olhar de ódio e desprezo do herói e, muitas vezes, cauteloso, vagarosamente, me afastei da penumbra da sala, como se eu mesmo fizesse parte da canalha a quem seu olhar é dirigido, que não é capaz de aferrar-se a uma crença, que não quer esperar por ninguém, não quer confiar em ninguém, e que se regozija quando dispõe novamente da ilusão da imagem do ídolo.

Mas por que chamo esta estátua de enigmática? Não resta a menor dúvida, de que ela representa Moisés, o legislador dos judeus, que está de posse da tábua com os mandamentos divinos. É apenas disso que estamos seguros e nada mais. Há pouco tempo (1912), um artista e escritor (Max Sauerland) declarou o seguinte: "Não existe a respeito de nenhuma outra obra de arte no mundo tantos julgamentos contraditórios quanto sobre este Moisés multifacetado. Mesmo uma simples interpretação da estátua já se encontra numa completa contradição...".[2] Tendo em mãos uma apreciação de conjunto, que apareceu apenas há cinco anos, exporei quais dúvidas se acoplam às interpretações da figura de Moisés e não será difícil apontar que o essencial e o melhor para o entendimento dessa obra de arte se encontra escondido, por trás dela.

I

O Moisés de Michelangelo se apresenta sentado, o tronco dirigido para frente, a cabeça com a barba espessa e o olhar voltado para a esquerda, o pé direito descansado no chão, o esquerdo levantado, de tal modo que ele toca o chão apenas com os dedos, o braço direito com a tábua, em contato com uma parte da barba, o braço esquerdo repousa sobre o colo. Se eu quisesse fornecer uma descrição exata, então eu deveria antecipar o que só deduzi depois. As descrições dos estudiosos são, no mínimo, de modo bem claro, imprecisas. O que não era entendido foi percebido com inexatidão ou traduzido ao pé da letra. H. Grimm diz que a mão direita, "sob o braço que toca a tábua, agarra na barba".[3] Do mesmo modo W. Lübke: "Abalado, ele agarra com a [mão] direita a magnífica barba, que ondula para baixo...".[4] Springer: "Uma das mãos (a esquerda), Moisés prende ao corpo, com a outra, como se estivesse inconsciente, agarra na magnífica e ondulante barba".[5] C. Justi acha que os dedos da mão (direita) brincam com a barba, "tal como o homem civilizado excitado, com as correntes do relógio.".[6] Müntz também destaca o jogo com a barba.[7] H. Thode fala da "posição quase tranquila da mão direita sobre a tábua levantada". Mesmo na mão direita ele não reconhece um jogo excitante, como o quer Justi e, de algum modo, Boito.[8] "A mão permanece de tal modo, como se ela, agarrando a barba, esperasse o titã virar a cabeça para o lado." Jakob Burckhardt expõe "que o famoso braço esquerdo nada mais tem a fazer a não ser apertar essa barba junto ao corpo".[9]

Se estas descrições não concordam entre si, não nos admira as diferenças nas interpretações de traços específicos da estátua. Penso, de fato, que não se pode caracterizar melhor do que Thode a expressão do rosto de Moisés, no qual leu, a partir dela, uma "mistura de ira, dor e desprezo", "a ira nos ameaçadores olhos franzidos, a dor, no modo de olhar, o desdém no lábio inferior impelido para a frente e o canto da boca puxado para baixo". Mas outros admiradores o viram com outros olhos. Nesta perspectiva, Dupaty julgou assim: *"Ce front auguste semble n'être qu'un voile transparente, qui couvre à peine un esprit immense"*. [Essa fronte augusta parece nada mais ser que um véu transparente, que mal cobre um espírito imenso.][i] Ao contrário, pensa Lübke: "Na cabeça, procura-se em vão a expressão da mais alta inteligência; nada existe a não ser a capacidade de uma ira monstruosa, uma energia que se impõe ao conjunto se expressa na testa franzida". Guillaume (1876) se distanciou mais ainda na interpretação da expressão do rosto, pois não encontrou nenhuma emoção nele, mas "apenas simplicidade orgulhosa, dignidade espiritual, energia da crença. O olhar de Moisés caminha para o futuro, ele prevê a permanência de sua raça, a imutabilidade de sua lei".[10] De maneira semelhante, diz Müntz, "o olhar de Moisés vaga para além da espécie humana; se dirigindo aos mistérios, que ele, como único, percebeu". Para Steinmann, esse Moisés "não é mais o rígido legislador, não é mais o terrível inimigo dos pecadores com a ira de Jeová, mas o pastor real, a quem a idade não deve tocar, o abençoado e sábio, com o brilho da eternidade na testa, que se despede de seu povo".

Outros ainda disseram que o Moisés de Michelangelo de modo algum disse alguma coisa e que tiveram seriedade suficiente para expressar isso. Assim, um resenhista na *Quarterly Review*, em 1858: *"There is an absence of meaning in*

---

[i] Cf. Thode, op. cit., p. 192. [Thode refere-se a DUPATY, Charles Marguerite Jean-Baptiste Mercier. Lettres sur l'Italie en 1785, Paris, Chez De Senne Libraire de Monseigneur Comte d'Artois au Palais Royal, Tome Seconde, 1788. Freud faz a citação em francês, tal como ela se encontra no texto de Thode. A tradução para o português: "Esta fronte augusta nada mais é do que um véu transparente, que mal cobre um espírito imenso". (N.T.)]

the general conception, which precludes the idea of a self-sufficing whole..." [Na concepção geral há uma ausência de sentido que exclui a ideia de um todo autossuficiente]. E ficamos sabendo com espanto que outros ainda não encontraram nada de admirável no Moisés, mas que insurgem-se contra ele, denunciam a brutalidade da sua forma e a semelhança animalesca da cabeça.

O mestre realmente colocou na pedra uma inscrição tão obscura e ambígua, que tornou possível leituras tão diferentes?

Mas levantamos uma outra pergunta, a qual se alinha facilmente entre as incertezas mencionadas: Michelangelo quis criar, nesse Moisés, uma "imagem atemporal dos afetos e dos caracteres" ou ele representou o herói em um determinado, mas absolutamente significativo, momento de sua vida? Um grande número dos julgamentos se dirigiu para a última pergunta e soube extrair a cena da vida de Moisés, cuja fascinação o artista manteve para a eternidade. Trata-se aqui da descida do Sinai, no qual ele mesmo recebeu de Deus as tábuas da lei e a percepção de que os judeus, embaixo, construíram um bezerro de ouro, em torno do qual se rejubilavam dançando. Seu olhar se dirigiu para essa imagem, esse olhar despertou o sentimento que se expressou em seu rosto, e a figura poderosa se transformou, subitamente, na ação mais violenta. Michelangelo expôs o momento da última hesitação, da tranquilidade antes da tempestade; no momento seguinte, Moisés saltará – o pé esquerdo já está se levantando do chão –, arremessará as tábuas no chão e descarregará sua ira sobre os apóstatas?

Também os representantes desta interpretação diferem entre si, nas particularidades.

Jakob Burckhardt: "Moisés parece representado no momento em que ele se depara com a adoração do bezerro de ouro e quer saltar. Ele vive, em sua forma, a preparação para um movimento violento, como se ele fosse esperado, com a força física com a qual foi esculpido, nos faz aguardar estremecidos".

W. Lübke: "Quando os olhos fulgurantes viram o delito da adoração do bezerro de ouro, então um movimento interno violento sacode toda a escultura. Abalado, ele agarra com a mão direita na magnífica e ondulante barba, como se ainda quisesse, por um instante, dominar seu movimento antes de, destroçado, se retirar".

Springer conclui esta perspectiva, não sem antes apresentar uma ideia, a qual vai chamar ainda, em seguida, nossa atenção: "Ardendo de força e entusiasmo, o herói contém, penosamente, o impulso interior... Pensa-se, a partir daí, involuntariamente, em uma cena dramática e imagina-se que Moisés seria representado no momento em que ele vê a adoração do bezerro de ouro e quer saltar, furioso. Essa suposição dificilmente diz respeito à verdadeira perspectiva do artista, pois o Moisés, como a propósito das cinco estátuas colocadas na parte superior,[i] deveria ter um efeito principalmente decorativo; mas ela devia valer como uma testemunha brilhante da plenitude da vida e da essência pessoal de Moisés".

Alguns autores, que não se voltaram exatamente para a cena do bezerro de ouro, concordam, em pontos essenciais, com esta interpretação de que este Moisés, em suma, estaria para saltar e passar à ação.

Hermann Grimm: "Ela (a figura) atinge esta excelência", "essa autoconsciência, um sentimento, como se esse homem tivesse os raios do céu ao seu dispor, mas ele se conterá antes de liberá-los, a espera de que seus inimigos,

---

[i] No próprio monumento funerário ao Papa.

que ele quer destruir, ousassem atacá-lo. Ele se coloca como se quisesse já saltar, a cabeça, orgulhosa, esticada, a partir dos ombros até o alto, com as mãos, sob cujos braços descansam as tábuas da lei, agarradas na barba, que cai sobre o peito em pesadas correntes, com as narinas resfolegantes e com uma boca, em cujos lábios as palavras parecem tremer".

Heath Wilson[11] diz que a atenção de Moisés teria sido impulsionada pelo fato de que ele estava a ponto de saltar, mas ele ainda hesita. O olhar, no qual estariam misturados indignação e desprezo, poderia ainda transformar-se em compaixão.

Wölfflin[12] fala de um "movimento inibido". O motivo da inibição consiste aqui na vontade da própria pessoa, este seria o último momento de autocontenção antes de arrebentar as tábuas.

De maneira mais detalhada, C. Justi fundamentou a interpretação na percepção do bezerro de ouro, mesmo que não tenha, com esta interpretação, no seu conjunto, observado as particularidades da estátua. Ele move nosso olhar, de fato, para a clara posição de ambas as tábuas da lei, as quais estariam em condições de deslizarem para baixo, onde a pedra está assentada: "Ele (Moisés)" "não poderia então nem olhar na direção das lágrimas com a expressão de más ideias, nem seria o próprio olhar da atrocidade, que lhe atinge como uma pancada anestesiante. Alavancado pela vergonha e pela dor, se senta.[i] Ele permaneceu quarenta dias e quarenta noites no alto da montanha, ou seja, calado. Algo enorme, uma grande vicissitude, um crime, mesmo uma

---

[i] Deve-se observar que a cuidadosa ordenação da manta em torno das pernas de Moisés sentado torna insustentável esta primeira parte da explicação de Justi. Dever-se-ia supor muito mais como isto seria representado, se caso Moisés sentado tranquilamente, sem expectativas, fosse sobressaltado por uma súbita percepção.

felicidade, podem ser percebidos neste momento, mas não serão compreendidos segundo sua essência, profundidade, consequência. Por um momento, seu trabalho lhe parece destruído, ele se desespera por esse povo. Em tal hora, o alvoroço interno é traído pelos pequenos movimentos involuntários. Ele deixa as duas tábuas, que mantinha na mão direita, escorregarem para baixo até o banco de pedra, para ficarem no canto, apertadas pelo antebraço ao lado do peito. A mão, entretanto, se move entre o peito e a barba, com a mudança da garganta para a direita, ela deve mudar a direção da barba para o lado esquerdo e suprimir a simetria desses grandes adornos masculinos; vê-se como os dedos brincavam com a barba, tal como o homem civilizado excitado, com as correntes do relógio. A mão esquerda se esconde na túnica próxima à barriga (no Antigo Testamento, as entranhas são o lugar dos afetos). Mas a perna esquerda já está atrás e a direita colocada à frente; no momento seguinte, ele deve partir, a força psíquica da sensação deve saltar por cima da vontade, o braço direito se mexe, as tábuas devem cair no chão e torrentes de sangue expiam a vergonha da traição...". "Aqui, ainda não há a tensão do momento do ato. A dor da alma ainda age quase paralisada".

De maneira muito parecida, se expressa Fritz Knapp;[13] só que ele nega a situação de entrada ao pensamento exposto há pouco, também levando adiante o movimento sinalizado pelas tábuas: "Ele, que ainda agora mesmo estava sozinho com seu Deus, se distrai com os ruídos profanos. Ele ouve o barulho, a gritaria de cantigas de roda cantadas lhe desperta do sonho. O olho, a cabeça se voltam para baixo na direção do ruído. Terror, ira, toda a fúria das paixões selvagens atravessam, nesta hora, a estátua gigante. As tábuas da lei começam a deslizar para baixo, elas devem cair na terra e quebrar, como se a escultura se sobressaltasse, para lançar sobre a massa do povo traidor as palavras ferinas de ira... Este momento da maior tensão é o escolhido...". Knapp destaca, nessa perspectiva, a preparação para a ação e contesta a representação de uma inicial inibição, na sequência da excitação violenta.

Não vamos negar que tentativas de interpretação como as de Justi e Knapp mencionadas por último têm algo de uma raridade impressionante. Elas devem este efeito ao fato de que não se fixaram na impressão geral da obra, mas honram alguns aspectos desta, os quais não podemos perder de vista, mesmo que estejam oprimidos e inibidos, ao mesmo tempo, pelo efeito do conjunto. De resto, o decisivo movimento lateral da cabeça e dos olhos dirigidos para frente se adequam muito bem à ideia de que naquele momento algo é visto, que subitamente atrai a atenção para si, por parte daquele que está tranquilo. O pé levantado do chão raramente permitiria outra interpretação que não seja a de uma preparação para o salto,[i] e a posição inteiramente singular das tábuas, que são, de fato, altamente sagradas e que não poderiam ser acomodadas no espaço arbitrariamente, como se fossem um acessório qualquer, encontra uma explicação na ideia de que elas deslizam para baixo, em consequência da emoção do seu portador e, assim, espatifariam no chão. Desse modo, ficamos sabendo que essa estátua de Moisés representa um momento especial, significativo, da vida desse homem e não se deveria perder a oportunidade de conhecer esse momento.

---

[i] Embora o pé esquerdo de Juliano tranquilamente sentado na capela dos Médici esteja levantado da mesma maneira. [Freud refere-se à estátua de Juliano II de Médici, um dos três filhos de Lourenço, o Magnífico, o grande mecenas renascentista, esculpida por Michelangelo e que se encontra no túmulo de Juliano, na Basílica de São Lourenço, em Florença. (N.T.)]

Apenas duas observações de Thode tiram novamente de nós o que pensávamos já possuir. Este observador diz que ele não vê as tábuas deslizando para baixo, mas "firmemente seguras". Ele constata "a atitude firmemente serena da mão direita sobre as tábuas dispostas uma sobre a outra". Se nós mesmos olharmos para ela, não hesitaríamos em dar razão a Thode. As tábuas estão bem seguras e não a ponto de deslizar. A mão direita as protege ou se protege sobre elas. Isso não esclarece, de fato, o modo como ela se apresenta, mas torna inutilizável a interpretação de Justi e outros.

Uma segunda observação é ainda mais decisiva. Thode adverte que "essa estátua foi pensada como uma das seis e que está representada sentada. Ambos se contrapõem à ideia de que Michelangelo quis fixar um momento histórico determinado. Assim sendo, no que diz respeito ao primeiro, está excluída a tarefa de considerar as figuras sentadas lado a lado como tipos da essência humana (*Vita activa! Vita contemplativa!*). E, em referência ao segundo, a representação daquele que está sentado contradiz o que era exigido por meio da concepção artística do monumento no seu conjunto, o caráter desse processo, mais exatamente a descida do Monte Sinai rumo ao acampamento".

Aproximemo-nos das reflexões de Thode; penso que poderíamos alavancar mais ainda sua força. Com as cinco outras estátuas (em um esboço posterior, três), o Moisés deveria ornar o pedestal do sepulcro. Seu equivalente mais próximo deveria ter sido Paulo. Dois, entre os outros, a *Vita activa e contemplativa* são até hoje conservados como Lea e Raquel - que de todo modo estão de pé –, foram infelizmente introduzidos mutilados no monumento. Este pertencimento de Moisés a um conjunto torna impossível a ideia de que sua figura deveria despertar no espectador a expectativa de que em breve ele deveria saltar de seu lugar, como se fosse atacar e fazer barulho com seu próprio punho. Se as outras figuras não foram também representadas na preparação de uma ação tão violenta – o que é muito improvável –, então isso daria uma péssima impressão se ela criasse em nós a ilusão de que deixará seu lugar e seus companheiros, ou seja, se desviará de sua tarefa na estrutura dos monumentos. Isso resultaria em uma grosseira incoerência, que se poderia em último caso atribuir ao grande artista. Uma figura, se arremessando desse modo, seria incompatível com a disposição de humor que o monumento funerário como um todo deveria despertar.

Ou seja, esse Moisés não deveria querer arremessar-se, ele deveria ser fixado na tranquilidade mais elevada, tal como as outras figuras, como a imagem mais tensionada do próprio papa (que não foi introduzida por Michelan-gelo). Mas o Moisés que nós observamos não pode ser compreendido como a representação daquele homem irado que, descendo do Sinai, encontra seu povo dissidente e que joga fora as tábuas da lei, de tal modo que elas se espatifam. E, realmente, lembrei-me de minha decepção, quando, em minhas primeiras visitas em San Pietro in Vincoli, me sentava diante da estátua, na expectativa de que veria como ele estaria, prestes a saltar, pelo modo pelo qual seu pé era representado, como ele arremessaria as tábuas ao chão, descarregando sua ira. Nada disso acontecia; em seu lugar, a figura firmemente fixada à pedra, uma quase esmagadora tranquilidade sagrada partia dela, e eu sentia que ali estava representado algo que poderia permanecer imutável, que esse Moisés estaria sempre assim, tão sentado quanto furioso.

Mas, se tivermos de abandonar a interpretação da estátua como representando o momento da deflagração da ira diante da visão do ídolo, então não nos resta mais nada ao não ser aceitar uma das interpretações, segundo as quais se deveria reconhecer nesse Moisés uma imagem de caráter. Em primeiríssimo lugar, livre do arbitrário e, melhor, sustentado em uma análise dos motivos do movimento da estátua, aparece o julgamento de Thode: "Aqui, como sempre, para ele (Michelangelo) se trata da representação de um tipo de caráter. Ele cria a imagem de um apaixonado condutor da humanidade, o qual, consciente da tarefa que lhe foi concedida por Deus, vai de encontro à incompreensível resistência dos homens. Para caracterizar um tal homem de ação, não haveria nenhum outro meio a não ser destacar a energia da sua vontade e isto foi possível por meio da exemplificação de um movimento atravessado por uma aparente tranquilidade, tal como é expresso na mudança da cabeça, da tensão muscular, da posição da perna esquerda. Trata-se dos mesmos elementos que aparecem na *vir activus* da Capela dos Médici de Juliano. Essa característica geral é largamente aprofundada por meio do destaque ao conflito, no qual a humanidade representada por um tal gênio encontra a universalidade: os afetos da ira, do desprezo, da dor alcançam uma expressão típica. Sem isso, a essência de um tal Além-do-homem [*Übermensch*][14] não poderia ser esclarecida. Michelangelo criou não uma imagem histórica, mas um tipo de caráter de energia insuperável, o qual doma o mundo sempre ambicioso, que nos traços fornecidos pela Bíblia, as vivências próprias, interiores, impressões da personalidade de Júlio e como também creio, formada a partir da luta de Savonarola.[15]

Na proximidade dessa exposição, podemos retomar a observação de Knackfuß: o segredo principal do efeito do Moisés consiste na oposição artística entre a chama interior e a atitude externamente tranquila.[16]

Nada encontro em mim que pudesse se opor ao esclarecimento de Thode, mas sinto falta de algo. Talvez, de uma necessidade de expressar uma relação íntima entre o estado de alma do herói e a oposição entre a "tranquilidade aparente" e o "movimento interno", expresso em sua atitude.

II

Muito antes que eu pudesse ouvir algo sobre Psicanálise, fiquei sabendo que um conhecedor de arte, o russo Ivan Lermolieff, cujos primeiros artigos foram publicados em alemão entre 1874 e 1876, provocou uma revolução nas galerias de arte da Europa, reviu a atribuição de muitos quadros a um único pintor, ensinou a diferenciar entre cópias e originais e, a partir de obras libertas de suas caracterizações anteriores, construiu novas individualidades artísticas. Ele realizou isso, na medida em que abstraiu a impressão geral e os grandes traços de um quadro e destacou o significado característico de detalhes subestimados, de pequenos aspectos tais como a formação das unhas, dos lóbulos das orelhas, das auréolas dos santos e outras coisas não levadas em consideração, que o copista imitou com descuido e que, de fato, cada artista executou de uma maneira especial. Mas considerei muito interessante quando soube que por trás do pseudônimo russo se escondia um médico italiano de nome Morelli. Ele morreu em 1891 como senador do Império Italiano. Acredito que seu procedimento está muito próximo da técnica da Psicanálise praticada por médicos. Também a Psicanálise está acostumada a partir de traços subestimados ou não observados, do refugo – o *refuse*[17] – para intuir o misterioso e o escondido.

Michelangelo. *Moisés*. 1513–1515. Escultura em mármore (235 cm). San Pietro in Vincoli, Roma.

Em dois lugares da figura de Moisés encontramos detalhes que até agora não chamaram atenção, que ainda não foram, de fato, corretamente descritos. Eles dizem respeito à ação da mão direita e à localização das duas tábuas da lei. Podemos dizer que essa mão faz a intermediação de modo muito singular, forçado, necessitando de uma explicação, entre as tábuas da lei e a barba do herói furioso. Foi dito que, com os dedos, ela revolve a barba, brincando com os fios desta, enquanto com a ponta do dedo mínimo, prende as tábuas. Mas isso não fica claro. Vale a pena examinar, cuidadosamente, o que fazem os dedos dessa mão direita, para descrever exatamente a espessa barba, com que estão em relação.[i]

Então, vê-se com toda clareza: o polegar dessa mão está oculto, o indicador, e apenas este, está em efetivo contato com a barba. Ele pressiona tão profundamente a espessa barba macia que ela se sobressai em cima ou embaixo (crânio ou barriga), além de seu nível. Os outros três dedos encostam, inclinados nas pequenas articulações, na caixa torácica e são tocados pela trança da barba mais à direita, que não

Michelangelo. *Moisés* (detalhe).

---

[i] Ver "Complemento", p. 218.

se importa com eles. Não se pode então dizer que a mão direita brinca com a barba ou se afunda nela; ao contrário, é mais correto dizer que um dos dedos, o indicador, descansa sobre uma parte da barba, evocando uma calha neles. Pressionar a própria barba com um dedo é certamente um gesto especial e dificilmente compreensível.

A tão admirada barba de Moisés escorre para baixo, entre as bochechas, o lábio superior e o queixo, em um número de tranças, que ainda se pode diferenciar uma da outra no seu desenrolar. Uma das madeixas[18] mais à direita, que parte da bochecha, aflui pelo lado superior do pesado dedo indicador, no qual ela se mantém. Podemos supor que ela desliza entre este dedo e o polegar, mais adiante. A mecha do lado esquerdo, que lhe corresponde, corre para baixo, quase sem desvio, até mais adiante, no peito. A espessa massa de cabelos desta última mecha, dirigida para o interior e se estendendo desta até a linha central, conheceu o mais peculiar dos destinos. Ela não pode seguir o movimento da cabeça para a esquerda, lhe é suficiente uma parte, um arco suavemente enrolado, para formar uma guirlanda, a qual se cruza com a massa interna de cabelos, à direita. De fato, ela está segura pela pressão do indicador direito, embora surja à esquerda da linha central e, na verdade, represente a parte central da metade da barba esquerda. Assim sendo, a barba, em sua massa central, aparece jogada para a direita, embora a cabeça esteja incisivamente voltada para a esquerda. No lugar em que o indicador direito se imprimiu, se formou algo como um turbilhão de cabelos; aqui repousam mechas, à esquerda e à direita, por sobre este turbilhão, ambas comprimidas por meio de dedos violentos. Antes, além desse lugar, emergem livres as massas de cabelo desviadas de sua direção, para então correrem verticalmente para baixo, até os extremos de sua mão esquerda aberta, acolhidas com serenidade, no colo.

Não creio ter me enganado sobre a cognoscibilidade de minha descrição aqui e não me atrevo a nenhum julgamento, acerca do fato de o artista ter nos facilitado a dissolução desses nós na barba. Mas, afastada esta dúvida, resta o fato de que a pressão do dedo indicador da mão *direita* diz respeito, principalmente, às mechas de cabelo da metade da barba *esquerda* e que é contido por meio do efeito que se propaga da barba, de tal modo, que possam participar dele a mudança da cabeça e do olhar para o lado esquerdo. Então, devemos perguntar o que significa esta ordenação e a quais motivos ela deve sua existência. Seriam realmente considerações acerca da condução das linhas e da ocupação dos espaços, que o artista mobilizou, de tal modo que a barba espessa flutuando para baixo do Moisés olhando para a esquerda anulasse o quão especialmente inapropriada aparece como meio para a pressão de um dedo? E quem, que por um motivo qualquer, moveu sua barba para o outro lado teria, por isso, decaído, para fixar, por meio da pressão de um dedo, a mecha de uma metade da barba sobre a outra? Mas, talvez, no fundo, esses traços irrisórios nada signifiquem, e nós quebramos a cabeça com coisas que eram indiferentes ao artista?

Continuemos a pressupor que esses detalhes também têm um significado. Existe então uma solução, a qual supera as dificuldades e nos permite imaginar um novo sentido. Se, na figura de Moisés, as mechas do lado esquerdo da barba estão pressionadas pelo dedo indicador direito, então é permitido compreendê-las, talvez, como o resíduo de uma relação entre a mão direita e a metade da barba esquerda, a qual em um momento anterior estava bem mais íntima do que a representada. Talvez, a mão direita tenha afagado a barba de maneira muito enérgica, como se tivesse avançado até a borda esquerda desta, como se ela tivesse imobilizada na ação, que vemos agora na estátua, como se ela acompanhasse uma parte da barba e desse testemunho do movimento que aqui se desenrola. A guirlanda de barba seria o rastro do caminho percorrido por esta mão.

Desse modo, teríamos deduzido um movimento regressivo da mão direita. Tal movimento nos força a uma hipótese inevitável. Nossa fantasia completa o processo, do qual o movimento testemunhado pelo rastro da barba é um fragmento e nos faz retomar, livremente, uma interpretação segundo a qual o Moisés sereno se sobressalta com o barulho do povo e com a visão do bezerro de ouro. Ele está tranquilamente sentado, a cabeça com a barba ondulante dirigida para frente e, provavelmente, nada ligava a mão à barba. Nesse momento, o alarido dói em seu ouvido, ele vira a cabeça na direção do distúrbio, vê a cena e a compreende. Então, é tomado pela ira e pela indignação, ele gostaria de saltar, punir os idólatras, destruí-los. A fúria, que sabemos, ainda está distante de seu objeto, entretanto, se dirige, como gesto, contra seu próprio corpo. A mão, impaciente, pronta para agir, se agarra para frente, na barba, a qual, tendo acompanhado o movimento da cabeça, a comprime com um férreo laço entre o polegar e a palma da mão, com os dedos fechados, um sinal de força e veemência, que nos lembra, com prazer, de outras figuras de Michelangelo. Mas eis que surge, não sabemos ainda como e por que, uma mudança; a mão estendida, mergulhada na barba, rapidamente se retrai, ela solta a barba, os dedos se desprendem dela, mas tão profundamente encravados nela estavam neste recuo que uma espessa mecha do lado esquerdo é transportada para o direito, onde ela, sob a pressão de um único dedo, o maior e mais superior, deve se sobrepor ao trançado do lado direito da barba. E esta nova posição, que só é compreensível a partir da dedução do que aconteceu antes, torna-se agora consistente.

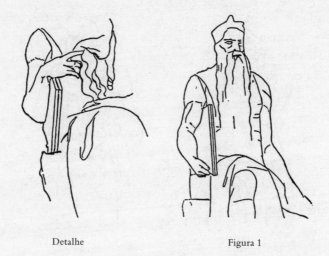

Detalhe   Figura 1

É tempo de refletir. Tomamos a posição de que a mão direita, inicialmente, estava fora da barba, que ela, então, em um momento de grande tensão afetiva se encaminhou para a esquerda, para comprimir a barba e que ela, ao final, se conteve. Momento no qual agarrou uma parte da barba. Nós imprimimos uma mudança de marcha, como se pudéssemos livremente dispor dela. Mas poderíamos fazer isso? Essa mão está livre? Ela não carregava ou conservava as tábuas sagradas; tais gestos não lhe são proibidos devido a sua importante tarefa? E, além disso, o que ela causa a partir deste movimento de recuo, se ele se seguiu a um forte motivo, para abandonar sua posição inicial?

Nessas tábuas, deve-se observar algo que até aqui não foi valorizado.[i] Diz-se: a mão se ampara nas tábuas ou a mão ampara as tábuas. Vê-se também, sem mais, que os dois cantos direitos das tábuas, lado a lado, repousam na borda. Se observarmos mais de perto, veremos que o lado

---

[i] Ver o detalhe.

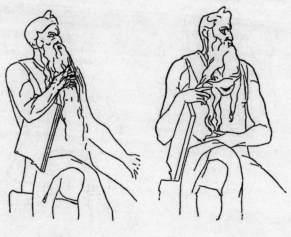

Figura 2   Figura 3

inferior das tábuas está representado de maneira diferente do que o superior, enviesado, inclinado para a frente. Este lado superior está limitado, em linha reta, mas o inferior mostra, na parte da frente, uma saliência como uma ponta e exatamente com esta saliência as tábuas tocam o banco de pedra. O que podem significar estes detalhes, os quais, de todo modo, são reproduzidos, inteiramente errados, em uma cópia de gesso na coleção da Academia de Artes Plásticas de Viena? É quase indubitável que essa ponta deve distinguir o lado superior da tábua, onde o escrito se inicia. Apenas a parte superior do canto direito da tábua costuma ser arredondada ou desordenada. As tábuas estão aqui na cabeça. Trata-se de um tratamento especial tendo em vista objetos tão sagrados. Elas estão colocadas sobre a cabeça e quase balanceadas em uma ponta. Qual fator formal se efetiva nesta figura? Ou também estes detalhes deveriam ser completamente indiferentes ao artista?

Então, se introduz aqui a interpretação de que também as tábuas chegaram a essa posição por meio de um movimento iniciado, que esse movimento dependia da definitiva mudança de local da mão direita e então que elas, por sua vez, impulsionaram esta mão rumo ao seu posterior movimento de contenção. Os procedimentos com a mão e com as tábuas formam uma unidade. Inicialmente, quando a estátua se assentava aí tranquilamente, ela trazia as tábuas firmemente sob o braço direito. A mão direita prendia suas bordas inferiores e encontrava aí uma sustentação do preparativo para o salto à frente. Esse alívio do peso esclarece, sem dúvida, por que as tábuas eram mantidas ao contrário. Então, chega a hora em que a tranquilidade é destruída pelo tumulto. Moisés move a cabeça na direção deste e quando ele vê a cena, o pé se prepara para saltar, a mão deixa de pressionar as tábuas e se movimenta para a esquerda e para cima, na barba, como que para acionar sua impetuosidade no seu próprio corpo. As tábuas estavam confiadas à pressão do braço, que deveria pressioná-las contra o peito. Mas esta fixação não foi suficiente, elas começaram a deslizar para a frente e para baixo, a borda mantida inicialmente na horizontal se movimentou para a frente e para baixo. A borda interior privada de sua sustentação se aproximou, com sua ponta, do banco. Um momento mais, e as tábuas teriam se virado para encontrar um novo ponto de sustentação, com o qual antes, a borda superior alcançou o chão e nele se espatifou. *Para evitar isso*, a mão direita se retrai, deixando a barba livre, da qual uma parte, sem intenção, é puxada junto, e ainda alcança o lado da tábua e a sustenta próxima de sua parte posterior, que se tornou agora o canto mais alto. Assim, o estranho e aparentemente forçado conjunto de barba, mão e do par de tábuas colocado na ponta se deduz a partir de um apaixonado movimento da mão e de suas consequências bem fundamentadas. Se quisermos anular os rastros desse movimento que transcorre como uma tormenta, então devemos levantar o canto superior frontal das tábuas e empurrá-las para trás da imagem e, com isso, o canto inferior frontal (com a preparação para o salto) distanciado da pedra que serve como cadeira, diminui a mão e a leva para baixo da borda inferior da tábua que permaneceu na horizontal.

Solicitei a um desenhista que fizesse três desenhos que deveriam esclarecer minha posição. Destes, o terceiro reproduz a estátua, tal como a vemos; os dois outros representam as etapas preparatórias, postuladas por minha interpretação, a primeira, o momento da tranquilidade, a segunda, a da tensão mais elevada, a preparação para o salto, o afastamento da mão em relação às tábuas e o início do deslizamento destas. É digno de atenção como meus dois desenhos complementam exposições que homenageiam descrições inexatas de autores mais antigos. Condivi, um contemporâneo de Michelangelo, disse: "Moisés, caudilho e capitão dos hebreus, está sentado na posição de um sábio meditando, mantém sob o braço direito as tábuas da lei e protege o queixo (!) com a mão esquerda, como alguém que está cansado e cheio de preocupações".[19] Isso não se vê, de forma alguma, na estátua de Michelangelo, mas quase corresponde à hipótese que fundamenta o primeiro desenho. Como outros observadores, W. Lübke escreveu: "Abalado, ele agarrou com a mão direita a imponente barba ondulante...". Isto não é correto, se nos basearmos na reprodução da estátua, mas está de acordo com nosso segundo desenho. Como mencionado, Justi e Knapp viram que as tábuas estão deslizando, correndo o perigo de se espatifar. Eles poderiam ser corrigidos por Thode, para quem as tábuas estariam seguramente fixadas pela mão direita, mas eles teriam razão, na medida em que não descreveriam a estátua, mas nosso estádio intermediário. Poder-se-ia quase pensar que esses autores teriam se libertado da imagem do rosto da estátua e teriam iniciado, sem o saber, uma análise dos motivos do movimento, os quais os teriam conduzido às mesmas exigências, tal como nós as colocamos, de maneira mais consciente e mais clara.

III

Se não estiver enganado, que nos seja permitido agora colher os frutos de nossa preocupação. Como tantos que estiveram sob o fascínio da estátua, ouvimos a interpretação que lhe foi impingida, a qual representava Moisés sob o efeito da visão de que seu povo teria decaído e dançava em torno da imagem de um ídolo. Mas esta interpretação poderia ser abandonada, pois encontrava sua continuidade na expectativa de que ele a qualquer momento saltaria, destruiria as tábuas e completaria a obra da vingança. Mas isto contradizia a caracterização da estátua como parte do sepulcro de Júlio II, ao lado de outras três ou cinco figuras que estavam sentadas. Então, deveríamos recuperar esta interpretação abandonada, pois nosso Moisés não saltará e as tábuas não seriam arremessadas. O que vemos nele não é o preparativo para uma ação violenta, mas o que restou de um movimento iniciado. Ele gostaria, tomado pela ira, de saltar, de se vingar, de esquecer as tábuas, mas superou a tentação e agora permanece sentado, com a fúria bastante domada, com uma dor misturada ao desprezo. Ele também não lançará as tábuas, elas tocarão na pedra, e exatamente por causa delas, ele superou sua ira e, para salvá-las, dominou sua paixão. Quando ele se entregou a sua apaixonada indignação, deveria ter abandonado as tábuas, desprendendo delas a mão que as segurava. Então, elas começaram a deslizar, correndo o risco de se despedaçarem. Isso lhe lembrou algo. Ele pensou na sua missão e renunciou, por ela, à satisfação de seus afetos. Sua mão se contraiu, e ele salvou tábuas que deslizavam, antes que elas pudessem cair. Nesse momento, ele permaneceu parado e foi assim que Michelangelo o representou, como guardião do sepulcro.

Na sua figura, se expressa uma tríplice classificação na direção vertical. Nas rugas do rosto, se refletem os afetos, os quais se transformam nos afetos dominantes, no centro da figura se encontram os traços visíveis do movimento reprimido [*unterdrückten*], o pé mostra ainda a situação do ato pretendido, como se o domínio a tivesse percorrido de alto a baixo. O braço esquerdo, do qual ainda não falamos, parece exigir sua parte em nossa interpretação. Sua mão repousa sobre seu colo, num gesto delicado e abraça, como se estivesse acariciando, os últimos fios da barba ondulante. Ela dá a impressão de querer superar a violência, com a qual, um pouco antes, a outra mão tinha maltratado a barba.

Mas nos contrapomos a isso: este não é o Moisés da Bíblia, que realmente sucumbiu à ira e jogou fora as tábuas, que se quebraram. Foi um Moisés completamente diferente daquele que surgiu da sensibilidade do artista, o qual emendou o texto sagrado e falseou o caráter do homem divino. Deveríamos exigir de Michelangelo essa liberdade, a qual não se encontra muito distante de um sacrilégio em relação ao divino?

A passagem do texto sagrado, na qual é relatado o comportamento de Moisés diante da cena do bezerro de ouro, diz o seguinte (perdoem-me por utilizar, anacronicamente, a tradução de Lutero):

(II. B. Cap. 32.) "7) Mas o Senhor disse a Moisés: Vá, desça; pois teu povo, que conduzistes para fora do Egito, se corrompeu. 8) Eles saíram, rapidamente, do caminho que lhes ofereci. Eles fizeram para si um bezerro, o adoraram, lhe sacrificaram e disseram: este é o teu Deus, Israel, que te tirou do Egito. 9) E o Senhor falou para Moisés: estou vendo que se trata de um povo teimoso. 10) Então, me deixe extravasar minha ira sobre eles e exterminá-los; assim, eu farei de ti um grande povo. 11) Mas Moisés ajoelhou-se diante do Senhor, seu Deus, e disse: ah, Senhor, por que queres extravasar tua ira contra teu povo, aquele que tu com grande força e mão forte conduzistes para fora do Egito?... 14) E o Senhor arrependeu-se do mal que queria infligir ao seu povo. 15) Moisés se voltou, desceu da montanha com as duas tábuas dos mandamentos em sua mão, escritas nos dois lados. 16) O próprio Deus as fez e ele mesmo escreveu nelas. 17) Então Josué ouviu a gritaria do povo, que se rejubilava, e falou a Moisés: há uma gritaria no acampamento, como se fosse briga. 18) Ele respondeu: não se trata de gritaria contra alguém, vencido ou dominado, mas ouço a gritaria de uma dança de vitória. 19) Porém, quando ele se aproximou do acampamento e viu o bezerro e a roda em volta dele, é acometido pela ira e lança as tábuas de suas mãos e as quebra embaixo da montanha; 20) e tomou o bezerro que eles haviam feito, o derreteu no fogo, o triturou feito pó, tirou a poeira na água e deu a beber aos filhos de Israel.......... 30) Pela manhã, falou Moisés ao povo: vós cometestes um grande pecado; então vou novamente subir até o Senhor, pois talvez eu posso fazê-lo perdoar vosso pecado; 31) mas, quando Moisés mais uma vez falou com o Senhor, ele disse: ah, o povo cometeu um grande pecado e fizeram para si ídolos de ouro..."

Sob a influência da moderna crítica bíblica torna-se impossível para nós ler essa passagem, sem encontrar nela os sinais da mais inábil conexão a partir do relato das mais diversas fontes. No versículo 8, o próprio Senhor comunica a Moisés que o povo o teria traído e construíra para si uma imagem idólatra; Moisés implora pelos pecadores. No versículo 18, Moisés se comporta, em relação a Josué, como se ele não soubesse disso, sucumbindo imediatamente à ira (versículo 19), quando assiste à cena do culto idólatra. No versículo 14, ele já obtivera o perdão de Deus para seu povo pecador, mas, no versículo 31 e subsequentes, ele volta à montanha para implorar esse perdão, relata ao Senhor a traição do povo e consegue o adiamento da punição. O versículo 35 remete a uma punição do povo por Deus, da qual nada é comunicado, enquanto entre os versículos 29 e 30, foi descrita a punição, a qual o próprio Moisés executou. Sabe-se que as partes históricas do livro, que tratam do êxodo, são ainda entremeadas por claras incongruências e contradições.

Para os homens da Renascença, tais posicionamentos críticos em relação ao texto bíblico naturalmente não existiam, eles deveriam compreender o relato como se este fosse coerente e se conformar com o fato de que ele não oferecia nenhuma boa ligação com as artes plásticas. O Moisés da passagem da Bíblia já tinha tomado conhecimento do ritual idólatra do povo, já se colocara do lado da clemência e do perdão e sofrera, então, um súbito ataque de fúria quando avistou o bezerro de ouro e a turba dançando. Não deveríamos, então, nos admirar, se o artista que quis representar a reação do herói a essa dolorosa surpresa tenha se tornado, por motivos internos, independente do texto bíblico. Mas tal desvio do sentido literal do escrito sagrado o foi por motivos menores, de modo algum, estranho ou negado pelo artista. Um famoso quadro de Parmigianino[20] em sua cidade natal nos mostra Moisés, tal como ele, sentado no alto da montanha, arremessa as tábuas ao chão, embora o versículo da Bíblia diga expressamente: ele a quebrou ao pé da montanha. Já a representação de um Moisés sentado não encontra nenhum apoio no texto bíblico e nos parece, antes, para fazer uma correta avaliação, que este supõe que a estátua de Michelangelo não pretende fixar nenhum momento da vida do herói.

Mais importante do que a fidelidade ao texto sagrado é, muito mais, a metamorfose que Michelangelo, segundo nossa interpretação, realizou no caráter de Moisés. O homem Moisés, segundo os testemunhos da tradição, era irritadiço e dominado pela exaltação das paixões. Atacado pela ira divina, ele assassinara um egípcio que tinha maltratado um israelita e, por isso, precisou fugir para o deserto. Em uma semelhante irrupção dos afetos, arremessara as duas tábuas, nas quais o próprio Deus havia escrito. Quando a tradição relata um tal caráter, ela é inteiramente imparcial, conservando a impressão de uma grande personalidade que um dia viveu.

Michelangelo assentou no sepulcro do papa um outro Moisés, o qual reconsiderou o Moisés histórico ou tradicional. Ele retrabalhou o tema da destruição das tábuas da lei, estas não foram destruídas pela fúria de Moisés, mas esta irascibilidade, devido à ameaça de que as tábuas poderiam se quebrar, se acalmou e, no mínimo, foi inibida em meio ao caminho que o levaria à ação. Com isso, ele acrescentou algo novo, além-do-humano [*Übermenschliches*], à figura de Moisés, a violenta massa corporal e a forte musculatura da estátua se tornaram apenas o meio de expressão corpóreo para o mais elevado trabalho psíquico de que um homem é capaz, em prol do rebaixamento de sua própria paixão e do cumprimento de uma determinação, para a qual se foi consagrado.

Aqui, a interpretação da estátua de Michelangelo deve terminar. Pode-se ainda perguntar quais motivos agiam no artista quando ele pensou para o sepulcro do papa Júlio II um Moisés, de fato, tão modificado. Sob vários aspectos, poder-se-ia concordar que esses motivos deveriam ser procurados no caráter do papa e nas relações do artista com ele. Júlio II se aparentava a Michelangelo, na medida em que procurava realizar algo grande e poderoso, sobretudo o que é grande por sua dimensão. Ele era um homem de ação, seu motivo era claro, ele almeja a unidade da Itália sob o domínio do papado. O que só deveria ser alcançado muitos séculos depois, pela ação conjunta de outros poderes, ele queria alcançar sozinho, no curto espaço de tempo e domínio que lhe foi consentido, impaciente e por meios violentos. Ele sabia valorizar Michelangelo como um igual, mas ele o fazia sofrer com sua irascibilidade e sua indelicadeza. O artista era consciente dessa mesma veemência da ambição e poderia ter suspeitado do fracasso, como um cismador que olha mais profundamente na direção daquilo que ambos haviam condenado. Assim, ele fincou seu Moisés no monumento ao papa, não sem censurar o morto, exortando-o para si mesmo, elevando-se com essa crítica, além de sua própria natureza.

IV

No ano 1863, um inglês, W. Watkiss Lloyd, dedicou ao Moisés de Michelangelo uma pequena brochura.[i]

---

[i] W. Watkiss Lloyd, *The Moses of Michel Angelo*. London, Williams and Norgate, 1863.

Quando me foi possível ter em mãos este escrito de 46 páginas, procurei conhecer seu conteúdo com sentimentos contraditórios. Era uma oportunidade de experimentar, novamente, na própria pessoa, aquilo que poderia contribuir, por motivos infantis pouco honrosos, para nosso trabalho, a serviço de uma grande coisa. Ponderei que Lloyd em muito antecipara o que me era valioso como resultado de minha própria preocupação e, antes de tudo, em segunda instância, pude me alegrar por inesperada confirmação. Em todo caso, em um ponto decisivo, nossos caminhos se separam.

Inicialmente, Lloyd observa que as descrições comuns da figura não são corretas, que Moisés não está a ponto de fazer algo,[i] que a mão direita não agarra a barba, que apenas o seu dedo indicador ainda a toca.[ii] Ele também viu, bem mais longe do que quis dizer, que a atitude representada na estátua poderia ser esclarecida, apenas por meio de uma regressão a um momento anterior, não representado e que o deslocamento para o lado das mechas esquerdas da barba para a direita deveria indicar que a mão direita e a metade esquerda da barba deveriam estar, antes, em uma ligação íntima, naturalmente conciliadas.

---

[i] "*But he is not rising or preparing to rise; the bust is fully upright, not thrown forward for the alteration of balance preparatory for such a movement...*" (p. 10). [Mas ele não está se erguendo ou se preparando para se erguer; o busto está completamente ereto, e não inclinado para a frente com vistas à mudança de equilíbrio que antecede tal movimento...]

[ii] "*Such a description is altogether erroneous; the fillets of the beard are detained by the right hand, but they are not held, nor grasped, enclosed or taken hold of. They are even detained but momentarily – momentarily engaged, they are on the point of being free for disengagement.*" (p. 11). [Tal descrição está totalmente equivocada; as mechas da barba são detidas pela mão direita, mas não são seguradas, nem agarradas, contidas ou presas. Elas são até detidas, mas momentaneamente – momentaneamente pegas, estão a ponto de serem soltas e liberadas.]

Mas ele segue um outro caminho para restaurar essa vizinhança com decisiva necessidade, não permitindo que a mão se movimente pela barba, uma vez que a barba estaria presa à mão. Ele declara que se deveria imaginar que "a cabeça da estátua, um momento antes da súbita perturbação, teria se movimentado completamente para a direita, acima da mão, a qual, antes como agora, segurava as tábuas da lei". A pressão na palma da mão (por meio das tábuas) deixa que seu dedo se abra naturalmente entre as tranças que ondulam, e a súbita mudança da cabeça para o outro lado tem, como consequência, que uma parte das mechas do cabelo, por um momento, tenha sido retida pela mão que ficara imóvel, formando essa guirlanda de cabelos, que deve ser compreendida como um rastro (*wake*) do caminho.

Acerca da outra possibilidade de uma aproximação anterior da mão direita e da metade da barba esquerda, Lloyd se permitiu impedir por meio de uma consideração, a qual justifica o quão próximo ele caminhou de nossa interpretação. Não seria possível que o profeta, mesmo sob a maior exaltação, pudesse ter voltado sua mão para a frente e assim puxado a barba para o lado. Neste caso, a ação dos dedos seria totalmente diferente e além disso, na sequência desse movimento, as tábuas teriam caído, as quais só foram mantidas pela pressão da mão direita, o que significaria, então, a presunção de que a estátua, para ainda manter as tábuas, fez um movimento desastrado, cuja representação conteria, de fato, uma desonra ("*Unless clutched by a gesture so akward, that to imagine it is profanation*" ["Agarradas por um gesto tão desajeitado que imaginá-lo é profanação"].

É fácil ver onde se localiza o descaso do autor. Ele interpretou corretamente a peculiaridade da barba como indício de um movimento iniciando, mas a abandonou para chegar à mesma conclusão acerca dos detalhes não menos forçados, na posição das tábuas. Ele aproveita apenas os indícios da barba, mas não os das tábuas, cuja posição ele aceita como sendo a original. Assim, ele franqueia o caminho para uma interpretação como a nossa, que alcança por meio da valorização de certos detalhes invisíveis, uma surpreendente interpretação de toda a estátua e de seus propósitos.

Mas o que aconteceria, então, se ambos estivéssemos num falso caminho? Se tivéssemos acolhido especificidades pesadas e plenas de significado, às quais o artista fosse indiferente e que esculpiu desse jeito por puro acaso ou por certas possibilidades formais, tais quais elas aparecem, sem esconder nelas nenhum mistério? E se tivéssemos sucumbido ao destino de muitos intérpretes que acreditaram poder ver claramente o que o artista, consciente ou inconscientemente, resolveu criar? Sobre isso, nada posso concluir. Nada tenho a dizer, no que concerne a isso, se um artista como Michelangelo lutou tanto para expressar em suas obras tantos pensamentos, para confiar tal indeterminação e se exatamente isso é aceitável como características claras e específicas da estátua de Moisés.

Enfim, deve-se ainda complementar, com toda sobriedade, que compartilhamos com os intérpretes as dúvidas acerca dessa incerteza do artista. Com suficiente frequência, Michelangelo caminhou, em suas criações, até o limite extremo daquilo que a arte pode exprimir e talvez ele não tenha sido totalmente feliz no caso de Moisés, caso sua intenção tenha sido que se intuísse a torrente da mais forte excitação, a partir dos indícios que, após o seu decurso, permaneceram serenos.

COMPLEMENTO AO TRABALHO SOBRE
O MOISÉS, DE MICHELANGELO
(1927)

Muitos anos depois do aparecimento do meu trabalho sobre o Moisés, de Michelangelo, que fora publicado em 1914, na revista *Imago*, sem menção ao meu nome, caiu-me às mãos pela bondade de E. Jones um número do *Burlington Magazine for Connoisseurs* (n. CCXVII, v. XXXVIII, abr. 1921), que fez meu interesse voltar-se novamente para a interpretação proposta para a estátua. Neste número se encontra um artigo de H. P. Mitchell sobre duas estátuas de bronze do século XII, que estão atualmente no Museu Ashmolean, em Oxford, assinado por um talentoso artista daquela época, Nicholas von Verdun. Deste, existem também outras obras em Tournay, Arras e Klosterneuburg, próximo a Viena; *O sacrário dos santos três reis magos*, que se encontra em Colônia, é considerado sua obra-prima.

Uma das duas estatuetas, a qual Mitchell se dedica, é um Moisés (de 23 centímetros de altura), caracterizado, sem nenhuma dúvida, pelas tábuas que lhe foram dadas. Também este Moisés está sentado, envolvido por um manto enrugado, seu rosto mostra uma expressão apaixonada, talvez aflita, e sua mão direita agarra a longa barba do queixo e pressiona seus fios entre a mão fechada e o polegar como em um alicate, ou seja, executando o mesmo movimento, que na figura 2 de meu ensaio foi suposto como preparatório dessa posição, na qual vemos agora o Moisés de Michelangelo petrificado.

Um olhar auxiliado por essas reproduções permite reconhecer as diferenças fundamentais entre as duas representações, separadas por mais de três séculos.

O Moisés do artista da região da Lorena[21] mantém as tábuas com sua mão esquerda junto ao seu peito e as sustenta com sua perna; transportando-se as tábuas para o outro lado, confiando-as ao braço direito, encontra-se então a situação de partida do Moisés de Michelangelo. Se minha interpretação do gesto de agarrar a barba pelo lado de dentro for plausível, então o Moisés do ano 1180 nos restitui, novamente, o momento em que se dá a irrupção dos afetos, enquanto a estátua da igreja de San Pietro in Vincoli nos restitui a serenidade depois dessa irrupção.

Creio que a descoberta comunicada aqui aumenta a verossimilhança da intepretação que tentei no meu trabalho de 1914. Talvez seja possível a um especialista em arte preencher a lacuna temporal entre o Moisés de Nicholas von Verdun e o do mestre da Renascença italiana por meio do testemunho dos tipos de Moisés que apareceram nesse meio-tempo.

Estátua de Moisés, atribuída
a Nicolas von Verdun.

NOTAS

[1] De início, o artigo foi publicado como anônimo. Ao título, Freud acrescentou o seguinte: "A redação não recusou esta contribuição rigorosa [...], porque o autor conhecido, está próximo do círculo analítico e porque seu modo de pensar sempre mostra uma certa semelhança com a metódica da Psicanálise" (N.E.A.).

[2] SAUERLANDT, Max. *Michelangelo*. Düsseldorf & Leipzig, Karl Robert Langewiesche Verlag, 1911. (N.T.)

[3] GRIMM, Herman. *Leben Michelangelo's*, Hannover, Carl Rümpler, Zweite Auflage, 2 vol. 1864. (N.T.)

[4] LÜBKE, Wilhelm. *Geschichte der Plastik von den ältesten Zeiten bis auf die Gegenwart*, Leipzig, Verlag von E. A. Seemann, 1863. (N.T.)

[5] SPRINGER, Anton Heinrich. *Raffael und Michelangelo*, Leipzig, Verlag E. A. Seemann, 1883. (N.T.)

[6] JUSTI, Carl. *Michelangelo. Beiträge zur Erklärung der Werke und des Menschen*, Leipzig, Breitkopf & Härtel, 1900. (N.T.)

[7] MÜNTZ, Eugène. *Histoire de l'art pendant la Renaissance, La fin de la Renaissance, Michel-Ange*, Paris, Hachette et cie 1895. (N.T.)

[8] BOITTO, Camilo. *Leonardo, Michelangelo, Andrea Palladio*, 1883. (N.T.)

[9] BURCKHARDT, Jacob. *Der Cicerone. Eine Anleitung zum Genuss der Kunstwerke Italiens*, Basel, Schweighauser'sche Verlagbuchhandlung, 1855. (N.T.)

[10] GUILLAUME, Eugène. Michel-Ange, sculpteur, in *Gazette des Beaux-Arts*, série 2, tome 13, Paris, 1876. (N.T.)

[11] WILSON, Charles Heath. *Michelangelo Buonarroti, Life and Works*, London, John Murray, Albemarle Street, 1876. (N.T.)

[12] WÖLFLLIN, Heinrich. *Die Klassische Kunst. Eine Einführung in die Italienische Renaissance*, München, F. Bruckmann A. G., Sechste Auflage, 1914. (N.T.)

[13] KNAPP, Fritz. *Michelangelo: Des Meisters Werke: Mit Einer Biographischen Einleitung*, in Klassiker der Kunst in Gesamtausgaben, VII, Stuttgart und Leipzig, Deutsche Verlags-Anstalt, 1906. (N.T.)

[14] À diferença de Nietzsche, a cuja concepção de Além-do-homem essa passagem alude, Freud a pensa como efetivação de uma renúncia em prol de uma missão, o que encerra o próprio conteúdo da moralidade, segundo o texto dedicado a Dostoiévski. Em Nietzsche, ao contrário, diz respeito à "autossuperação de si", ou seja, à superação da conformação aos valores vigentes, à exigência da "transvaloração de todos os valores". Em *Der Künstler*, Rank já havia apresentado uma

interpretação psicanalítica do *Übermensch* nietzschiano, que Freud certamente conhecia. Segundo ele, na "religião pessoal de Nietzsche", "o Inconsciente é sentido como o maior poder interior e o próprio homem deve tornar-se um Deus, um *Além-do-homem*, deve pretender tornar-se senhor do seu inconsciente" (op. cit, p. 39). Diferente de Moisés, cuja religião é universal e cuja essência consiste na renúncia, a religião de Nietzsche é "pessoal" e deve almejar não uma renúncia, mas um domínio, um tornar-se "senhor" de seu inconsciente. (N.T.)

[15] Trata-se de Girolamo ou Jerônimo Savonarola (1452-1498), padre dominicano que governou Florença por um certo período. Crítico dos abusos da vida eclesiástica e da imoralidade de parte do clero, acabou por se indispor com o papa Alexandre VI e foi excomungado em 1497. (N.T.)

[16] KNACKFUSS, Hermann Joseph Wilhelm. *Michelangelo, Künstler Monographien* IV, Bielefeld und Leipzig, Verlag von Velhagen & Klasing, 1895. (N.T.)

[17] Em inglês no original. (N.T.)

[18] Talvez aqui, por engano, Freud tenha escrito *Haarsträhne* (madeixas) em vez de *Haarsstränge* (tranças). (N.E.A.)

[19] Trata-se de Ascanio Condivi, discípulo de Michelangelo e seu primeiro biógrafo. Publicou, em 1553, *Vita di Michelangelo Buonarroti*. (N.T.)

[20] Trata-se de Girolamo Francesco Maria Mazzola, pintor maneirista italiano, discípulo de Michelangelo e Rafael. (N.T.)

[21] Referência ao fato de Nicholas de Verdun ter esse nome porque nasceu em Verdun, cidade localizada na região francesa da Lorena. (N.T.)

TRANSITORIEDADE (1916)

Há algum tempo na companhia de um amigo taci-turno e de um jovem, mas já famoso e conhecido poeta, fiz um passeio em meio a uma florescente paisagem de verão.[1] O poeta admirava a beleza da natureza a nossa volta, mas sem que pudesse se alegrar por isso. Perturbava-o a ideia de que toda aquela beleza estava destinada a perecer, de que no inverno ela desapareceria dali, assim como toda beleza humana e tudo o que é belo e nobre que o homem criou e poderia criar. Até mesmo tudo o que ele amara e admirara parecia-lhe desvalorizado pelo destino determinante da transitoriedade.

Sabemos que de tal mergulho na caducidade de toda beleza e perfeição podem derivar dois diferentes movimentos psíquicos. Um leva até o doloroso fastio do jovem poeta diante do mundo, o outro, à rebelião contra a realidade existente. Não, é impossível que toda essa magnificência da natureza e da arte, que o nosso mundo de sensações e o mundo lá fora devam realmente se desfazer no nada. Seria demasiado sem sentido e injurioso acreditar nisso. Eles deveriam de algum modo continuar existindo, afastando qualquer influência destrutiva.

Isolada, esta exigência de eternidade deve claramente ser um êxito da nossa vida desejante, como se ela pudesse pretender um valor de realidade. O doloroso também pode ser verdadeiro. Eu não poderia nem contestar a transitoriedade em geral, nem forçar uma exceção no caso da beleza e da perfeição. Mas contesto o poeta pessimista, que associa a transitoriedade do belo com sua desvalorização.

Ao contrário, há um aumento de valor! O valor da transitoriedade é raro em nossa época. A limitação das possibilidades de fruição eleva sua preciosidade. Considero incompreensível que a ideia da transitoriedade do belo possa perturbar nossa alegria diante dele. No que diz respeito à beleza da natureza, após sua destruição pelo inverno, ela voltará novamente no próximo ano, e esse retorno em relação à duração de nossa vida deveria ser caracterizado como eterno. Vemos a beleza do corpo humano e do rosto se desvanecer no interior de nossa própria vida, mas esta efemeridade acrescenta, com seus estímulos, uma nova beleza. Se existe uma flor que brota apenas uma única noite, então seu florescimento nos parece não menos vistoso, suntuoso. Gostaria, de todo modo, de compreender como a beleza e a perfeição da obra de arte e da capacidade intelectual deveriam ser desvalorizadas por sua limitação temporal. Talvez chegue o dia no qual os quadros e as estátuas que admiramos se desfizessem ou que uma geração posterior à nossa não mais entendesse as obras de nossos poetas e pensadores ou mesmo uma época geológica emudecesse todo ser vivo sobre a terra, o valor de toda essa beleza e perfeição seria caracterizado apenas por meio do seu significado para nossa vida sensível, uma vez que esta não precisa sobreviver e, por isso, é independente da duração absoluta do tempo.

Considero essas observações indiscutíveis, mas percebo que não causaram nenhuma impressão sobre o poeta e o amigo. A partir desse fracasso, concluí que a interferência de um momento afetivo muito forte perturbou o julgamento deles e acreditei tê-la encontrado posteriormente. Deve ter sido a revolta psíquica contra o luto, o que desvalorizou, para eles, a fruição do belo. A ideia da transitoriedade desse belo forneceu à sensibilidade de ambos uma prova do luto por sua queda e porque a alma, instintivamente [*instinktiv*], recua diante de tudo que é doloroso, eles sentiram sua fruição no belo prejudicada devido às ideias acerca de sua transitoriedade.

O luto pela perda de algo que amamos ou admiramos parece ao leigo tão natural, que ele o considera evidente. Mas, para o psicólogo, o luto é um grande enigma, um desses fenômenos que, embora não se esclareçam em si, remetem a outras obscuridades. Imaginamos que possuímos certa quantidade de capacidade de amor, chamada libido, a qual se voltara, nos começos do desenvolvimento, para o próprio Eu. Mas, posteriormente, mais exatamente desde muito cedo, essa se separa do Eu e volta-se para objetos, os quais, de certo modo, são incorporados ao nosso Eu. Se nossos objetos são destruídos ou se os perdemos, então nossa capacidade de amor (libido) se libera novamente. Ela pode substituir esses objetos por outros ou, momentaneamente, voltar-se para o eu. Mas não entendemos por que esse esvaziamento da libido em relação aos seus objetos deva ser um processo tão doloroso e que, momentaneamente, não possamos formular nenhuma hipótese a esse respeito. Vemos apenas que a libido se prende aos seus objetos e também não quer desistir dos perdidos, mesmo quando já preparou o substituto. Eis aí o luto.

A conversa com o poeta aconteceu no verão antes da guerra. Um ano depois a guerra começou e roubou do mundo suas belezas. Ela não destruiu apenas a beleza das paisagens que atravessou e as obras de arte que encontrou no seu caminho, ela atingiu também nosso orgulho pelas qualidades de nossa cultura, nosso respeito por tantos poetas e artistas, nossa esperança, enfim, por uma superação das diferenças entre povos e raças. Ela sujou a sublime neutralidade de nossa ciência, deixou nua nossa vida pulsional [*Triebleben*], desacorrentou nossos maus espíritos, que acreditávamos permanentemente domados por décadas de educação por parte de nobres predecessores. Ela tornou nossa pátria novamente pequena e outras terras distantes e vastas. Ela roubou muito de nós, o que amávamos, e nos mostrou a caducidade de muitas coisas que acreditávamos estáveis.

Não devemos nos admirar que nossa libido, tão empobrecida em relação aos objetos, ocupe com tanta intensidade o que ficou em nós, de tal modo que o amor pela pátria, o carinho por quem é próximo e o orgulho pelo que temos em comum subitamente se fortaleçam. Mas quaisquer outros bens, agora perdidos, se tornaram realmente desvalorizados para nós por que se mostraram caducos e incapazes de resistir? Para muitos de nós parece ser assim, mas penso novamente que isso é incorreto. Creio que eles pensam assim e parecem estar prontos para uma permanente renúncia, porque o que era precioso não se conservou estável, ficando apenas no luto por sua perda. Sabemos que quanto mais é doloroso, mais o luto se processa espontaneamente. Caso renunciemos a tudo que foi perdido, o próprio luto também enfraquece e então nossa libido torna-se novamente livre, pois ainda somos jovens e cheios de vida para substituir os objetos perdidos por novos objetos possíveis, preciosos ou mais preciosos ainda. Esperemos que em relação às perdas dessa guerra não se caminhe de maneira diferente. Se antes o luto for superado, isso mostrará que nossa elevada avaliação dos bens culturais não sucumbiu à experiência de sua fragilidade. Reconstruiremos tudo o que a guerra destruiu, talvez com fundamentos mais sólidos e mais duráveis do que antes.

NOTA

[1] O "jovem, mas já famoso poeta" é Rainer Maria Rilke, e o "amigo taciturno", a famosa e na época companheira de Rilke, Lou Andreas-Salomé, a qual sabemos foi também aquela que encantou Nietzsche e seu amigo Paul Rée. Lou Salomé se tornou psicanalista. Esse passeio ocorreu em agosto de 1913, Freud escreveu seu artigo em 1915. Sobre o artigo, as circunstâncias em que foi escrito, as questões que aborda, cf. Matthew von Unwerth. *Freud's Requiem. Mourning, Memory and the Invisible History of a Summer Walk*. London: Riverhead Books, 2005. A identificação dos companheiros de Freud nesse passeio se encontra logo na "Introdução", página 5. (N.T.)

ALGUNS TIPOS DE CARÁTER A PARTIR DO TRABALHO PSICANALÍTICO (1916)

Quando o médico conduz o tratamento psicanalítico de um doente de nervos [*eines Nevrösen*], seu interesse não se dirige de modo algum, prioritariamente, ao seu caráter. Primeiro, ele quer saber o que significam seus sintomas, quais moções pulsionais [*Triebregungen*] se escondem atrás deles, por meio de que se satisfazem e quais estações do caminho mais misterioso levaram desses desejos pulsionais até esses sintomas. Mas a técnica a ser seguida logo o força, de imediato, a dirigir seu desejo de saber [*Wissbegierde*] para outros objetos. Ele percebe que sua investigação é ameaçada pelas resistências que o doente lhe opõe e que deve remetê-las ao caráter deste. É assim que esse caráter faz a primeira exigência em prol de seu interesse.

O que se opõe à preocupação do médico nem sempre são os traços de caráter que o doente lhes confessa e que lhes são atribuídos pelo meio em que vive. Com frequência, qualidades do doente, que parece possuir apenas numa quantidade modesta, se mostram aumentadas com uma intensidade inimaginável ou aparecem algumas atitudes nele que em outras relações de sua vida não se revelariam. As linhas seguintes se ocuparão com a descrição e o retorno às fontes de alguns destes surpreendentes traços de caráter.

I – AS EXCEÇÕES

O trabalho psicanalítico está sempre diante da tarefa de levar o doente à renúncia a um ganho de prazer próximo e imediato. Ele não deve renunciar ao prazer em geral; algo que talvez não se possa exigir de ninguém e mesmo a religião deve fundamentar sua exigência de afastar o prazer profano na promessa de conservar, em um além, uma quantidade elevada e inigualável de prazer absolutamente valioso. Não, o doente não deve simplesmente renunciar a tal satisfação, a qual se segue, infalivelmente, um dano, ele deve, temporariamente, dispensar um ganho de prazer imediato e, em troca, aprender a assegurar um prazer melhor, mesmo que também adiado, trocado. Ou, em outras palavras, deve *progredir do princípio do prazer ao princípio de realidade*, por meio do qual separamos o homem maduro da criança. Durante este trabalho educativo, a melhor intuição do médico raramente desempenha um papel decisivo: ele sabe que, em geral, não deve dizer ao doente mais do que aquilo que a própria compreensão [*Verstand*] deste pode dizer. Mas não é a mesma coisa saber algo por si mesmo e, por outro lado, ouvir a mesma coisa de outro; o médico assume o papel desse outro eficaz, ele se vale da influência que uma pessoa exerce sobre outra. Ou: lembremo-nos que é comum à Psicanálise inserir o originário [*Ursprünglich*] e o enraizável [*Wurzelhaft*] em lugar do deduzido e apaziguado, e dizemos que o médico se utiliza, durante seu trabalho educativo, de alguns componentes do *amor*. Ele provavelmente repete, durante essa educação posterior, apenas o procedimento que a primeira educação, no geral, possibilitou. Ao lado dessa necessidade de viver, o amor é o grande educador e o homem não amadurecido é mobilizado, por meio do amor ao que lhe é mais próximo, a respeitar as ofertas da necessidade e se poupar das punições por sua transgressão.

Desse modo, exigir do doente uma renúncia provisória a algumas satisfações de prazer, um sacrifício, uma disposição para assumir sofrimentos temporariamente, visando um final melhor ou também apenas a decisão de se submeter a uma necessidade válida para todos, esbarra em pessoas singulares, que se opõem com uma motivação específica a tal exigência. Elas dizem que já sofreram e renunciaram o suficiente, reclamam do fato de que já se pouparam de outras exigências, não se submetem mais a nenhuma necessidade indesejada, pois seriam *exceções* e pensam também em permanecer assim. Em um doente de tal tipo, essa exigência intensificou-se até a crença de que um poder superior [*Vorsehung*] especial lhe vigiava, que lhe defenderia contra sacrifícios dolorosos. Diante de certezas internas que se expressam com tal força, os argumentos do médico não têm êxito, como também sua influência não funciona e ele é levado a perseguir as fontes que alimentam o preconceito danoso.

Assim, é indubitável que alguém que se declare como "exceção" goste de reclamar um privilégio em relação aos outros. Mas exatamente neste caso precisamos de uma fundamentação especial e não encontrável em qualquer lugar, se ele se anuncia e se caracteriza realmente como exceção. É preciso dar mais do que uma fundamentação. Nos casos investigados por mim, isso foi conseguido comprovando uma propriedade comum entre o doente e *suas primeiras vicissitudes na vida*: sua neurose se acopla a uma vivência ou a um sofrimento que lhe acometeu na primeira infância, dos quais ele se sabia inocente e que poderiam desvalorizar sua pessoa causando-lhe um prejuízo injusto. Os privilégios que são deduzidos desta injustiça, a insubordinação daí resultante, não pouco contribuíram para reforçar os conflitos os quais, posteriormente, conduziram à irrupção da neurose. Em uma dessas pacientes, a discutida atitude diante da vida se completou, quando ela ficou sabendo que uma dolorosa doença orgânica, a qual a impediu de alcançar seus objetivos na vida, tinha uma origem congênita. Enquanto ela considerava este sofrimento uma aquisição ocasional e posterior, o suportou pacientemente; a partir do esclarecimento de que ele seria parte de uma herança adquirida, ela se rebelou. A jovem, que se acreditava controlada por um poder superior especial, quando lactante, fora vítima de uma infecção ocasional por sua ama e consumira toda sua vida posterior exigindo uma indenização, uma espécie de pensão por acidente, sem atentar em que sua exigência se fundamentava. No seu caso, a análise, que construiu esse resultado a partir de restos obscuros de lembrança e da interpretação dos sintomas, foi confirmada pelas informações da família.

Por motivos facilmente compreensíveis, nada mais posso informar a respeito destas e de outras histórias de doentes. Não quero também, a partir da evidente analogia com a formação de caráter após o longo adoecimento da infância e da conduta de todo um povo, deixar de relacioná-las com um passado profundamente doloroso. Ao contrário, não quero negar isso, referindo-me a uma das maiores criações do grande poeta, em cujo caráter, a exigência de exceção está tão intimamente ligada com o momento do prejuízo congênito e por meio deste é motivado.

No monólogo introdutório de *Ricardo III*, de Shakespeare, diz Gloster [Gloucester], o futuro rei:

> Mas eu, que não fui moldado para as proezas dessas brincadeiras, nem fui feito para cortejar espelho de olhar amoroso; eu, que sou de rude estampa e sou

aquele a quem falta a grandeza do amor para me pavonear diante de uma ninfa de andadura lúbrica; eu, que fui deserdado de belas proporções, roubado de uma forma exterior por natureza dissimuladora, foi com deformidades, inacabado e antes do tempo que me puseram neste mundo que respira, feito mal e mal pela metade, e esta metade tão imperfeita, informe e tosca, que os cachorros começam a latir para mim se paro ao lado deles [...]; portanto, uma vez que não posso e não sei agir como um amante, a fim de me ocupar nesses dias de elegância e de eloquência, estou decidido a agir como um canalha e detestar os prazeres fáceis dos dias de hoje.[1]

Nossa primeira impressão dessa fala programática não parece dizer respeito, talvez, ao nosso tema. Ricardo não parece dizer outra coisa a não ser isto: entedio-me nessa época sem graça e quero me divertir. Mas, devido a minha deformidade, se não posso conversar como amante, representarei o vilão, farei intrigas, matarei e farei tudo o que me agrada. Uma motivação tão frívola deveria abafar qualquer traço de simpatia por parte do espectador, se nada de sério estivesse oculto por trás. Desse modo então também a peça, psicologicamente, seria impossível, pois o poeta deve criar em nós um fundo secreto de simpatia por seus heróis, devemos sentir admiração por sua ousadia e habilidade sem protesto interior e tal simpatia só pode ser fundamentada na compreensão do sentimento de uma possível ligação interior com ele.

Com relação a isso, penso que o monólogo de Ricardo não diz tudo, ele simplesmente aponta algo e nos abandona, para que possamos expor o aludido. Mas, se nós o completarmos, então a aparência de frivolidade desaparece e logo a amargura e o detalhamento com os quais Ricardo descreveu sua deformidade se legitimam, tornando-se clara para nós a ligação que impulsiona nossa simpatia também para o vilão. Isso quer dizer o seguinte: a natureza cometeu uma grave injustiça contra mim, quando me privou de uma forma perfeita, com a qual se conquista o amor das pessoas. A vida me deve desculpas por isso, e eu cobrarei dela. Por isso, exijo ser uma exceção, por não me importar com ponderações, que são impeditivas para outros. Eu mesmo devo praticar a injustiça, pois uma injustiça foi praticada contra mim – e então, sentimos que nós mesmos poderíamos ser como Ricardo, que estamos prontos, em pequena medida, para isso. Por um lado, Ricardo é um aumento gigantesco daquilo que nós mesmos também encontramos em nós. Acreditamos ter todos os motivos para guardar rancor em relação à natureza e ao destino por causa de danos infantis e congênitos; exigimos todas as desculpas pelo adoecimento antecipado do nosso narcisismo, do nosso amor próprio. Por que a natureza não nos presenteou com os cachos dourados de Balder[2] ou com a força de Siegfried[3] ou com a fronte elevada dos gênios, com os nobres traços do rosto dos aristocratas? Por que nascemos no aposento burguês e não no castelo real? Nós nos sentiríamos tão bem, se fôssemos belos e nobres como todos aqueles que agora devemos invejar por isso.

Mas se trata de uma arte delicadamente econômica do poeta, que ele não revele todas as motivações secretas de seus heróis e não se pronuncie inteiramente sobre isso. Assim, ele força-nos a complementá-lo, possibilita nossa atividade intelectual, nos desvia do pensamento crítico e nos mantém identificados com o herói. Um amador, no seu lugar, comporia tudo o que queria nos dizer conscientemente, contrapondo-se à nossa fria inteligência, que se movimenta livremente, tornando impossível um aprofundamento da ilusão.

Entretanto, não queremos abandonar as "exceções", sem refletir que a exigência das mulheres por direitos e liberação de tantas obrigações da vida toca nos mesmos motivos. Como sabemos a partir do trabalho psicanalítico, as mulheres se consideram infantilmente prejudicadas, sem diminuir e restabelecer sua culpa em uma parte que seja e a amargura de tantas filhas em relação às suas mães tem sua raiz mais profunda na acusação de que elas as trouxeram ao mundo como mulheres e não como homens.

II – OS QUE FRACASSAM PELO ÊXITO

O trabalho psicanalítico nos presenteou com o seguinte princípio: as pessoas se tornam neuróticas, em consequência de uma *privação* [*Versagung*]. Pensa-se aqui na privação da satisfação dos seus desejos libidinosos e é preciso um longo desvio para que se entenda isso. Pois, para que uma neurose surja, é necessário um conflito entre os desejos libidinosos de uma pessoa e uma parte do seu ser, que chamamos de Eu, que é a expressão de sua pulsão de autoconservação e que incluiu o seu ideal a propósito do seu próprio ser. Logo, um tal conflito patogênico só existe quando se quer retirar do caminho a libido e seus objetivos, os quais há muito já foram superados e respeitados pelo Eu, estando também proibidos para o futuro e a libido faz isso, se ela tem a possibilidade de uma satisfação ideal e justa do Eu. Desse modo, a dispensa, a privação de uma satisfação real, torna-se a primeira condição para o surgimento da neurose, mesmo que, com o tempo, não seja a única.

É ainda surpreendente, desconcertante, quando se tem, como médico, a experiência de que as pessoas oportunamente adoecem quando um desejo profundamente enraizado e por muito tempo nutrido por elas se realiza. É como se elas não suportassem sua felicidade, não se podendo ter dúvidas acerca da relação originária entre o êxito e o adoecimento. Assim, tive a oportunidade de tomar conhecimento do destino de uma mulher, que gostaria de descrever aqui como modelo de tal mudança trágica.

De boa procedência e bem educada, não podendo quando mocinha controlar os prazeres da vida, abandonou a casa dos pais e se lançou numa aventura pelo mundo, até que conheceu um artista que soube valorizar seu encanto feminino, mas que também pressentiu a sensível predisposição dela para o menosprezo. Ele a levou para sua casa e ganhou, com ela, uma fiel companheira, a quem só parecia faltar para a completa felicidade a reabilitação burguesa. Após muitos anos de vida em comum, ele declarou que sua família já se tornara amiga dela e que ele estava pronto para torná-la sua mulher perante a lei. Neste momento, ela iniciou a recusa. Ela se descuidou da casa, da qual deveria se tornar legítima proprietária, se sentia perseguida pelos parentes que queriam integrá-la à família, impedia o companheiro de qualquer convívio por um ciúme sem sentido, o atrapalhava no seu trabalho artístico e logo sucumbiu a uma doença psíquica incurável.

Uma outra observação me foi permitida por um homem altamente respeitável, que, mesmo professor acadêmico, alimentou durante muitos anos o desejo compreensível de ser o sucessor de seu mestre, que lhe introduzira à ciência. Quando da aposentadoria de seu velho mestre, seus colegas lhe comunicaram que não viam outra pessoa que não ele para ser seu sucessor, então começou a ficar tímido, diminuía seus méritos, se considerava sem valor para preencher a vaga e caiu em profunda melancolia, que o impediu, durante os anos seguintes, de qualquer atividade.

Mesmo que esses dois casos sejam muito diferentes, eles possuem algo em comum, o de que o adoecimento apareceu pela realização de um desejo, tornando nulo o seu gozo [*Genuss*].

A contradição entre tais experiências e o princípio de que as pessoas adoecem por privação [na realização de um desejo] não é insolúvel. A diferença entre uma privação *externa* e uma *interna* a supera. Se, na realidade, o objeto no qual a libido pode encontrar sua satisfação é eliminado, trata-se então de uma privação externa. Em si, ela ainda não tem efeito, ainda não é patogênica, enquanto não se apresentar para ela uma privação interna. Esta deve partir do Eu e disputar com a libido outros objetos, dos quais ela quer se apoderar. Então, surge um conflito e a possibilidade de uma doença neurótica, isto é, de sua satisfação substitutiva pelos desvios que passam pelo inconsciente recalcado. A privação interna em todos os casos é percebida, mas não tem efeito, até que a privação externamente real tenha preparado a situação para ela. Nos casos de exceção, quando as pessoas adoecem por obterem êxito, apenas a privação interna se efetivou para elas, ela irrompeu apenas depois que a privação externa tomou o lugar da realização do desejo. Neste caso, à primeira vista, chama atenção algo que, numa consideração mais aproximada, pensamos não ser absolutamente inabitual, que o Eu tolere um desejo como inocente, na medida em que conduz uma existência como fantasia e parece distante de sua realização enquanto se defende fortemente dele, embora se alimente do desejo que ameaça se tornar realidade. A diferença em relação a situações bastante conhecidas de formação das neuroses consiste no fato de que até aqui fantasias desvalorizadas e causadoras de sofrimento se tornam adversárias temidas, enquanto nos nossos casos o sinal para irrupção do conflito é dado por uma transformação externa real.

O trabalho analítico mostra-nos facilmente que são os *poderes da consciência* que proíbem as pessoas, a partir de mudanças reais e felizes, de atingirem o ganho longamente esperado. Mas um trabalho difícil é o de conhecer a natureza e a proveniência dessas tendências punitivas apontadas, que nos surpreendem frequentemente por sua existência, onde não as esperávamos. O que sabemos ou supomos sobre elas, não quero descrever a partir dos motivos conhecidos nos casos observados por médicos, mas das figuras criadas pelo grande poeta a partir da abundância do seu conhecimento anímico [*Seelenkenntnis*].

Uma personagem que após ter alcançado um êxito entra em crise, depois que lutou obstinadamente por ele, foi Lady Macbeth, de Shakespeare. Não se trata, antes de tudo, no caso dela, de nenhuma oscilação e de nenhum indício de uma luta interior, de nenhuma outra aspiração a não ser o pensamento de que seu ambicioso e sensível marido vença. Ela própria quer sacrificar sua feminilidade ao presságio da morte, sem ponderar qual papel decisivo deve caber a essa feminilidade, se deve ser legítimo atingir seu alvo por meio do assassinato, para afirmar sua ambição.

(Ato I, cena 5)
Vinde pois, espíritos que sabem escutar os pensamentos mortais (-----) aos meus seios, sugai meu leite que agora é fel!

(Ato I, cena 7)
Já amamentei, e sei como é bom amar a criança, que me suga o leite. E, no entanto, eu teria lhe arrancado das gengivas desdentadas o meu mamilo e, estando aquela criancinha ainda a sorrir para mim, teria lhe arrancado a cabeça, tivesse eu jurado fazê-lo, como tu jurastes fazer o que deves fazer.[4]

Ela sente um único leve impulso [*Regung*] de relutância, antes do ato:

> Não lembrasse tanto meu pai enquanto dormia, teria eu mesma cometido o ato.

E, na medida em que se tornou rainha devido ao assassinato de Duncan, se apresenta, fugaz, algo como uma decepção, uma espécie de tédio. Nós não sabemos de onde vem.

> (Ato III, cena 2)
> Nada se ganha, e tudo se perde, quando nosso desejo fica satisfeito sem contentamento. Mais seguro é ser o objeto que destruímos, mais seguro do que habitar uma alegria duvidosa, construída pela destruição.

De fato, ela suporta. Após essas palavras, na cena seguinte do banquete, apenas ela conserva a reflexão, encobre as confusões do seu marido, encontra um pretexto para se despedir dos convidados. Aí, desaparece de nossa vista. Nós a vemos (na primeira cena do ato V) novamente como sonâmbula, na qual se fixam as impressões do assassinato. Ela fala ao seu marido para ter coragem como antes:

> Que vergonha, senhor meu marido! Que vergonha: um soldado, e com medo? Haveríamos de ter medo de quê? Quem é que vai saber, quando ninguém tem poder para obrigar-nos a contar como nós chegamos ao poder?

Ela ouve baterem à porta, as mesmas batidas que aterrorizaram seu marido após o ato. Mas, ao lado disso, se preocupa "em não fazer com que o ato aconteça, o que não pode mais deixar de acontecer". Lava suas mãos, que estão manchadas de sangue, que cheiram a sangue e

238 OBRAS INCOMPLETAS DE S. FREUD

torna-se consciente da inutilidade dessa preocupação. Ela parecia ter jogado fora o remorso, parecia não o tê-lo. Quando ela morre, Macbeth, que entrementes havia se tornado tão cruel, tal como sua mulher havia sido no começo, dedica-lhe apenas uma curta frase:

> (Ato V, cena 5)
> Ela teria de morrer, mais cedo ou mais tarde. Morta.
> Mais tarde haveria um tempo para essa palavra.

E então perguntamos o que quebrou este caráter que parecia cunhado com o metal mais duro? É apenas a decepção, o outro rosto, que mostra o ato completo, devemos inferir retrospectivamente que também em Lady Macbeth se desenvolvera uma vida anímica originariamente branda e femininamente suave rumo a uma concentração e a uma tensão elevada, que não poderia se resignar a nenhuma persistência ou deveríamos investigar indícios que nos aproximaria desta crise por meio de uma profunda motivação humana?

Considero impossível encontrar aqui uma decisão. *Macbeth*, de Shakespeare, é uma peça de ocasião, tratando da ascensão ao trono de James, até então o rei da Escócia. O material foi dado e, ao mesmo tempo, tratado por outros autores, cujo trabalho Shakespeare provavelmente utilizou, como era costume. Ele faz curiosas alusões à situação da época. Elisabeth, a "virgem", que segundo rumores nunca pôde ter filhos, chamara a si mesma na mensagem do nascimento de James, com doloroso clamor, como "um tronco seco",[i] se tornou necessária devido à ausência de filhos, pois isso permitia que o rei da Escócia fosse seu sucessor. Mas ele era filho dessa Maria, cuja execução, mesmo contra sua

---

[i] Cf. *Macbeth*, [ato II, cena 1].

vontade, ela havia ordenado e, apesar de toda perturbação das relações por meio de considerações políticas, pôde ser chamada por seus parentes de sangue e seu convidado.

A ascensão ao trono de James I foi uma espécie de demonstração de fuga da esterilidade e de benção sobre a geração por vir. O desenvolvimento do *Macbeth*, de Shakespeare, se configurou nesta oposição. As filhas do destino passaram a agourá-lo, ele próprio tornar-se-ia rei, mas a Banquo [disseram] que seus filhos deveriam tomar a coroa. Macbeth se irrita contra essas bruxas, ele não se contenta com a satisfação de sua própria ambição, ele quer ser o fundador de uma dinastia e não favorecer a outros com o assassinato cometido. Desconhecemos este aspecto, quando se quer enxergar na peça de Shakespeare apenas a tragédia da ambição. Na medida em que o pró-prio Macbeth não pode viver eternamente, é claro que para ele só existe um caminho, o de enfraquecer a parte da profecia que lhe causa aversão, mesmo que ele próprio venha a ter filhos, que possam lhe suceder. Ele também parece esperá-los de sua forte mulher:

> (Ato I, cena 7)
> Dá à luz tão somente filhos homens. Teu ardor deste-
> mido não deve compor filhos que não sejam másculos.

Do mesmo modo, é claro que, quando essa espera o decepciona, ele deve se submeter ao destino ou sua ação perde o alvo e a finalidade e se transforma no furor cego de um condenado ao declínio que ainda quer destruir o que lhe é alcançável. Vemos que Macbeth passa por este processo e, do alto da tragédia encontramos esta estar-recedora exclamação, já tão frequentemente reconhecida como ambígua, que poderia conter a chave de sua ação, a exclamação de Macduff:

(Ato IV, cena 3)
Ele não tem filhos!

Isto significa o seguinte: apenas porque ele próprio não tem filhos, ele poderia matar meus filhos, mas ele também pode se agarrar mais a si e sobretudo revelar o mais profundo motivo, o qual tanto Macbeth ajuda a irromper muito além de sua natureza, como também o caráter da rigorosa mulher encontra o seu único ponto fraco. Mas, mantendo-se a visão panorâmica a partir do ponto culminante, para onde essas palavras de Macduff apontam, então se vê a peça inteira legitimar a assinalação das relações pai-filho. A morte do bondoso Duncan nada mais é do que um parricídio; no caso de Banquo, Macbeth matou o pai enquanto o filho lhe escapava; ele mata os filhos de Macduff, porque este fugiu dele. As bruxas fazem aparecer diante dele uma criança ensanguentada e coroada na cena do juramento; antes, a cabeça armada é exatamente a do próprio Macbeth. Mas, no fundo, se eleva a sombria figura do vingativo Macduff, que é ele próprio uma exceção da lei das gerações, pois não nasceu de parto normal, tendo sido arrancando do corpo de sua mãe.

Tratar-se-ia então de justiça poética construída inteiramente no sentido da pena de Talião, como se Macbeth, o sem filhos, e a infertilidade de sua Lady, fosse a punição pelos seus crimes contra a sacralidade das gerações, uma vez que Macbeth não podia tornar-se pai, já que ele roubou os filhos do pai e o pai dos filhos e como se em Lady Macbeth tivesse se completado a *desfeminização*, para que ela conclamasse os espíritos dos mortos. Creio que assim entenderíamos o adoecimento da Lady, a transformação de sua coragem para o crime em rancor, como reação a sua impossibilidade de ter filhos, por meio da qual está convencida de sua impotência diante da sentença da natureza e, ao mesmo tempo, é advertida de que seu crime, por sua própria culpa, a privou da melhor parte de seu sofrimento.

Na crônica de Holinshed (1577), de cujo material Shakespeare criou *Macbeth*, Lady Macbeth é mencionada apenas uma vez como a ambiciosa que incitou seu marido ao crime, para se tornar, ela mesma, rainha. Nada se diz sobre um outro destino seu e de um desenvolvimento de seu caráter. Ao contrário, é como se ali a transformação de Macbeth em um sanguinário destruidor devesse ter um motivo semelhante ao que nós tentamos agora mesmo. Assim, em Holinshed, entre o assassinato de Duncan, devido ao qual Macbeth se torna rei, e seus outros crimes se passam dez anos, nos quais ele se mostra, como soberano, severo, mas justo. É apenas após este espaço de tempo que aparece nele a mudança, sob a influência de um pavor torturante de que a profecia dirigida a Banquo possa, de todo modo, se realizar, assim como o seu próprio destino. Então, ele deixa Banquo morrer e, como é comum em Shakespeare, é arrebatado por um crime após o outro. Holinshed também não diz expressamente que é a ausência de filhos o que impulsiona Macbeth para este caminho, mas é necessário tempo e espaço para esta evidente motivação. Em Shakespeare é totalmente diferente. Numa pressa ofegante, os acontecimentos correm além de nós, de tal modo que, a partir das indicações das personagens na peça, pode-se contar a sua duração como sendo mais ou menos de *uma semana*.[i] Por meio desta aceleração, caem por terra todas as nossas construções acerca da motivação da modificação fundamental no caráter de Macbeth e sua Lady. Falta o período, no decorrer

---

[i] J. Darmstetter (Org.), *Macbeth*. Edition classique, p. LXXV, Paris, 1887 [1881].

do qual a contínua decepção pela falta de filhos esgotou a mulher e pôde impulsionar o marido a um obstinado furor, continuando a existir a contradição, tendo em vista as mais sutis conexões no interior da peça, entre ele e a ansiada ocasião para o encontro com o motivo da falta de filhos, enquanto a economia temporal da tragédia recusa expressamente um desenvolvimento do caráter a partir de qualquer outro motivo que não seja interno.

Mas o que pode ser este motivo que, em tão curto tempo, transforma um ambicioso medroso num enfurecido sem limites e uma intrigante fria em uma pesarosa doente de rancor, se meu julgamento não estiver errado. Penso que, para isso, devemos abdicar de atravessar as três camadas obscuras que aqui, devido à péssima conservação do texto, condensaram a desconhecida intenção do poeta e do oculto sentido da saga. Também não gostaria de permitir que alguém objete que tais investigações seriam vagas em relação ao efeito extraordinário que a tragédia exerce sobre o espectador. O poeta pode, de fato, nos subjugar por meio de sua arte durante a apresentação [da peça] e, aí, inibir nosso pensamento, mas ele não pode impedir que, posteriormente, nos preocupemos em compreender este efeito a partir de seu mecanismo psicológico. Também a observação de que o poeta está livre para encurtar a natural sequência temporal dos acontecimentos por ele conduzidos, de modo agradável, quando ele, por meio do sacrifício da verossimilhança comum, pode visar um aumento do efeito dramático, não nos parece ter seu lugar aqui. Pois um tal sacrifício deve apenas se justificar onde a simples verossimilhança perturba,[i] mas não quando se

---

[i] Como na propaganda de Ricardo III em torno de Anna, na padiola do rei morto por ele.

ARTE, LITERATURA E OS ARTISTAS   243

descobre o nexo causal e raramente acontece uma inter-
rupção do efeito dramático, se o decorrer do tempo fosse
indeterminado, em vez de, por meio de manifestações
expressas, se restringisse a poucos dias.

É muito difícil deixar sem resolução um problema
como o de Macbeth, de tal modo que ainda me arrisco
tentar acrescentar uma observação, que indica uma nova
saída. Ludwig Jekels acreditou esboçar, há pouco tempo,
em um estudo sobre Shakespeare, uma parte da técnica do
poeta, a qual também levaria Macbeth em consideração.
Ele pensa que, frequentemente, Shakespeare divide um
caráter entre duas personagens, de onde, então, parece
compreensível qualquer imperfeição, enquanto uma e outra não foram reunidas novamente em uma unidade. Isso
serviria também para Macbeth e sua Lady, de tal modo que
nada se poderia encaminhar, gostar-se-ia de compreendê-
los como personagens autônomos e investigar o motivo de
suas transformações, sem levar em conta as considerações
complementares de Macbeth. Não levo muito longe este
indício, mas, de todo modo, quero acrescentar que esta
interpretação sustenta claramente que o cerne do medo
que assalta Macbeth na noite do assassinato se desenvolveu não nele, mas em Lady Macbeth.[i] Ele é aquele que
antes do ato tem a alucinação do punhal, mas ela é a que
posteriormente sucumbe à doença mental; após o assassinato ele ouve gritos na casa: Não durma mais, Macbeth
mata o sono e então não deve mais dormir, mas nós não
percebemos que o rei Macbeth não dorme mais, enquanto
vemos que a rainha desperta do seu sono e, sonâmbula,
trai sua culpa; ele permanece desamparado, com as mãos
ensanguentadas e lamenta que nem toda gota do mar

---

[i] Cf. Darmstetter, op. cit.

pode purificá-las; na ocasião, ela o consolava: usemos um pouco de água, a partir do ato, mas então ela é aquela que um quarto de hora depois lava as mãos e que não pode se livrar das manchas de sangue: "nem todos os perfumes das Arábias conseguirão perfumar esta mãozinha" (ato V, cena 1). Assim, se realiza nela o que ele temia na sua angústia de consciência; ela se torna rancorosa depois do ato, ele torna-se o consolador, ambos esgotam as possibilidades de reação ao assassínio, como duas partes desiguais de uma única individualidade psíquica e, talvez, imitação de um único modelo.

Não podemos responder a propósito da figura de Lady Macbeth, porque ela após o êxito sucumbe à doença e assim acenamos talvez com uma melhor perspectiva, na criação de um outro grande dramaturgo, que prefere perseguir a tarefa da conta psíquica, com um rigor sem indulgência.

Rebeca Gamvik era filha de uma parteira e foi criada por seu pai adotivo, Doutor West, como uma livre pensadora, para desprezar todo fascínio, que pudesse apoiar os desejos da vida numa ética fundada numa crença religiosa. Após a morte do doutor, ela consegue ser admitida em Rosmersholm, a propriedade de uma antiga família, cujos membros não conheciam o sorriso e sacrificaram a alegria a uma rígida obrigação. Em Rosmersholm moram o pastor Johannes Rosmer e Beate, sua companheira doente e sem filhos. "Tomada por um selvagem, insuperável desejo" pelo amor do aristocrata, Rebeca resolveu tirar do seu caminho a mulher que lá estava e se utiliza para isso de sua vontade "corajosa, autônoma", que nenhuma consideração moral inibe. Faz lhe cair às mãos um livro de medicina, no qual está dito que procriar é o objetivo do casamento, de tal modo que a pobre mulher comece a duvidar da legitimidade de seu casamento, ela deixa que Beate pense que Rosmer, de cujas leituras e organização de ideias ela compartilha, está em condições de se desfazer de suas antigas crenças, que vai tomar partido do iluminismo e, depois de abalar a confiança da mulher na segurança ética de seu marido, a deixa finalmente entender que ela própria, Rebeca, logo deixará a casa, por manter em segredo uma relação proibida com Rosmer. O plano criminoso dá certo. A pobre mulher, tornada melancólica e inimputável, se lançou às águas da ponte do moinho, com o sentimento da própria desvalorização, para deixar livre o caminho para a felicidade do amado marido.

Daí então, Rebeca e Rosmer há anos e dias vivem sozinhos em Rosmersholm em uma relação, que ele considera uma amizade pura, espiritual e ideal. Mas, quando chegam as primeiras sombras dos boatos sobre eles e, ao mesmo tempo, dúvidas atrozes em Rosmer acerca dos motivos que levaram sua mulher à morte, ele pede a Rebeca para se tornar sua segunda mulher, para poder contrapor ao triste passado uma nova realidade viva (ato II). Por um longo momento, ela vibra com esse pedido, mas já no momento seguinte declara que isso seria impossível e quando ele a pressiona mais ainda, ela diz "estar no mesmo caminho de Beate". Sem compreender, ele aceitou sua recusa; mas ainda mais incompreensível é a atitude dela para nós, que conhecemos muito mais de sua ação e intenções. Não devemos simplesmente duvidar do fato de que seu não é pensado como sério. Não devemos ter dúvida de que seu não deve ser levado a sério.

Podemos então concluir que a aventureira corajosa e livre das convenções, que trilha sem nenhuma consideração moral o caminho rumo à realização de seus desejos, não quis agarrar esta oportunidade que lhe foi oferecida e colher os frutos do êxito? Ela própria nos dá a explicação no ato IV: "Isto é exatamente o frustrante, agora, que toda felicidade do mundo me é oferecida, agora, com mãos cheias – agora, me tornei alguém, cujo próprio passado me impede o caminho para a felicidade". Nesse meio tempo então, ela se tornou outra pessoa, sua consciência despertou, ela foi tomada pela consciência da culpa, que lhe impede o gozo.

E por meio de que sua consciência despertou? Ouçamos ela própria e reflitamos se deveríamos acreditar plenamente nela: "Eis a visão da vida na casa de Rosmer – ou, no mínimo, a sua visão da vida – que contagiou meu querer... e o tornou doente. Ele me escravizou com leis, que antes para mim não tinham validade. A vida em comum contigo – tu, que enobrecestes meus sentidos".

Essa influência deve ser adicionada, ela a tornou legítima, quando teve de viver sozinha na companhia de Rosmer: "– no silêncio – na solidão –, quando tu me destes teus pensamentos sem reservas – um ânimo único, tão fraco e sensível, tal como tu o sentes – isso introduziu a maior mudança".

Um pouco antes, ela lamentou o outro lado dessa transformação: "Na medida em que Rosmersholm me tirou as forças, aqui minha vontade corajosa foi inibida. E arruinada! Para mim, passou o tempo, no qual eu deveria ousar em relação a tudo e todos. Perdi a energia para agir, Rosmer".

Rebeca dá esta declaração, depois que, por meio de uma confissão voluntária diante de Rosmer e do reitor Kroll, irmão da mulher que ela derrotou, se colocou simplesmente como criminosa. Ibsen especificou com pequenos traços de uma delicadeza magistral, que essa Rebeca não mente, mas também nunca é inteiramente sincera. Quando ela, apesar de toda liberdade em relação aos preconceitos, diminuiu um ano de sua idade, também tornou incompleta sua confissão diante dos dois homens e, por meio da pressão de Kroll, a complementou em alguns pontos essenciais. Nós também somos livres para aceitar que o esclarecimento de sua renúncia abandonou uma coisa para silenciar sobre outra.

Certamente não temos nenhum motivo para desconfiar da afirmação de Rebeca de que o ar em Rosmersholm enobreceu seu trato com o aristocrata Rosmer – e teve um efeito inibidor sobre ela. Com isso, ela diz o que sabe e o que sentiu. Mas não é necessário que isso seja tudo o que se passou com ela; também não é necessário que ela possa acertar contas com tudo. A influência de Rosmer poderia ser também apenas uma coberta, sob a qual se esconde outro efeito, e de acordo com esta outra direção, percebemos um traço valioso.

Ainda após sua confissão, no último diálogo que finaliza a peça, ela pede a Rosmer, mais uma vez, para tornar-se sua mulher. Ele a perdoa pelo que ela faz por amor a ele. E então, ela não responde o que deveria, que não há nenhum perdão que a livre do sentimento de culpa, do que ela provocou por meio de uma mentira insidiosa à pobre Beate, mas ela carrega uma outra repreensão, que nos toca de maneira esquisita na livre pensadora, que não ganha, de modo algum, o lugar no qual foi colocado por Rebeca: "Ah, meu amigo – nunca mais volte a esse assunto! Trata-se de uma coisa impossível! Pois tu deves saber, Rosmer, que eu tenho um passado". Ela não quis, naturalmente, aludir a relações sexuais que poderia ter tido com outros homens e nós queremos destacar que estas relações, em uma época em que ela era livre e não era responsável por ninguém, parecem um impedimento mais forte para sua união com Rosmer, do que sua real conduta criminosa contra sua mulher.

Rosmer recusa-se a ouvir qualquer coisa desse passado. Nós podemos imaginar, embora tudo o que se sabe disso permaneça na peça, por assim dizer, subterrâneo, e devendo ser explorado a partir das alusões. Todavia, a partir destas, que são introduzidas com tal arte, é impossível não compreendê-las.

Entre a primeira recusa de Rebeca e sua confissão acontece algo que tem um significado decisivo para a continuidade de seu destino. O reitor Kroll a visita, para humilhá-la comunicando que ele sabia que ela é uma filha ilegítima, a filha desse doutor West, que ela foi adotada após a morte de sua mãe. O ódio fortaleceu seu faro, mas ele não acha que está lhe contando alguma novidade:

> "De fato, eu pensava que a senhora sabia muito bem disso. Foi mesmo claramente percebido, que a senhora tinha sido adotada pelo Dr. West." "Então, ele a tomou para si — logo depois da morte de sua mãe. Ele cuidou rigorosamente da senhora. E sabe que ele não lhe deixou nenhum centavo. A senhora recebeu apenas uma caixa com livros. Mas a senhora permaneceu ao lado dele. Suportou seu humor. Cuidou dele até o último momento" – "O que a senhora fez por ele, considero como sendo parte do instinto natural de filha. E a propósito de sua grande encenação, eu a considero como um resultado natural de sua origem".

Mas Kroll estava errado. Rebeca não sabia que poderia ser filha do Dr. West. Quando Kroll começou fazendo obscuras alusões ao seu passado, ela deveria admitir que ele pensava em outras coisas. Depois que ela compreendeu a que ele se referia, pode ainda conservar, por um momento, sua versão, pois ela deveria acreditar que seu inimigo adotou o cálculo de sua idade, pois, numa visita anterior a ele, ela deu uma informação falsa. Mas, depois, Kroll rejeitou, vitorioso, esta oposição: "Pode ser. Mas, contudo, a conta deveria estar correta, pois um ano antes que ele tenha sido contratado, West esteve lá em cima para uma visita rápida", após esta nova informação, ela perdeu sua pose. "Isto não é verdade." Ela dá voltas e fecha as mãos: "Isso é impossível. O senhor quer, simplesmente, me enredar. Isso não pode jamais ser verdade!" Sua comoção era tão aborrecida, que Kroll não pôde fazê-la retornar a sua informação.

> Kroll: Mas, minha querida – por que – pelo amor de Deus – a senhora ficou tão violenta? A senhora quer me atemorizar? O que devo acreditar e pensar!
>
> Rebeca: Nada. O senhor não deve nem acreditar, nem pensar em nada.
>
> Kroll: Então, a senhora deveria realmente me esclarecer porque esta coisa – essa possibilidade, a aflige.
>
> Rebeca (novamente contida): Isso é muito simples, senhor Reitor. Não tenho, de fato, nenhum prazer em ser considerada uma criança adotada.

O mistério do comportamento de Rebeca permite apenas uma solução. A informação que o Dr. West pode ser seu pai é o golpe mais duro que ela poderia receber, pois ela não era apenas uma criança adotada, mas também a amante deste homem. Quando Kroll começou a falar, ela pensava que ele queria aludir a esta relação, que ela, provavelmente, teria confessado por apelo a sua liberdade. Mas o reitor passou longe disso; ele nada sabia de sua relação amorosa com o Dr. West, tal como ela de sua paternidade. Ela *podia* ter em vista nada mais nada menos do que esta relação amorosa, quando precaveu

Rosmer, na sua última recusa em tornar-se sua esposa, de que tinha um passado que a desonrava. Provavelmente, se Rosmer o quisesse, ela poderia contar apenas a metade do seu segredo, silenciando acerca da sua parte mais difícil.

Mas entendemos que este passado lhe parece como o mais difícil obstáculo para o casamento, como o mais pesado – crime.

Depois, ela ficou sabendo que fora a amante de seu próprio pai, sufocando seu sentimento de culpa, que agora surge poderoso. Ela confessou diante de Rosmer e de Kroll, e assim ela se carimbou como assassina, renunciando enfim à felicidade, cujo caminho ela tinha fechado por meio do crime, preparando-se para ir embora. Mas o verdadeiro motivo da consciência de culpa, devido ao qual seu êxito fracassa, permanece misterioso. Vimos que ele é outra coisa do que a atmosfera de Rosmersholm ou a influência moral de Rosmer.

Quem nos seguiu tão longe não perderá a chance de colocar uma objeção que pode justificar muitas dúvidas. A primeira vez que Rebeca recusa Rosmer acontece antes da segunda visita de Kroll, ou seja, antes da descoberta do seu nascimento fora do casamento, e numa época em que ainda não sabia do seu incesto – se é que entendemos corretamente o autor [Dichter]. De fato, esta recusa foi enérgica e séria. A consciência de culpa, que a fez renunciar ao que ganharia com seu ato, já agia antes que soubesse de seu crime capital e se nos for permitido tanto, é o incesto, como fonte da consciência de culpa, que deve ser, talvez, no geral, barrado.

Tratamos Rebeca West até aqui como se ela fosse uma pessoa viva e não uma criação da fantasia conduzida pela compreensão crítica de Ibsen. Deveríamos tentar manter este mesmo ponto de partida, a conclusão dessa objeção.

A objeção é boa, também foi uma parte da consciência despertada em Rebeca antes de ter sabido do incesto. Está fora de questão tornar responsável por esta mudança a influência que a própria Rebeca reconheceu e condenou. Mas, com isso, não estamos livres do reconhecimento do segundo motivo. O comportamento de Rebeca durante a comunicação do reitor, sua imediata reação, que se seguiu por meio da confissão, não deixa a menor dúvida de que agora o mais forte e decisivo motivo da renúncia se efetivou. Isso expõe justamente um caso de múltipla motivação, na qual, por trás do motivo superficial, deixa-se ver um motivo mais profundo. Sugestões da economia poética fizeram necessário que o caso se constituísse de tal modo que este motivo profundo não deveria ser discutido alto, ele deveria permanecer encoberto, retirar a percepção confortável do espectador no teatro ou do leitor, ter-se-ia até mesmo elevada por ocasião desta difícil resistência, a qual poderia pôr em questão o efeito da peça.

Mas poderíamos com razão exigir que o motivo protelado estivesse conectado internamente com o motivo por ele encoberto, de tal modo que ele fosse comprovado como um alívio e uma derivação do segundo. E se nós devêssemos confiar que a combinação poética consciente do escritor [*Dichter*] resultou de pressupostos inconscientes, então podemos tentar apontar que ele cumpriu essa exigência. A consciência de culpa de Rebeca teve como fonte a reprovação do incesto, ainda antes que o reitor a trouxesse, com rigor analítico, à consciência. Se reconstruímos, de maneira cuidadosa e complementar, seu passado aludido por Ibsen, então diremos que ela poderia ter tido alguma ideia acerca da relação íntima entre sua mãe e o Dr. West. Isso deve ter-lhe provocado uma forte impressão, como se ela tivesse sido a sucessora da mãe, estando sob o domínio do complexo de Édipo, mesmo que ela não soubesse que essa fantasia universal tivesse se tornando realidade no seu caso. Quando ela chegou em Rosmersholm, foi impulsionada pela força interior destas primeiras vivências, que causou por meio de uma enérgica ação a mesma situação que se realizara pela primeira vez sem o seu acréscimo, para vencer a esposa e a mãe, assumindo seu lugar ao lado de seu marido e pai. Ela descreve com convincente insistência, como foi passo a passo coagida, contra sua vontade, a eliminar Beate.

> Mas, creiam os senhores, caminhei e agi com fria reflexão! Naquela época, eu não era certamente o que sou hoje, a que está contando diante de vós. Pois também existem, de fato, eu deveria pensar, dois tipos de vontade em uma pessoa. Eu queria tirar Beate do caminho! De qualquer maneira. Mas eu não acreditava que pudesse consegui-lo. A cada passo que me incitava ousar a ir adiante, algo havia em mim, como se algo gritasse em mim: não vá adiante! Nenhum passo a mais! – Mas eu não deixava de seguir adiante. Eu deveria seguir ainda um diminuto rastro. E ainda um diminuto rastro. E então, mais um – e sempre mais um – e assim tudo aconteceu. Desse modo, as coisas se sucederam.

Não se trata de nenhum paliativo, mas de um verdadeiro acerto de contas. Tudo o que se passou com ela em Rosmersholm, a paixão por Rosmer e a inimizade em relação à mulher dele, era já a realização do complexo de Édipo, imitação retirada da relação com sua mãe e com o Dr. West.

E então, o sentimento de culpa, que se apresentou pela primeira vez por ocasião do pedido de Rosmer, não é, no fundo, diferente deste outro, maior, que a levou, após a informação de Kroll, a confessar. Mas, como ela era, sob a influência do Dr. West, livre pensadora e depreciadora da moral religiosa, o amor de Rosmer a transformou numa pessoa consciente e nobre. Tanto ela própria compreendeu seus processos internos que, com isso, com razão, pôde indicar a influência de Rosmer como o motivo que tornou acessível sua mudança.

O médico que trabalha psicanaliticamente sabe o quão frequente ou o quão regular a moça que entra em uma casa como criada, dama de companhia e educadora tece, consciente ou inconscientemente, um sonho diurno, em cujo enredo a dona da casa de algum modo fosse eliminada e que o marido a tomasse como esposa em seu lugar, foi retirado do complexo de Édipo. *Rosmersholm* é a maior obra de arte do gênero, a tratar dessa fantasia cotidiana das moças. Ela se tornou uma criação trágica por meio da adição, de que o sonho diurno da heroína, como sua pré-história, precedeu a realidade que lhe correspondeu inteiramente.

Após uma longa parada na peça, voltemos à experiência médica. Mas apenas para declarar, em poucas palavras, a inteira concordância entre ambas. O trabalho psicanalítico ensina que as forças conscientes, que se deixam adoecer devido ao êxito em vez de, como antes, na renúncia, estão intimamente relacionadas com o complexo de Édipo, com a relações com o pai e a mãe, como talvez, em geral, nossa consciência de culpa.

III – O CRIMINOSO POR CONSCIÊNCIA DE CULPA

Nas comunicações acerca de sua juventude, em especial sobre os anos da pré-puberdade, pessoas muito respeitáveis me relataram, posteriormente com frequência, ações proibidas como roubos, mentiras, provocar incêndios, as quais na época as deixavam culpadas. Eu tratava essas declarações, passando por cima da informação de que a fraqueza da inibição moral seria conhecida nessa época da vida e não tentava incluí-la em uma conexão significativa. Mas, enfim, fui desafiado por casos claros e favoráveis, nos quais estas falhas iniciaram enquanto os doentes se encontravam em tratamento comigo e que diziam respeito a pessoas que estavam além desses anos juvenis, a um estudo bem fundamentado sobre tais fatos. O trabalho analítico alcançou então um resultado surpreendente, uma vez que tais ações foram realizadas, sobretudo, porque eram proibidas e porque sua execução estava ligada a um alívio psíquico para o autor. Ele sofre de uma forte pressão da consciência de culpa de desconhecida proveniência, e após ter começado o ato proibido, esta pressão diminui. A consciência de culpa [*Schuldbewusstsein*] ficou, no mínimo, alojada em algum lugar.

Tão paradoxal quanto isso possa soar, devo afirmar que a consciência de culpa era anterior ao ato, que ela não surgiu deste, mas, ao contrário, o ato surgiu da consciência de culpa. Deveríamos caracterizar estas pessoas, com razão, como criminosas por consciência de culpa [*Schuldbewusstsein*]. A preexistência do sentimento de culpa [*Schuldgefühl*] se deixa comprovar naturalmente, por meio de uma sequência inteira de outras declarações e efeitos.

A constatação de uma curiosidade não é o objetivo do trabalho científico. Devemos responder a duas outras questões, a de onde vem o obscuro sentimento de culpa antes do ato e se é provável que tal tipo de causa tem grande participação no crime das pessoas.

Persistir na primeira questão prometia uma informação acerca da fonte do sentimento humano de culpa. O resultado comum do trabalho psicanalítico dizia que esse obscuro sentimento de culpa provinha do complexo de Édipo, seria uma reação às duas grandes intenções criminosas: a de matar o pai e a de ter relações sexuais com a mãe. Em comparação com essas intenções, os crimes que iniciaram a fixação do sentimento de culpa foram um alívio para o torturado. Devemos então lembrar aqui que o parricídio e o incesto com a mãe são os dois maiores crimes dos homens, os únicos que foram perseguidos e abominados como tais nas sociedades primitivas. Também por isso, chegamos bem próximos de admitir, por meio de outras investigações, que a humanidade adquiriu sua consciência, que aparece como um poder psíquico herdado, por meio do *complexo de Édipo*.

A resposta à segunda questão vai além do trabalho psicanalítico. Nas crianças, podemos, sem mais, observar que elas se tornam "ruins" para provocar uma punição e que após serem punidas ficam tranquilas e pacíficas. Uma investigação analítica posterior conduz, frequentemente, à descoberta do sentimento de culpa, o qual procura uma punição. Do criminoso adulto deve-se então subtrair todo crime cometido sem sentimento de culpa, que não desenvolveu nenhuma inibição moral nem acreditou autorizar seu ato, na luta com a sociedade. Mas, para a maioria dos outros criminosos, aqueles para os quais os regulamentos punitivos são, de fato, feitos, poderia interessar muito tal motivação do crime, para esclarecer muitos pontos obscuros na psicologia do criminoso e dar um novo fundamento psicológico para a punição.

Um amigo me chamou atenção para o fato de que o "criminoso por sentimento de culpa" também era conhecido por Nietzsche. A preexistência do sentimento de culpa e a transformação do ato em racionalização deste se vislumbram no discurso de Zaratustra "Sobre o criminoso pálido".[5] Deixemos para decidir numa pesquisa futura o quanto desses criminosos conta entre esses "pálidos".

NOTAS

[1] William Shakespeare, *Ricardo III*. Tradução, prefácio e notas de Beatriz Veigas-Faria. Porto Alegre: LP&M, 2010, p. 25-26 (N.T.).

[2] Deus da sabedoria na mitologia nórdica. (N.T.)

[3] Versão alemã do nome de um herói da mitologia nórdica, imortalizado em duas óperas de Wagner, naquela que leva seu nome e em *Crepúsculo dos deuses*, as quais juntamente com *As Valquírias* e *O ouro do Reno* formam o ciclo intitulado *O anel dos Nibelungos*. (N.T.)

[4] William Shakespeare, *Macbeth*. Tradução de Beatriz Viégas-Faria. Porto Alegre: LP&M, 2002. (N.T.)

[5] Cf. Friedrich Nietzsche. *Assim falou Zaratustra*. Tradução, notas e posfácio de Paulo Cesar de Souza. São Paulo: Companhia das Letras, 2011, Primeira Parte. Não se sabe quem é o "amigo" a que Freud se refere nessa passagem. Poderia ser Otto Rank, por exemplo, o leitor por excelência de Nietzsche dentre os que faziam parte do círculo íntimo de Freud. Acredita-se também que esse seja mais um artifício retórico de Freud para mais uma vez não declarar que também lia Nietzsche com intensidade. Diversos intérpretes procuram assinalar que há uma diferença fundamental entre a posição de Nietzsche e a de Freud, justamente porque a culpa, no caso de Nietzsche, não é anterior ao ato. O texto de Nietzsche possui diversas perspectivas de análise, embora possamos assinalar claramente nele um embate com a concepção idealista de punição presente na filosofia do século XIX desde Hegel, tal como o diálogo entre o "juiz vermelho" e o "criminoso pálido" o mostra. A "palidez" remete a uma espécie de fraqueza e adoecimento, tendo em vista a questão da causalidade do ato e do modo como suas consequências vão ser encaradas. De todo modo, é possível que a Freud tenha chamado atenção, mais uma vez, a reiterada crítica de Nietzsche a um primado do Eu e a uma concepção de crime e criminoso pautada na moralidade. (N.T.)

UMA LEMBRANÇA DE INFÂNCIA EM
POESIA E VERDADE (1917)

"Quando queremos lembrar de algo que nos aconteceu na mais tenra infância,[1] ocorre frequentemente o caso de que aquilo que ouvimos de outros se confunde com o que nós realmente lembramos, visto a partir de nossa própria experiência." Goethe faz esta observação em uma das primeiras páginas de sua autobiografia [*Lebensbeschreibung*], que ele começou a esboçar com a idade de 60 anos. Antes dela, existem apenas algumas informações acerca de seu nascimento, acontecido "em 28 de agosto de 1749", ao meio-dia, junto com as 12 badaladas do sino. A constelação dos astros lhe era favorável, e essa teria sido a causa de sua sobrevivência, uma vez que ele veio ao mundo "morto" e só devido aos muitos cuidados lhe foi possível entrever a luz.[2] Após essa observação se segue uma curta descrição da casa e do seu vestíbulo onde as crianças – ele e suas irmãs mais novas – preferiam ficar. Mas, então, Goethe conta, de fato, apenas um único acontecimento que pode transportá-lo para os "primeiros anos da infância" (na idade até quatro anos?) e do qual ele parece ter guardado uma lembrança própria.

O relato diz o seguinte:

[...] e três irmãos von Ochsenstein, filhos do falecido burgomestre, que moravam em frente, tomaram-se de grande afeição por mim, ocupando-se de minha pessoa e bulindo comigo de diversos modos.

Meus pais contavam toda sorte de travessuras a que me haviam instigado esses homens, aliás sérios e solitários. Limitar-me-ei a registrar uma dessas extravagâncias. Houve uma feira de louças de barro e não só a cozinha fora abastecida por algum tempo com tais mercadorias, mas também nós ganhamos, como brinquedos, uma série de utensílios semelhantes, em miniatura. Uma bela tarde, quando reinava a paz em toda a casa, estava eu entretido no vestíbulo" (o local já mencionado da casa, que ficava diante da rua),[3] "com meus pratos e panelas e, como não sabia mais o que fazer com eles, joguei à rua uma louça e achei divertido vê-la quebrar-se de maneira tão inesperada. Os Ochsenstein, que me viram bater as mãozinhas no meu transporte de júbilo, gritaram: "Outra vez!" Não hesitei nenhum instante. Lá se foi uma panela, e como eles não pararam de gritar "Outra vez!", todos os pratinhos, os fogõezinhos e as panelinhas se espatifaram um depois do outro na calçada. Meus vizinhos continuaram a manifestar sua aprovação, e eu estava radiante em lhes proporcionar esse prazer. Mas a provisão de louça esgotara-se e eles sempre a gritar: "Outra vez!" Corri, pois, direto à cozinha e apanhei os pratos de barro, que naturalmente ofereceram, ao quebrar-se, um espetáculo ainda mais divertido. E assim comecei a ir e vir, trazendo um prato de cada vez conforme podia alcançá-los na prateleira em que estavam guardados; e como aqueles cavalheiros não se davam por satisfeitos, precipitei na mesma ruína toda a louça que pude arrastar até o vestíbulo. Foi então que apareceu alguém, mas demasiado tarde, para dar um fim naquela história e proibir-me a brincadeira.

O mal estava feito, e em troca de tanta louça quebrada tivemos pelo menos uma história cômica, que foi sobretudo para os maliciosos instigadores, e até o fim de sua existência, uma alegre lembrança.[4]

Nos tempos pré-analíticos, esse relato poderia ser lido sem que tivéssemos motivo para nos deter nele e sem nenhum choque; mas, posteriormente, a consciência analítica seria incitada por ele. Sim, também formamos acerca das lembranças da primeira infância determinadas ideias e expectativas, para as quais exigimos validade universal. Elas não poderiam ser nem indiferentes nem insignificantes, uma vez que a especificidade da vida infantil fora retirada do esquecimento, em geral, da infância. Dever-se-ia suspeitar, muito mais, que aquilo que foi conservado na lembrança seria o mais significativo de todas as fases da vida, de tal modo que sua importância já estaria assentada nessa época ou, por outro lado, que essa importância teria sido adquirida depois, por meio da influência de vivências posteriores.

Em todo caso, a elevada valorização de tais lembranças da infância se tornou pública apenas em casos raros. Para a maioria, elas parecem indiferentes, como se não existissem, e permanecia incompreensível que justamente elas tenham sido bem-sucedidas em nos consolar da amnésia; também sabia disso aquele que as conservara como a única boa lembrança desde muitos anos, para apreciá-las tão pouco quanto o estranho, para quem ele as contava. Para reconhecê-las na sua importância, ele precisou de algum trabalho de interpretação, que nem justificava como seu conteúdo fora substituído por outro, nem apontava sua relação com outras vivências desconhecidas e importantes, para as quais elas foram introduzidas como as conhecidas *lembranças encobridoras* [*Deckerinnerung*].

Em cada reelaboração psicanalítica de uma história de vida, busca-se esclarecer, dessa maneira, o significado das lembranças infantis mais antigas. Sim, em geral, resulta disso que são exatamente essas lembranças, que o analisante [*Analysierte*] antecipa, as que ele primeiro conta, com as quais ele introduz a confissão de sua vida, referindo-se a elas como as mais importantes, como as que escondem em si a chave do segredo de sua vida anímica. Mas, no caso desses pequenos acontecimentos da infância, tais como são contados em *Poesia e verdade*, eles confirmam muito pouco nossas expectativas. Os meios e caminhos, que, entre nossos pacientes, os conduzem à interpretação, nos são aqui, naturalmente, inacessíveis; o acontecimento em si não parece ser capaz de seguir a pista de uma relação com as expressões importantes da vida. Uma travessura que prejudicou a economia doméstica, exercida por influência externa, não é certamente nenhuma vinheta adequada para tudo o que Goethe contou acerca de sua rica vida. Quer se afirmar a impressão de total inocência e de ausência de nexos nessas lembranças da infância e gostaríamos de não nos exceder quanto ao alcance da Psicanálise.

Assim sendo, deixei de fora dos meus pensamentos durante muito tempo o pequeno problema, quando o acaso me enviou um paciente, no qual se produziu uma lembrança de infância semelhante numa transparente conexão. Tratava-se de um homem muito instruído e talentoso, com 27 anos de idade, cujo presente era preenchido por um conflito com sua mãe, que se estendia de maneira bem ampla a todos os interesses da sua vida, cujo efeito se fazia sentir dolorosamente no desenvolvimento de sua capacidade de amar e de uma autônoma condução de sua vida. Este conflito o remetia longe, a sua infância. Ele tinha sido uma criança muito frágil, sempre doente e então ele transfigurou num paraíso suas lembranças dessa época ruim, uma vez que naquela época ele possuía o carinho ilimitado da mãe, que não era partilhado com ninguém. Quando ele ainda não tinha quatro anos, nasceu um irmão – que ainda vive – e como reação a essa perturbação, ele se tornou um garoto teimoso e rebelde, que exigia sempre uma rigidez por parte da mãe. Ele nunca mais encontrou o caminho certo.

Quando ele começou o tratamento – em certa medida porque sua mãe beata detestava a Psicanálise –, o ciúme pelo irmão recém-nascido que se manifestara naquela época mesma, com um atentado ao lactante no seu berço, há muito estava esquecido. Ele tratava agora seu irmão mais novo com muita atenção, mas ações ocasionais específicas, por meio das quais ele provoca graves ferimentos até mesmo em animais amados, como seu cão de caça ou em pássaros que eram cuidadosamente tratados por ele, deveriam ser inteiramente entendidos como o ressoar dos impulsos [*Impulse*] hostis contra o irmão pequeno.

Esse paciente relatava então que, na época do atentado contra a criança por ele odiada, havia lançado, pela janela na rua, todas as louças alcançáveis. Ou seja, a mesma coisa que Goethe contou em *Poesia e verdade*, sobre sua infância! Observo que meu paciente fora educado num país estrangeiro e não recebeu a educação [*Bildung*] alemã; ele nunca havia lido a descrição que Goethe fez de sua vida.

Essa comunicação me sugeriu a tentativa de interpretar a lembrança de infância de Goethe, no sentido que se tornou imperioso a partir da história do meu paciente. Mas seria possível rastrear na infância do poeta as condições exigidas por tal interpretação? De fato, o próprio Goethe havia responsabilizado o ciúme do senhor de Ochsenstein pela travessura da infância. Mas sua própria narrativa permite reconhecer que o vizinho adulto apenas animara para que seu impulso prosseguisse. No início ele o fez espontaneamente e a motivação que ele dá para esse início – "Não se lucra nada com isso" (no jogo) – deixa-se interpretar, sem coação, como confissão de que um motivo efetivo de sua ação na época em que redigiu suas memórias e, provavelmente, também muitos anos antes não lhe era conhecido.

É conhecido que Johann Wolfgang e sua irmã Cornelia eram os mais antigos sobreviventes de uma sequência realmente frágil. O Dr. Hans Sachs foi muito simpático em conseguir para mim as datas relacionadas aos irmãos e irmãs de Goethe, que morreram cedo.

Irmãos e irmãs de Goethe:

a) Hermann Jakob, batizado no dia 27 de novembro de 1752, chegou à idade de seis anos e seis semanas, sepultado em 13 de janeiro de 1759.

b) Katharina Elisabetha, batizada segunda-feira, em 9 de setembro de 1754, sepultada quinta-feira, 22 de dezembro de 1755 (um ano e quatro meses de idade).

c) Johanna Maria, batizada terça-feira, 29 de março de 1757, e sepultada sábado, 11 de agosto de 1759 (dois anos e quatro meses de idade). (Essa era, em todo caso, considerada pelos irmãos como uma criança muito bonita e simpática.)

d) Georg Adolph, batizado domingo, 15 de junho de 1760, sepultado com oito meses de idade, quarta-feira, 18 de fevereiro de 1761.

A irmã mais próxima de Goethe, Cornelia Friederica Christiana, nasceu em 7 de dezembro de 1750, quando ele tinha quase seis anos. Devido a essa pequena diferença, ela é, como objeto do ciúme, tão boa quanto excluída. Sabemos que crianças, quando suas paixões despertam, nunca desenvolvem reações tão rudes em relação aos irmãos que lhes antecedem, mas dirigem suas tendências contra os irmãos mais novos. Esta é também a cena, com cuja interpretação nos ocupamos que é incompatível com a tenra idade de Goethe na época ou logo depois do nascimento de Cornelia.

Na época do nascimento do Hermann Jakob, o primeiro irmãozinho, Johann Goethe tinha três anos e três meses de idade, quando ele ia fazer cinco anos, nasceu a segunda irmã. Os dois níveis de idade devem ser levados em consideração quando da data em que ele jogou as louças pela janela; a mais antiga ganha, talvez, a preferência, ela resulta também como a melhor concordância com o caso do meu paciente, que contava, quando do nascimento de seu irmão, aproximadamente com três anos e três meses.

O irmão Hermann Jakob, que guiou nesse rumo nossa tentativa de interpretação dessa maneira, não foi, no entanto, nenhum convidado casual no quarto de criança de Goethe, como os irmãos que vieram depois. Ficamos admirados pelo fato de que a história da vida de seu irmão mais velho não traga uma palavrinha que o lembre.

[*Acréscimo* de 1924]: Uso esta oportunidade, para retomar uma afirmação incorreta, que não deveria ter acontecido. Em uma passagem posterior desse primeiro livro, o irmão mais novo é, de fato, mencionado e descrito. Isso se dá quando da lembrança de uma enfadonha doença infantil, da qual também esse irmão "não pouco sofreu": "Ele era de uma natureza muito delicada, calmo e teimoso e nós jamais tivemos, um com o outro, uma autêntica relação. Ele também não sobreviveu à infância".

266 OBRAS INCOMPLETAS DE S. FREUD

Ele já tinha mais de sete anos e Johann Wolfgang, próximo dos dez anos, quando ele morreu. O Dr. Ed. Hitschmann, que foi tão amigável ao me disponibilizar suas anotações sobre esse assunto, pensa: "*Também o pequeno Goethe, sem desgosto, viu um irmãozinho morrer*. No mínimo, sua mãe relatou o seguinte, segundo contou novamente Bettina Brentano: 'De maneira singular, a mãe lembrou que ele, por ocasião da morte de seu irmão mais novo Jakob, que era seu companheiro de brincadeiras, não derramou nenhuma lágrima, ele parecia estar muito mais irritado com os lamentos dos pais e dos irmãos e quando a mãe, posteriormente, perguntou ao teimoso, se ele não tinha gostado de seu irmão, ele correu para o seu quarto, retirou debaixo da cama uma quantidade de papéis que estavam cobertos de lições e histórias e disse a ela que ele tinha feito tudo aquilo para ensinar o irmão'. O irmão mais velho gostava de brincar de pai com o mais novo, para mostrar-lhe sua superioridade".

Poderíamos então formular a ideia de que lançar as louças fora seria uma ação simbólica, melhor dizendo, *mágica*, por meio da qual a criança (Goethe, assim como meu paciente) expressa de maneira forte seu desejo de vencer o intruso perturbador. Não podemos deixar de salientar o prazer da criança ao quebrar os objetos; se uma ação já traz consigo prazer, esta não é nenhum impedimento, mas antes uma atração para que ela também se repita a serviço de outras perspectivas. Mas não acreditamos que era este prazer em bater e quebrar que poderia assegurar a tais brigas de crianças um lugar permanente na memória do adulto. Mas também não teimamos em complicar a motivação da ação com outras contribuições. A criança que quebrou a louça sabe bem que praticou uma má ação, que os adultos irão repreendê-la e se, por saber disso, ela não recua, então, provavelmente, se trata de satisfazer um rancor contra os pais; se quer mostrar isso de uma maneira ruim.

O prazer em quebrar e estar quebrando teria sido suficiente, se a criança simplesmente jogasse ao chão objetos quebráveis. O lançar fora, pela janela, na rua, permaneceria sem explicação. Mas este *fora* parece ser uma parte essencial da ação mágica e derivado do sentido oculto desta. A nova criança deve ser *retirada*, possivelmente pela janela, justamente porque chegou pela janela. Toda a ação seria, desse modo, equivalente à reação de uma criança, que nos deu a conhecer literalmente, quando lhe contaram que a cegonha lhe traria um irmãozinho: "A cegonha deve levá-la de volta", dizia sua ordem.

Enquanto isso, não escondemos o quanto permanece precário – sobretudo quando vista da incerteza interior – fundamentar a interpretação de uma ação infantil em uma única analogia. Por isso, também retive, durante anos, minha opinião sobre a curta cena de *Poesia e verdade*. Foi então que recebi, um dia, um paciente que iniciou sua análise com as seguintes frases, fielmente fixadas:

> Sou o mais velho de oito ou nove irmãos.[i] Uma de minhas primeiras lembranças é a de meu pai, sentado de pijama na sua cama, me contando sorrindo que eu ganhei um irmão. Na época, eu tinha três anos e oito meses; a diferença de idade entre mim e meu próximo irmão era muito grande. Então, sei que pouco tempo

---

[i] Um lapso [*flüchtiger Irrtum*] de natureza peculiar. Não se deve deixar de levar em consideração que ele já está induzido pela tendência a eliminar o irmão (cf. Ferenczi: *Über passagère Symptombildung während der Analyse* [Sobre a formação de sintomas passageiros durante a análise]. Zentralblatt für Psychoanalyse II, 1912).

> depois (ou terá sido um ano antes?)[i] uma vez joguei pela janela, na rua, objetos, escovas – ou terá sido apenas uma escova? – sapatos e outras coisas. Tenho ainda uma lembrança mais antiga. Quando tinha dois anos, durante a viagem ao Salzkammergut,[5] passei a noite com meus pais em um quarto de hotel, em Linz. Naquela ocasião, fiquei tão inquieto durante a noite e gritei de tal maneira, que meu pai teve de me bater.

Diante desse relato, todas as dúvidas se desfizeram. Se, durante a análise, duas coisas imediatamente seguidas foram trazidas de única vez, então devemos, na interpretação, conectar essa aproximação. Foi então como se o paciente tivesse dito: *porque* fiquei sabendo que ganhei um irmão, algum tempo depois joguei alguns objetos pela janela. Jogar fora escovas, sapatos, etc., se explica como reação ao nascimento do irmão. Também não é inoportuno que, neste caso, não foram louças atiradas fora, mas outras coisas, provavelmente aquelas que a criança poderia vir a ganhar... Jogar fora (pela janela, na rua) se justifica então como o essencial da ação, o prazer em quebrar, em bater e o tipo das coisas pelas quais "a execução deve se realizar", como inconstantes e acessórias.

Naturalmente, a exigência de conexão também vale para a terceira lembrança de infância do paciente, aquela que, embora a mais antiga, foi introduzida ao final da curta sequência. É simples entendê-la. Compreendemos que a criança de dois anos de idade tenha ficado tão agitada, pois não queria sofrer pelo fato de o pai e a mãe estarem juntos na cama. Durante a viagem, não havia outra possibilidade, a não ser deixar que a criança fosse testemunha dessa união.

---

[i] Este aspecto essencial da comunicação como resistência à dúvida que o corroía foi retirado automaticamente depois pelo paciente.

Dos sentimentos que acometeram na época o pequeno ciumento, permaneceu nele a irritação com as mulheres, o que provocou, em consequência, uma permanente perturbação no desenvolvimento de sua vida amorosa.

Depois que eu, após essas duas experiências, expressei a esperança, no círculo da sociedade psicanalítica, de que casos desse tipo não seriam raros em crianças pequenas, a doutora von Hug-Hellmuth[6] pôs a minha disposição duas outras observações, as quais exponho a seguir:

I

Com cerca de três anos e meio, o pequeno Erich "subitamente" adquiriu o hábito de lançar para fora da janela tudo o que não lhe agradava. Mas ele fazia isso com objetos que não lhe estorvavam, que não lhe diziam respeito. Exatamente no dia do aniversário de seu pai – nessa ocasião, ele já tinha três anos e quatro meses e meio – jogou fora, pela janela do terceiro andar do apartamento, na rua, um pesado rolo de massa que ele, rapidamente, pegara da cozinha e levara para o quarto. Alguns dias depois, jogou o pilão, ao que se seguiu um par de sapatos pesados de montanha do pai, que ele teve de tirar da caixa.[i]

Na época, a mãe, com sete ou oito meses de gravidez, tivera uma *fausse couche*,[7] após o que o menino ficou "mudado, bom e carinhoso tranquilo". Quando ela estava com cinco ou seis meses, disse ele para a mãe: "Mamãe, eu pulo na tua barriga" ou "mamãe, eu empurro tua barriga". E, um pouco antes da *fausse couche*, em outubro: "Se eu tivesse que ganhar um irmão, então, no mínimo, [deveria ser] depois do nascimento de Jesus".

---

[i] "Ele sempre escolhia objetos pesados."

II

Uma jovem de 19 anos contou, espontaneamente, o seguinte como a sua mais antiga lembrança da infância:

"Me vejo terrivelmente mal-educada, pronta para sair engatinhando, sentada sob a mesa na sala de jantar. Sobre a mesa está minha taça de café [*Kaffeeschale*][8] – vejo ainda agora, claramente, o desenho da porcelana diante de mim – que eu, no momento em que a vovó entrava na sala, queria jogar fora, pela janela.

Não havia, de fato, ninguém para cuidar de mim e, nesse meio-tempo, se formou uma "pele" [*Haut*] no café, o que me era sempre desagradável e ainda hoje o é.

Nesta época, nasceu meu irmão, dois anos e meio mais novo, por isso, ninguém tinha tempo para mim.

Contam sempre para mim que nesse dia eu estava insuportável; ao meio-dia, joguei fora da mesa a xícara preferida de papai. Durante o dia sujei minhas roupas e fiquei desde cedo até o anoitecer caprichosa ao extremo. Também esfacelei com minha ira uma bonequinha.

Esses dois casos raramente precisariam de um comentário. Eles confirmam, sem mais, a preocupação analítica com o fato de que a amargura da criança em relação à chegada esperada ou já acontecida de um concorrente ganha expressão no lançar fora, pela janela, objetos, assim como outros atos de malvadeza e ânsia de destruição. Na primeira observação, os "objetos pesados" simbolizam bem a própria mãe, contra quem a ira da criança se dirige, enquanto a nova criança ainda não nasceu. O garoto de três anos e meio sabe da gravidez da mãe e não há nenhuma dúvida a respeito de que ela aloja a criança em seu corpo.

Podemos lembrar, nesse caso, do "pequeno Hans"[i] e no seu medo [*Angst*] singular de carruagens com cargas muito pesadas.[ii] Na segunda observação, é digno de menção a idade bem pequena da criança, "dois anos e meio".

Se então voltarmos à lembrança de infância de Goethe e a inserirmos em seu lugar em *Poesia e verdade*, acreditamos que o que deduzimos a partir da observação de outras crianças se estabelece uma irrepreensível conexão, que nós até então não havíamos descoberto. Isso quer dizer o seguinte: eu fui uma criança feliz; o destino me deixou permanecer vivo, embora tenha vindo ao mundo para morrer. Mas meu irmão foi vencido, de tal modo que não preciso dividir com ele o amor da mãe. Então, o pensamento vai mais longe, para alguém que morreu há pouco, a avó, que vive como um espírito sereno, amigo, em outro quarto da casa.

Mas, em outro lugar, eu disse o seguinte: quando se foi o preferido incontestável da mãe, permanece pela vida um sentimento de conquistador, a confiança no êxito, a qual, não raramente, visa realmente o êxito para si. E uma observação como esta: minha força se enraíza nas minhas relações com a mãe, Goethe antecipou, com razão, a história de sua vida.

---

[i] "Análise da fobia de um menino de cinco anos" (Ges. Werke, v. VII).

[ii] Acerca desse simbolismo da gravidez, uma dama com um pouco mais de 50 anos me proporcionou há pouco tempo uma outra confirmação. Foi-lhe repetidamente contado que, quando era pequena, quando ainda pouco falava, o pai corria para fechar a janela, se um pesado carro com móveis passava. Com respeito às lembranças de sua casa, ela lembra que na época era mais jovem que dois anos e oito meses. Por volta dessa época, seu irmão mais novo nasceu e, como consequência do crescimento da família, a casa mudou. Mais ou menos na mesma época, antes de dormir, ela tinha a angustiante sensação [*ängstliche Empfindung*] de que algo sinistramente grande [*unheimlich Groß*] se dirigia para ela e então "suas mãos se tornavam grossas".

NOTAS

[1] No original de Goethe, em vez de *Kindheit* [infância], encontra-se *Jugend* [juventude]; algumas pequenas correções nas citações de Goethe foram extraídas da edição preparada pela Editora Insel, em 1914 – *Goethes Werke*, organizada por Erich Schmidt, v. 5 (N.E.A). A tradução dos trechos do livro de memórias de Goethe, foi comparada à seguinte edição brasileira: GOETHE, J.W., *Memórias: Poesia e Verdade*. Tradução de Leonel Vallandro. 2. ed., Brasília/São Paulo: Editora da Universidade de Brasília/Hucitec, 1986. (N.T.)

[2] "[...] por imperícia da parteira, vim ao mundo como morto e foram precisos grandes esforços para me trazer à vida" (GOETHE, *Memórias: Poesia e* Verdade, op. cit., p. 19). (N.T.)

[3] Inserção, entre parênteses, do próprio Freud, no texto original de Goethe. (N.T.)

[4] GOETHE, *Memórias: Poesia e verdade*, op. cit., p. 20 (N.T., foram produzidas pequenas modificações na tradução).

[5] Conhecida como "região das águas", na Áustria. (N.T.)

[6] Trata-se de Hermine von Hug-Hellmuth, uma das primeiras mulheres aceitas no círculo de psicanalistas de Viena, especializou-se em psicanálise de crianças. (N.T.).

[7] Aborto espontâneo. (N.T.)

[8] *Kaffeeschale. Schale* é, ao mesmo tempo, "taça" e "casca" de uma fruta, por exemplo, o que também chamamos de "pele". Mais a seguir, a paciente substitui, segundo a anotação de Freud, *Schale* por *Haut*, ou seja, por "pele", palavra que se refere exclusivamente à pele humana e à dos animais. É possível que se tratasse de uma "taça de café com leite", que teria formado uma espécie de "nata". (N.T.)

O HUMOR (1927)

No meu escrito sobre *O chiste e sua relação com o inconsciente* (1905),[1] tratei propriamente do humor, apenas do ponto de vista econômico. Meu empenho era encontrar a fonte do prazer no humor e penso ter mostrado que o ganho do prazer humorístico surgia do esforço em poupar sentimentos.

O processo humorístico pode se completar de dois modos, ou em uma única pessoa, que toma para si mesma a posição humorística, enquanto à segunda pessoa cabe o papel de espectadora ou beneficiária; ou entre duas pessoas, das quais uma não tem nenhuma participação no processo humorístico, mas a segunda torna essa pessoa o objeto de sua consideração humorística. Quando, para tomarmos o mais grosseiro exemplo, o delinquente que foi mandado à forca na segunda-feira diz "veja só, a semana começa bem", ele próprio desenvolve o humor, o processo humorístico se realiza na sua própria pessoa, o que lhe proporciona uma certa satisfação. Eu, o ouvinte desinteressado, sou atingido de certo modo por um efeito distante do desempenho humorístico do criminoso; sinto, talvez de modo semelhante a ele, o ganho de prazer humorístico.

O segundo caso existe quando, por exemplo, um poeta ou escritor descrevem o comportamento de pessoas reais ou inventadas de maneira humorística. Essas pessoas não precisam, elas mesmas, mostrar nenhum humor, a posição humorística é coisa apenas daqueles que as tomam como objeto e o leitor ou ouvinte, novamente, tal como nos casos anteriores, participa do prazer no humor. Resumindo, podemos dizer que se pode usar a posição humorística – sempre na direção de quem ela gostaria que existisse – contra ela mesma ou contra pessoas estranhas; supõe-se que aquele que faz isso tem um ganho de prazer; um ganho de prazer semelhante atinge o – imparcial – ouvinte.

Compreendemos melhor a gênese do ganho de prazer humorístico, se nos voltarmos para o que acontece com o ouvinte, diante de quem um outro produz humor. Ele vê esse outro em uma situação que lhe permite esperar, que ele produza os sinais de um afeto; ele se irritará, lamentará, expressará dor, sentirá medo, horror, talvez até mesmo desespero, e o espectador-ouvinte está pronto a segui-lo, para permitir o aparecimento, nele, das mesmas excitações afetivas. Mas essa prontidão afetiva é frustrada, pois o outro não expressa nenhum afeto, mas faz uma piada [*Scherz*];[2] a partir do esforço em poupar sentimentos, se faz presente então, no ouvinte, o prazer humorístico.

Se pode ir facilmente muito longe, mas também logo se diz que este é o processo que diz respeito a outros, aos "humoristas", os que ganham o maior destaque. Nenhuma dúvida de que a essência do humor consiste no fato de que ele poupa os afetos, na medida em que a situação permita que ele se manifeste, com uma piada, acerca da possibilidade de tal expressão dos sentimentos. Na medida em que, melhor dizendo, o processo nos humoristas deve concordar com o que se passa no ouvinte, o processo no ouvinte deve copiar aquele que se passa no humorista. Mas como o humorista realiza esta posição psíquica, que lhe torna supérflua a ligação afetiva, o que se processa nele, durante a "posição humorística", do ponto de vista dinâmico? Deve-se procurar, claramente, a solução do problema do lado dos humoristas, do lado do ouvinte trata-se apenas de um eco, de um assumir uma cópia desse processo desconhecido.

É tempo de nos familiarizarmos com algumas características do humor. O humor não contém apenas algo de liberador, como no chiste [*Witz*] e no cômico [*Komik*], mas também algo de extraordinário e elevado, cujos traços não são encontrados nos dois outros tipos de ganho de prazer a partir de uma atividade intelectual. O extraordinário está ligado, claramente, ao triunfo do narcisismo, à afirmação vitoriosa da invulnerabilidade do eu. Ele recusa a se melindrar por algo causado pela realidade, a se deixar pressionar pelo sofrimento, teimando que os traumas do mundo exterior não podem lhe afligir, mostrando, desse jeito, que estes lhe são apenas oportunidade para o ganho de prazer. Essa última característica é absolutamente essencial para o humor. Imaginemos que, na segunda-feira, o criminoso a caminho do enforcamento tivesse dito: "Não dou a menor importância ao que está em questão, quando um rapaz [*Kerl*] como eu é enforcado, o mundo não vai acabar por isso", então poderíamos avaliar que esta fala contém, de fato, essa extraordinária reflexão sobre a real situação, ela é sábia e justa, mas ela também não revela o rastro de humor, ela toca numa avaliação da realidade, que contradiz diretamente o humor. O humor não é resignado, é consolador, não significa apenas o triunfo do Eu, mas também o do princípio do prazer, que se deixa afirmar, a despeito das relações reais.

Por meio desses dois últimos traços, a recusa da exigência de realidade e o estabelecimento do princípio do prazer, o humor se alimenta de processos regressivos e reativos, com os quais nos ocupamos tão abundantemente na psicopatologia. Com sua defesa em relação às possibilidades de sofrimento, ele toma um lugar no grande conjunto daqueles métodos, que treinaram a vida psíquica humana, para afastar a compulsão ao sofrimento, um conjunto que cresce na neurose e atinge seu ponto máximo na loucura e no qual a embriaguez, a autodissolução, o êxtase são incluídos. O humor deve a esta conexão uma dignidade, a qual, por exemplo, está inteiramente ausente do chiste, pois este serve ou ao ganho de prazer ou coloca o ganho do prazer a serviço da agressão. Em que consiste, então, a atitude humorística, por meio da qual se recusa o sofrimento, que destaca o caráter invencível do Eu diante do mundo real que afirma, vitorioso, o princípio do prazer, mas tudo isso sem abandonar, tal como os outros processos de mesma perspectiva, o chão da saúde psíquica? Ambas as capacidades parecem incompatíveis entre si.

Se nos colocarmos na situação, na qual alguém procede com outro na forma humorística, então é evidente a opinião que eu já sinalizara, timidamente, no livro sobre o chiste, de que ele se comporta em relação a si mesmo como o adulto em relação à criança, na medida em que reconhece, na sua nulidade, interesses e sofrimentos que lhe parecem grandiosos, e ri deles. O humorista ganha então sua capacidade de refletir, na medida em que ele se coloca no papel do adulto, num certo sentido numa identificação ao pai e o outro, copia aqui, a identificação à criança. Essa hipótese encobre inteiramente o conteúdo, mas raramente aparece como obrigatória. Perguntamos como o humorista chega a arrogar-se a esse papel.

Mas lembramos da outra situação do humor, provavelmente a originária e mais significativa, a de alguém que dirige a atitude humorística contra sua própria pessoa para, dessa maneira, defender-se de suas possibilidades de sofrimento. Qual o sentido em dizer que alguém trata a si mesmo como uma criança e, ao mesmo tempo, representa em relação à criança o papel de um adulto reflexivo?

Penso que damos a essa representação pouco plausível um forte apoio, se tivermos em vista o que aprendemos a partir das experiências patológicas sobre a estrutura do nosso Eu. Este Eu não é nada simples, mas abriga como seu cerne [*Kern*] uma instância especial, o Supereu, com quem ele muitas vezes se entrelaça, de tal modo que não nos é possível, muitas vezes, diferenciá-los, enquanto em outras relações um se diferencia rigorosamente do outro. O Supereu é o herdeiro genético da instância paterna, ele mantém o Eu, frequentemente, em estrita dependência, trata-o realmente ainda, como, nos primeiros anos, pai e mãe – ou o pai – trataram a criança. Ou seja, chegamos a um esclarecimento dinâmico da atitude humorística, se admitimos que ela consiste no fato de que a pessoa do humorista retirou o acento psíquico do seu Eu e o transportou para seu Supereu. Diante desse crescente Supereu, o Eu pode parecer diminuto, pequeno, todos os seus interesses irrelevantes e nessa nova distribuição de energia, se torna fácil para o Supereu reprimir [*unterdrücken*] as possibilidades de reação do Eu.

Fiéis ao uso habitual de nosso modo de expressão, em vez de dizer transferência do acento psíquico digamos estímulo à grande quantidade de investimento [*Besetzung*]. Pergunta-se, então, se nós deveríamos imaginar um deslocamento tão amplo de uma instância do aparato anímico para outra. Se isso parece como uma nova hipótese *ad hoc*, então deveríamos nos lembrar que repetimos, mesmo que não seja suficientemente frequente, por ocasião de nossas tentativas de uma representação metapsicológica dos acontecimentos psíquicos, calculadas com um tal fator. Assim, supomos, por exemplo, que a diferença entre um investimento habitualmente erótico do objeto e o estado apaixonado consiste no fato de que, no último caso, passa de forma desigual mais investimento no objeto, o Eu se esvazia, ao mesmo tempo, no objeto. Durante o estudo de alguns casos de paranoia pude estabelecer que as mais antigas ideias persecutórias, existentes há muito tempo, se expressam sem um efeito perceptível, até que, então, elas obtenham, em uma determinada oportunidade, a quantidade de investimento que lhe tornará dominante. Também a cura de tais casos paranoicos deveria consistir menos em uma dissolução e correção das ideias delirantes, do que da retirada do investimento que lhes é emprestado. A diversidade de melancolia e mania, de dominação cruel do Eu por meio do Supereu e da libertação do Eu de tal pressão, nos deu a impressão de uma tal mudança de investimento, a qual também se deveria de todo modo recorrer para o esclarecimento de uma gama inteira de fenômenos da vida anímica normal. Se isso aconteceu até aqui numa medida tão escassa, então o motivo para isso está na louvável reserva, por nós exercida. O domínio no qual nos sentimos seguros é o da patologia da vida psíquica; aqui, fazemos nossas observações, adquirimos nossas convicções. Consideramos provisoriamente um julgamento acerca do normal, na medida em que deduzimos o normal do isolamento e da desfiguração do doentio. Se essa timidez [Scheu] for algum dia superada, reconheceremos o quão grande é o papel das relações estáticas para a compreensão dos processos anímicos, do mesmo modo que as mudanças dinâmicas na quantidade de investimento de energia. Se esse medo [*Scheu*] for uma vez vencido, nós reconheceremos nas relações estáticas um papel tão grande para o entendimento dos processos anímicos como o da mudança dinâmica, na quantidade do investimento de energia.

Penso, então, que a possibilidade sugerida aqui de que a pessoa sobreinveste [*überbesetzt*] subitamente seu Supereu em uma determinada situação e, a partir desta, altera as reações do Eu merece tornar-se permanente. O que supus em relação ao humor encontra também uma analogia digna de atenção com o domínio aparentado do chiste. Se eu suponho, como a proveniência do chiste, o fato de que um pensamento pré-consciente cede, por um momento, ao trabalho inconsciente, o chiste seria então uma contribuição ao cômico, conduzida pelo inconsciente. De maneira semelhante, *o humor seria uma contribuição para o cômico, por meio da mediação do Supereu.*

Não conhecemos o Supereu, a não ser como um senhor rigoroso. Dever-se-ia dizer que soaria ruim para esta característica, se ele se afrouxasse, para permitir ao Eu um pequeno ganho de prazer. É certo que o prazer humorístico nunca alcança a intensidade do prazer no cômico ou no chiste, que ele nunca se entrega ao riso efusivo; é também verdade que o Supereu, quando dirige a atitude humorística, recusa, de fato, a realidade e oferece uma ilusão. Mas esse prazer pouco intenso assinala – sem que se saiba realmente por que – um caráter bastante valorizado, nós o sentimos como particularmente liber-tador e elevado. A piada produzida pelo humor também não é o essencial, ela tem apenas o valor de uma prova; o fundamental é a perspectiva indicada pelo humor, se ele mobiliza a própria pessoa ou uma estranha. Ele quer dizer: veja aqui, este é o mundo, que parece tão perigoso. Uma brincadeira de criança, bem interessante, para se fazer uma piada a respeito.

Se realmente o Supereu é aquele que no humor fala tão afável e consolador a um Eu amedrontado, nós queremos advertir que ainda temos muito o que aprender acerca da sua natureza. A propósito, nem todas as pessoas são capazes da atitude humorística, esta é um talento refinado e raro, e a muitos falta mesmo a capacidade para fruir o prazer que lhe é proporcionado humoristicamente. E, finalmente, se o Supereu, por meio do humor, consola o Eu e almeja defendê-lo do sofrimento, com isso, ele não contradiria seu surgimento na instância parental.[3]

NOTAS

[1] *Witz* é certamente uma das palavras de mais difícil tradução da língua alemã. Desde a primeira edição brasileira desse livro de Freud, optou-se pela solução espanhola, traduzindo-o por "chiste". Os franceses dizem *mot d'esprit*, os ingleses, *jokes*. A dificuldade reside em articular, o que para um alemão erudito é bem mais fácil, o que está em jogo no sentido que Freud atribui a essa palavra, qual seja, seu uso mais cotidiano, o de "gracejo" ou "piada", tal como um *Witzblatt*, um "jornal de piadas", o expresso e o sentido que lhe foi dado pelos Primeiros Românticos, cuja presença no pensamento de Freud é fundamental. Nesse segundo sentido, *Witz* é uma espécie de pensamento fulgurante, que no mesmo instante em que aparece, iluminando o que chamamos de real, desaparece. Costuma-se, na posteridade do Romantismo, em especial na sua apropriação por Walter Benjamin, associar *Witz* e *Blitz* (relampejar, a fulguração de um raio). Ora, certamente Freud une os dois sentidos, de tal modo que o *Witz* é uma forma de pensamento por meio de uma piada, um gracejo, mas que está relacionado ao Inconsciente, ou seja, que revela o funcionamento dos processos psíquicos, sem que aquele que conta o *Witz* perceba isso. Alguns intérpretes brasileiros, seja do Romantismo alemão, seja da relação de Freud com o Romantismo, preferem não traduzir *Witz*. Se, entretanto, mantemos a tradução tradicional de "chiste" não é porque a consideramos a melhor ou a mais acertada, mas porque ela, de algum modo, mantém da sua origem espanhola, da qual nos apropriamos, a ideia de uma piada que se conta rapidamente, que é curta, ligeira, de tal modo que quanto mais rápida, menos nos damos conta de seu "conteúdo de verdade". Se essa tradução está longe de ser adequada para os Primeiros Românticos, não está inteiramente distante do sentido que Freud lhe atribui. (N.T.)

[2] Vemos aqui, com mais clareza, a associação que Freud faz entre *Witz* e *Scherz* (piada, brincadeira, gracejo), uma palavra que não tem o estatuto teórico que *Witz* acabou adquirindo. (N.T.)

[3] *Elterninstanz*, "instância parental", ou seja, que se refere ao pai e à mãe, diferente de *Vaterinstanz*, "instância paterna", no sentido exclusivo do "pai". (N.T.)

DOSTOIÉVSKI E O PARRICÍDIO (1928)

Gostaria de diferenciar quatro fachadas na rica personalidade de Dostoiévski: a do escritor [*Dichter*], a do neurótico [*Neurotiker*], a do moralista [*Ethiker*] e a do pecador [*Sünder*]. Como devemos nos orientar neste emaranhado?

Em relação ao escritor, não há quase nenhuma dúvida de que ele não está muito atrás de Shakespeare. Sem exagero, *Os irmãos Karamazov* é o mais extraordinário romance que já foi escrito, o episódio do Grande Inquisidor, uma das maiores composições da Literatura Universal. Infelizmente, diante do problema do escritor, a análise deve depor as armas.

A primeiríssima coisa a considerar em Dostoiévski é o moralista. Se quisermos valorizá-lo como tal, fundamentado no fato de que apenas aquele que caminhou em meio à mais profunda culpabilidade alcança o mais alto nível de eticidade [*Sittlichkeit*], então não devemos nos importar com uma reflexão a respeito. Ético é aquele que reage a uma tentação sentida internamente, sem a ela ceder. Quem peca com frequência estabelece então no seu arrependimento as mais elevadas exigências éticas, de tal modo que isso o conforta. Dostoiévski não cumpriu o essencial da eticidade, a renúncia, pois a condução ética da vida é um interesse prático da humanidade. Este lembra a barbárie das migrações dos povos que matam e se penitenciam por isso, na qual a penitência torna-se diretamente uma técnica para possibilitar o assassínio. Ivan, o Terrível, também não se comporta de maneira diferente; esta comparação com a eticidade é uma característica russa. O resultado final das lutas éticas de Dostoiévski não é honroso. Após a mais dura luta para reconciliar as exigências pulsionais do indivíduo com as exigências da comunidade humana, ele acaba por se submeter tanto à autoridade universal quanto à espiritual. Pelo respeito ao czar e ao Deus cristão e devido ao estreito nacionalismo russo se atinge, com pouco esforço, uma estação rumo ao espírito inferior. Aqui está o ponto fraco da grande personalidade. Dostoiévski não quis se tornar um mestre e um libertador dos homens, ele se associou ao seu carcereiro; ele pensou muito pouco sobre o futuro cultural dos homens. Isso provavelmente pode mostrar que ele, por sua neurose, foi condenado a tal treva. De acordo com a altura da sua inteligência e da potência de seu amor aos homens, se abriria para ele outro caminho, um caminho de vida apostólico.

Considerar Dostoiévski como pecador ou criminoso provoca uma forte resistência, que não precisa se fundar na desvalorização filisteia do criminoso. Em seguida, diremos o motivo verdadeiro; para o criminoso são essenciais duas características, um egoísmo ilimitado e a forte tendência destrutiva. Ambas, em conjunto, pressupõem para sua expressão a ausência de amor, a falta de valorização afetiva do objeto (humano). Lembramos imediatamente aqui do antagonismo de Dostoiévski, de sua grande carência afetiva e sua enorme capacidade de amar, que se expressam nos fenômenos de excelência [*Übergüte*] e que lhe permitem amar e ajudar, ali mesmo onde ele teria direito ao ódio e à vingança, por exemplo, em relação a sua primeira mulher e sua amante. Desse modo, deve-se perguntar de onde vem a tentação de considerar Dostoiévski entre os criminosos. Resposta: este é o tema escolhido pelo escritor, distinguir, entre todos os outros, caracteres violentos, assassinos, egoístas, o que sugere a existência de tais tendências em seu interior; além disso, algumas ações efetivas de sua própria vida, como seu vício de jogador, talvez o abuso sexual de uma adolescente (Confissão).[i] A contradição se resolve por meio da perspectiva de que o impulso destrutivo bastante forte de Dostoiévski, que o teria facilmente tornado um criminoso, se dirigiu, em vida, principalmente contra sua própria pessoa (para o interior em vez de para o exterior) e então se manifestou como masoquismo e sentimento de culpa. De resto, ele sempre mantém traços suficientemente sádicos, que se expressam em sua irritabilidade, na mania de torturar [*Quälsucht*], na intolerância, também contra pessoas amadas e que ainda reaparecem no modo pelo qual, como autor, ele trata sua vida, ou seja, nas pequenas coisas, sádico em relação aos outros, nas grandes, sádico em relação a si mesmo, ou seja, masoquista, isto é, a pessoa mais frágil, mais bondosa, mais prestativa.

---

[i] Sobre a discussão a esse respeito, ver R. Fülöp-Miller e F. Eckstein (Org.), *O desconhecido Dostoiévski*, Munique, 1926. Stefan Zweig: "Ele não se detém diante de nenhuma barreira da moral burguesa, e ninguém pode dizer, com certeza, o quão longe, em sua vida, ele ultrapassou as fronteiras jurídicas, o quanto dos instintos criminosos [*verbrecherischen Instinkten*] de seus heróis, tornou-se, com ele mesmo, ação" ("Três mestres", 1920). Sobre a íntima relação entre as personagens de Dostoiévski e suas próprias vivências, ver a exposição de René Fülöp-Miller na seção introdutória a R. Fülöp-Miller e F. Eckstein (Org.): "Dostoiévski na roleta", Munique, 1925, que se liga a Nikolai Strachoff. [Como se vê, é Stefan Zweig que usa a palavra *Instinkt*. (N.T.)]

286 OBRAS INCOMPLETAS DE S. FREUD

A partir das complicações da pessoa de Dostoiévski, extraímos três fatores, um quantitativo e dois qualitativos: o cume de sua afetividade, a constituição pulsional perversa, que deveria dispô-lo ao sadomasoquismo ou ao crime e seu não analisável talento artístico. Este conjunto deveria ser capaz de existir perfeitamente sem neurose. Há masoquistas completos que não são neuróticos. Segundo as relações de força entre as exigências pulsionais e as inibições que a elas resistem (acrescidas dos caminhos disponíveis à sublimação), Dostoiévski ainda poderia ser classificado como o conhecido "caráter impulsivo". Mas a situação é perturbada pela presença da neurose, a qual, como se disse, não seria inevitável nestas circunstâncias, embora quanto mais cedo a neurose se instale, mais abundante se torna a complicação a ser vencida pelo Eu. A neurose é então apenas um sinal do fato de que esta síntese não é suficiente para o Eu, de tal modo que em tal tentativa sua unicidade fica prejudicada.

Por meio de que, então, num sentido rigoroso, a neurose é justificada? Dostoiévski chamava a si mesmo, e o era também pelos outro, de epilético, devido aos seus graves ataques, com perda da consciência, convulsão muscular, seguida simultaneamente de um desânimo. É bem provável que essa conhecida epilepsia fosse apenas um sintoma de sua neurose, devendo, portanto, ser classificada como epilepsia histérica, ou seja, como histeria grave. Não se pode ter absoluta certeza disso, devido a dois motivos: o primeiro, porque os dados anamnésicos acerca da conhecida epilepsia de Dostoiévski são falhos e incertos, uma vez que a posição acerca da ligação entre as circunstâncias da doença e os ataques epiléticos não é esclarecida e, segundo, porque a interpretação dos estados doentios ligados aos ataques epilépticos não está explicada.

Inicialmente, vamos ao segundo ponto. É supérfluo repetir aqui toda a patologia da epilepsia, que nada traz de conclusivo, podendo-se de todo modo dizer: sempre se destaca ainda a aparente unidade clínica da antiga *Morbus sacer*, a inquietante [*unheimliche*] doença, com suas incontáveis e aparentemente não provocadas convulsões musculares, a mudança de caráter, que torna o doente excitável e agressivo, assim como a progressiva redução de toda atividade intelectual [*geistigen Leistung*]. Mas, ao final de tudo, essa imagem se esfumaça no impreciso. Os ataques, que se manifestam brutalmente, com mordidas na língua, esvaziamento da bexiga, se juntam como nocivos à vida, no status do epilético, causando pesados prejuízos a ele mesmo, podem ser sim reduzidos a curtas ausências, a simples tonturas rápidas e temporárias, podendo ser substituídos em curto prazo, no qual o doente, como se estivesse sob o domínio do inconsciente, fizesse algo que lhe é estranho. Mesmo necessitando de maneira incompreensível do meramente corporal, eles devem sua primeira emergência a uma influência puramente anímica (terror) ou reagem mais adiante a excitações psíquicas. Mesmo que pudéssemos considerar a redução intelectual como característica para a grande maioria dos casos, poderíamos conhecer sim pelo menos *um* caso, no qual o sofrimento não conseguiu perturbar um alto desempenho intelectual (Helmholtz). (Outros casos, dos quais se poderia afirmar o mesmo, são incertos ou sucumbem às mesmas ponderações, como o próprio Dostoiévski.) As pessoas acometidas pela epilepsia podem dar a impressão de apatia, desenvolvimento interrompido, tendo em vista o quanto o sofrimento está acompanhado, com frequência, de evidente idiotia e alterações cerebrais, mesmo que estas não façam parte necessária da imagem da doença; mas estes ataques também acometem, com todas as suas variações, outras pessoas que apresentam um desenvolvimento psíquico completo e, antes, uma afetividade exagerada, em geral insuficientemente dominada. Nenhum espanto, que se considere impossível, sob estas condições, encontrar algo que mantenha a unidade de uma afecção clínica [chamada] "epilepsia". O que, na homogeneidade dos sintomas externos vem à tona, parece exigir uma interpretação funcional, como se tivesse sido formado, organicamente, um mecanismo de escoamento fora do normal das pulsões, que é exigido sob essas relações completamente diferentes, tanto nas perturbações da atividade cerebral por meio de uma grave doença dos tecidos, e tóxica, como também no domínio insuficiente da economia anímica, no funcionamento crítico da energia atuante na alma [Seele].[1] Por trás dessa dualidade, prevê-se a unidade do mecanismo subjacente ao escoamento pulsional. Do mesmo modo, os processos sexuais, os quais, no fundo, são causados por tóxicos, não ficam a distância; já os médicos mais antigos nomeavam o coito uma pequena epilepsia, reconhecendo, desse modo, no ato sexual, a mitigação e adaptação do escoamento epilético das excitações.

A "reação epilética", como se pode chamar esse nome comum, também predispõe, sem dúvida, à neurose, cuja essência consiste no fato de que massas de excitações, das quais a neurose não dá conta, são resolvidas pelos caminhos somáticos. O ataque epilético se torna então um sintoma da histeria e é adaptado e modificado por ela, de modo semelhante ao desenvolvimento sexual normal. Temos então toda razão em diferenciar entre uma epilepsia orgânica e uma "afetiva". O significado prático disso é o seguinte: quem tem uma é um doente do cérebro, quem tem a outra, um neurótico. No primeiro caso, a vida anímica sucumbe a uma perturbação de fora que lhe é estranha, no outro, a perturbação é uma expressão da própria vida anímica.

No geral, é provável que a epilepsia de Dostoiévski seja do segundo tipo. Não podemos justificar isso rigorosamente. Para isso deveríamos ser capazes de acompanhar o primeiro aparecimento e as posteriores oscilações dos ataques, em conexão com sua vida psíquica e disso sabemos muito pouco. Mesmo a descrição dos ataques nada ensina; as informações acerca das relações entre ataques e vivências são equivocadas e, frequentemente, contraditórias. O mais provável é a hipótese de que os ataques vão longe na infância de Dostoiévski, que eles apareciam de início, por meio de sintomas amenos e só depois do abalo aos 18 anos, depois do assassinato do pai, adotaram a forma epilética.[i] Seria bastante conveniente, se fosse confirmado que durante o período da prisão na Sibéria ela teria se instalado completamente, mas outras

---

[i] Ver a respeito, o artigo "A doença sagrada de Dostoiévski", de René Fülöp-Miller in *Wissen und Leben*, 1924, n. 19/20. Desperta interesse especial a informação de que na infância do escritor aconteceu "algo terrível, inesquecível, doloroso, que seriam os primeiros indícios de seu sofrimento" (Suworin, no artigo do [jornal] *Nowoje Wremja*, 1881, segundo citação na "Introdução" a "Dostoiévski na roleta", p. XLV). Além disso, Orest Miller em "Escritos autobiográficos de Dostoiévski" [Munique, 1921]: "Sobre a doença de Fiódor Dostoiévski ainda existe, em todo caso, um testemunho especial, relacionado a sua mais tenra juventude e que liga sua doença a um acontecimento trágico na vida familiar de seus pais. Embora essa declaração me tenha sido feita pessoalmente por alguém que foi muito próximo de Fiódor Michailowitsch, na medida em que eu, de nenhum lado, consegui uma confirmação desse boato, não posso reproduzir aqui a informação minuciosa e exatamente" (p. 140). O biográfico e a pesquisa sobre a neurose não podem comprometer esta discrição.

informações contradizem isso.[i] A evidente relação entre o parricídio em *Os irmãos Karamazov* e o destino do pai de Dostoiévski chamou atenção de mais de um biógrafo e provocou uma relação entre ela e "certa concepção psicológica moderna". A consideração psicanalítica, que aqui é pensada, tentou reconhecer neste acontecimento o penoso trauma e na reação de Dostoiévski a este, o ponto crucial de sua neurose.

Mas, se intento fundamentar essa posição psicanalítica, devo temer continuar incompreendido por todos aqueles para quem as doutrinas [*Lehren*] e os meios de expressão da Psicanálise não são familiares.

Temos um ponto de partida seguro. Conhecemos o sentido dos primeiros ataques de Dostoiévski, em sua época de juventude, bem distantes do aparecimento da "epilepsia". Esses ataques significavam a morte, foram introduzidos pelo medo da morte e consistiam em letárgicos estados de sono. A doença se abateu sobre ele, quando ainda era menino, como melancolia [*Schwermut*] súbita, sem motivo; um sentimento, tal como ele contou ao seu amigo Solowjoff, como se ele devesse morrer em breve; e, de fato, se seguia também a isso um estado inteiramente semelhante ao da morte real... Seu irmão Andrei relatou que Fiódor ainda muito jovem cuidava de deixar bilhetes antes de dormir, pois temia cair, durante a noite, em um

---

[i] A maioria das indicações, entre elas informações dadas pelo próprio Dostoiévski, afirma muito mais que, primeiramente, a doença ganhou seu definitivo caráter epilético durante a prisão na Sibéria. Infelizmente, temos motivos para desconfiar das informações autobiográficas dos neuróticos. A experiência mostra que suas lembranças operam falsificações, que se destinam a cortar uma conexão causal indesejada. Então, parece seguro que a temporada no cárcere da Sibéria também interferiu para modificar o estado da doença de Dostoiévski. Ver a respeito, "Dostoijewski heilige Krankheit" (p. 1186).

sono semelhante à morte e por isso pedia que o sepultassem apenas cinco dias depois ("Dostoiévski na roleta", Introdução, p. LX).

Conhecemos o sentido e o intuito de tais ataques de morte. Eles significam a identificação com um morto, uma pessoa que realmente está morta ou que ainda vive e de quem desejamos a morte. Este último caso é o mais significativo. O ataque tem então o valor de uma punição. Deseja-se a morte de outro, mas somos nós mesmos esse outro e estamos mortos. Aqui, a teoria psicanalítica estipula que, para o menino, este outro é, em regra, o pai, logo o ataque – chamado histérico – é uma autopunição pelo desejo de morte contra o pai odiado.

Segundo uma conhecida concepção, o parricídio é o crime principal e originário da humanidade, assim como o do indivíduo.[i] Ele é, em todo caso, a fonte principal do sentimento de culpa, só não se sabe se é a única; as pesquisas ainda não puderam estabelecer com segurança a origem [*Ursprung*] psíquica da culpa, da necessidade de expiação. Mas ela não precisa ser a única. A situação psicológica é complicada e precisa de uma explicação. A relação entre o menino e o pai é, como sabemos, ambivalente. Além do ódio, que gostaria que o pai, como rival, fosse afastado, existe, em geral, um tanto de carinho por ele. Ambas as posições se reúnem na identificação com o pai, pois se gostaria de estar no lugar do pai, porque ele é admirado, se gostaria de ser como ele, porque se quer eliminá-lo. Todo esse processo esbarra num poderoso obstáculo. Em certo momento, a criança compreende que poderia ser punida com a castração, pela tentativa de eliminar o pai como rival. Devido ao medo da castração

---

[i] Ver do autor, *Totem e tabu* (Ges. Werke, Bd. IX).

[*Kastrationsangst*], ou seja, no interesse de preservar sua masculinidade, o desejo de possuir a mãe e eliminar o pai é abandonado. Na medida em que este desejo se mantém no inconsciente, ele constitui o fundamento do sentimento de culpa. Acreditamos ter descrito aqui o processo normal, o destino normal do conhecido complexo de Édipo; em todo caso, ainda temos de contribuir com um importante complemento.

Outra complicação aparece aqui, quando na criança este fator constitucional que chamamos bissexualidade se formou fortemente. Assim, sob a ameaça da masculinidade por meio da castração, se reforça a tendência do afastamento em direção à feminilidade [*Weiblichkeit*], de se colocar muito mais no lugar da mãe e tomar seu papel como objeto do desejo junto ao pai. Apenas o medo da castração torna essa solução impossível. Compreende-se que também a castração se abate sobre nós se quisermos ser amados pelo pai como uma mulher. Os dois sentimentos, ódio ao pai e paixão pelo pai, sucumbem ao recalque [*Verdrängung*]. Existe aí certa diferença psicológica, pois o abandono do ódio ao pai resultou de um perigo externo (a castração); mas a paixão pelo pai é tratada como perigo pulsional interno que, no fundo, retorna ao perigo propriamente externo.

O que torna inaceitável o ódio ao pai é o medo do pai; a castração é aterradora, tanto como punição como preço do amor. Dos dois fatores que recalcam o ódio ao pai, é o primeiro, o medo direto da castração e da punição, que chamamos normal, o fortalecimento patógeno aparece por meio de outro fator, o medo diante da posição feminina. Uma forte disposição bissexual torna-se uma das condições ou fortalecimento da neurose. Tal disposição certamente foi assumida por Dostoiévski e se mostra na forma de existência possível (homossexualidade latente) no significado das amizades masculinas na sua vida, em sua atitude particularmente afetuosa diante dos rivais amorosos e em sua extraordinária compreensão de situações que se esclarecem apenas por meio da homossexualidade recalcada, como mostram muitos exemplos de suas novelas.

Lamento, mas não se pode mudar isso, mesmo que esta exposição sobre a posição de ódio e de amor em relação ao pai e sua transformação, sob a influência do medo da castração, pareçam intragáveis e pouco dignas de crédito, ao leitor que não conhece a psicanálise. Eu mesmo espero estar certo de que a recusa mais geral é precisamente a do complexo de castração. Mas posso apenas reiterar agora que a experiência psicanalítica, sem dúvida, posterga essas relações e nos ajuda a reconhecer nelas a chave de qualquer neurose. Devemos também tentar isso a propósito da conhecida epilepsia de nosso escritor. Mas são muito estranhas à nossa consciência as coisas pelas quais a nossa vida psíquica inconsciente é dominada. Com o que foi até agora partilhado, as consequências do recalque do ódio ao pai no complexo de Édipo não se esgotaram. Acrescente-se como novo que, ao final, a identificação paterna é imposta como um lugar permanente no Eu. Ela é assumida pelo Eu, mas aí se contrapõe como uma instância específica ao outro conteúdo do Eu. Nós a chamamos então de Supereu e lhe atribuímos, como herdeira da influência paterna, as mais importantes funções.

Se o pai foi duro, violento, cruel, então o Supereu assume essas qualidades e em sua relação com o Eu se produz novamente a passividade, que agora deveria ser recalcada. O Supereu tornou-se sádico, o Eu tornou-se masoquista, ou seja, no fundo, passivo e feminino. Surge então no Eu uma grande necessidade de punição, que em parte prepara seu destino e em parte encontra satisfação nos abusos do Supereu (sentimento de culpa). No fundo, toda punição é castração, e como tal realização da antiga posição passiva em relação ao pai. Enfim, também o destino é apenas uma projeção posterior do pai.

Assim sendo, os processos normais de formação da consciência moral [Gewissensbildung] deveriam ser muito semelhantes aos processos anormais aqui apresentados. Ainda não conseguimos estabelecer as fronteiras entre ambos. Percebe-se que aqui se atribui a maior parte do desencadeamento aos componentes passivos da feminilidade recalcada. Além disso, torna-se significativo como fator acidental, se em todos os casos o pai temido também é especialmente violento na realidade. Isso serve para Dostoiévski e seu, de fato, excessivo sentimento de culpa, assim como sua condução masoquista da vida, que nos remetem a um componente feminino particularmente forte. Desse modo, eis a fórmula para Dostoiévski: um talento singular, fortemente bissexual, que soube se defender, com especial intensidade, da dependência de um pai particularmente rígido. Acrescentamos este caráter bissexual aos primeiros componentes conhecidos de sua natureza (Wesen). Os mais antigos sintomas dos "ataques de morte" podem então ser compreendidos como uma identificação do Eu com o pai, permitida como punição pelo Supereu. Queres matar o pai para seres, tu mesmo, o pai. Assim, tu és o pai, mas o pai morto dos conhecidos mecanismos dos sintomas histéricos. E junto com isso: agora, tu matas o pai. Para o Eu, o sintoma de morte é satisfação de uma fantasia do desejo masculino e, ao mesmo tempo, satisfação masoquista; para o Supereu, satisfação pela punição, ou seja, satisfação masoquista. Ambos, Eu e Supereu, continuam representando esse papel do pai.

No seu conjunto, a relação entre pessoa [*Person*] e objeto paterno na manutenção de seu conteúdo se transformou numa relação entre Eu e Supereu, uma nova encenação em um segundo palco. Gostaríamos de apagar tais reações infantis surgidas do complexo de Édipo, caso a realidade não lhes desse um novo alimento. Mas o caráter do pai não permanece o mesmo, ele piora com os anos e assim o ódio de Dostoiévski a ele também é mantido, bem como o desejo de que esse pai ruim morra. Então, torna-se perigoso, caso esse desejo recalcado se realize. Se a fantasia se torna realidade, todas as defesas costumeiras se fortalecem. Ao assumirem caráter epilético, os ataques de Dostoiévski ainda sempre significam a identificação punitiva ao pai, mas se tornam frustrantes, assim como a morte terrível do próprio pai. Tais ataques, deixemos de lado as conjecturas, assumiram, além disso, um conteúdo especialmente sexual.

Uma coisa é curiosa: na aura dos ataques, vivencia-se um momento da mais elevada beatitude, que pode estar perfeitamente fixado ao triunfo e à satisfação por ocasião da notícia da morte, a qual se segue, imediatamente, uma punição bastante cruel. Tal sequência de triunfo e luto, festividade e luto, acontece também entre os irmãos da horda primitiva, que espancaram o pai até a morte e o reencontram na cerimônia do banquete totêmico. Se a informação de que Dostoiévski estava livre dos ataques na Sibéria procede, então isso apenas confirma que seus ataques eram punições. Ele não precisou destas, uma vez que já estava sendo punido de outra maneira. Isso é injustificável. Antes, essa necessidade de punição para a economia anímica de Dostoiévski esclarece por que ele atravessou inquebrantável esses anos de miséria e humilhações. Só que isso é injustificável. A condenação de Dostoiévski como criminoso político foi injusta, ele deveria saber disso, mas aceitou a punição imerecida do paizinho czar como substituta da punição, que seus pecados contra o pai real teriam merecido. Em lugar da autopunição, ele se deixa punir por substitutos do pai. Entrevê-se aqui um fragmento da justificativa psicológica da punição infligida pela sociedade. É verdade que grandes grupos de criminosos anseiam por sua punição. Seu Supereu a exige, se poupando com isso de infligi-la a si mesmo.

Quem conhece a complicada mudança dos sintomas histéricos compreenderá que aqui não é feita nenhuma tentativa de sondar o sentido dos ataques de Dostoiévski, para além de seus começos.[i] Tudo bem que é preciso aceitar que seu sentido originário permaneceu inalterável sob todas as interferências posteriores. É preciso dizer que Dostoiévski jamais se livrou do peso na consciência pela intenção em assassinar o pai. Isto caracterizou também sua atitude em relação a duas outras regiões, nas quais a relação com o pai é normalizada, na autoridade do Estado e na crença em Deus. Inicialmente, ele chegou a ela por uma total submissão ao paizinho czar, que certa vez encenara com ele, de fato, a comédia do homicídio, a qual nutriu seus ataques com muita frequência, como uma preliminar. A penitência impôs-se aqui. Na esfera religiosa, ele teve mais liberdade e segundo relatos aparentemente fidedignos, até o último momento de

---

[i] Ver *Totem e tabu*. Foi o próprio Dostoiévski quem deu a melhor informação acerca do sentido e conteúdo de seus ataques, quando comunicou ao seu amigo Strachoff que sua irritabilidade e depressão após seus ataques epilépticos se fundamentariam no fato de que ele parecia com um criminoso e que não poderia se livrar do sentimento de que carregava uma culpa que lhe era desconhecida, de ter cometido um grande crime ("Dosotiewskis heilige Krankheit", p. 1188). Em tal condenação, a Psicanálise entrevê uma parte do conhecimento da "realidade psíquica" e se preocupa em tornar consciente a culpa desconhecida.

sua vida, oscilou entre crença e ateísmo. Seu grande intelecto tornou-lhe impossível não ver que qualquer dificuldade de pensamento conduz à crença. Na repetição individual de um desenvolvimento da história universal, ele esperava encontrar no ideal de Cristo uma saída e uma libertação da culpa, utilizando seu próprio sofrimento como exigência por um papel de Cristo. Se, no geral, ele não precisou disso para alcançar a liberdade e tornou-se reacionário, então se conclui que, em geral, o filho pródigo humano, sobre o qual o sentimento religioso se erige, alcançou nele uma força supraindividual e permaneceu mesmo insuperável por sua grande inteligência. Nós objetamos aqui a censura de que abandonamos a imparcialidade da análise e sujeitamos as avaliações de Dostoiévski a um ponto de partida que só se justifica por certa visão de mundo. Um conservador assumiria o partido do grande inquisidor e julgaria Dostoiévski de outra maneira. A censura se justifica e para aliviá-la podemos dizer que a decisão de Dostoiévski parece determinada por suas inibições de pensamento, às quais se segue sua neurose.

Não é por acaso que três obras-primas da literatura universal de todos os tempos, tratam do mesmo tema, o do assassinato do pai: o *Édipo Rei*, de Sófocles, o *Hamlet*, de Shakespeare, e *Os irmãos Karamazov*, de Dostoiévski. Em todas três, o motivo da ação é também a rivalidade sexual em torno da mulher. A mais elevada é certamente a sua apresentação no drama associado à saga grega. Aqui, o próprio herói ainda praticou a ação. Mas, sem atenuação e ocultamento, a reelaboração poética não é possível. A nua e crua confissão da intenção do parricídio, tal como nós visamos na análise, sem o prévio trabalho analítico, parece insuportável. No drama grego, o imprescindível enfraquecimento é conduzido de modo magistral na conservação da existência do ato, de tal modo que o motivo inconsciente do herói é projetado como uma coerção do destino, que lhe é estranha, no real. O herói comete o ato sem intenção e aparentemente sem a influência da mulher, uma conexão que precisamos levar em consideração, na medida em que ele pode conquistar a rainha mãe, após uma repetição da ação no monstro, que simboliza o pai. Após sua culpa ter sido descoberta, tornada consciente, não se segue nenhuma tentativa de atribuí-la, recorrendo ao auxílio da coerção do destino, mas ela será reconhecida e punida como uma culpa inteiramente consciente, o que parece injusto à reflexão, mas que psicologicamente é inteiramente correto. A apresentação do drama inglês é mais indireta, o herói não completou a ação, mas outra que não significa nenhum parricídio. O motivo escandaloso da rivalidade sexual por causa da mulher não precisa ser revelado. Nós também entrevemos, ao mesmo tempo, sob uma luz refletida, o complexo de Édipo do herói, na medida em que experimentamos nele o efeito da ação de outro. Ele deveria vingar a ação, mas é claramente incapaz disso. Sabemos que é o seu sentimento de culpa que o impede; de uma maneira inteiramente adequada aos processos neuróticos, o sentimento de culpa é deslocado pela percepção da impossibilidade de realizar essa tarefa. Isso indica que o herói sente esta culpa como supraindividual. Ele despreza os outros, não menos do que a si mesmo. "Trata toda pessoa segundo seu ganhapão, e quem é ele diante dos golpes?" Nessa direção, o romance do russo dá um passo mais adiante. Também aqui outro comete o assassinato, mas alguém que, em relação ao assassinado, se encontra na mesma relação de filho, tal como o herói Dimitri, para quem o motivo da rivalidade sexual existe claramente, outro irmão, a quem de maneira notável Dostoiévski imputa sua própria doença, a presumida epilepsia, como se ele confessasse que o epilético, neurótico nele, é um parricida. Segue-se então, na defesa diante da corte de justiça, o conhecido gracejo a propósito da Psicologia, de que ela seria uma faca de dois gumes. Um grandioso ocultamento, do qual precisamos apenas modificar, para encontrar o sentido mais profundo da interpretação de Dostoiévski. Não é da Psicologia, que se graceja, mas do procedimento de investigação judicial. É indiferente, se o ato foi cometido ou não, para a Psicologia o que conta é se ele o quis, no seu sentimento e quando aconteceu, se ele foi bem-vindo e assim, na figura-contraste de Aliocha todos os irmãos são igualmente culpados, o homem impulsionado pelo gozo [*Genuss*], o cético cínico e o criminoso epilético. Em *Os irmãos Karamazov* se encontra uma cena bastante significativa para Dostoiévski. Staretz, em conversa com Dimitri, reconheceu que trazia consigo a disposição para o parricídio e se prostrou diante dele. Isso não pode ser a expressão da admiração, mas quer dizer que o santo afasta de si a tentação de desprezar, detestar o assassino e, por isso, se humilha diante dele. A simpatia de Dostoiévski pelo criminoso é, de fato, ilimitada, vai além da compaixão exigida pela infelicidade, lembra o medo sagrado, com o qual a Antiguidade considerou o epilético e o mentalmente perturbado. O criminoso lhe parece quase um salvador, que arrancou de si a culpa, até mesmo a que os outros deveriam carregar. Não se precisa mais assassinar, porque ele já o fez, mas devemos agradecer-lhe por isso, como se nós mesmos tivéssemos matado. Trata-se não apenas de compaixão benévola, mas de identificação devido ao mesmo impulso homicida, mais propriamente de um narcisismo minimamente deslocado. Com isso, o valor ético desse bem não deve ser contestado. Talvez este seja, em geral, o mecanismo da boa simpatia [*Teilnahme*] por outras pessoas, que transparece, de maneira particularmente simples, no caso extremo do sentimento de culpa que domina Dostoiévski. Nenhuma dúvida de que esta simpatia identificatória caracterizou, decididamente, a escolha dos temas por Dostoiévski. Mas, primeiro, ele tratou do criminoso comum – por egoísmo –, o criminoso político e religioso, antes que, no final de sua vida, retornasse ao criminoso originário, o parricida, e fizesse a ele sua declaração poética.

A publicação do seu espólio e do diário de sua mulher iluminou vivamente um episódio de sua vida, na época em que Dostoiévski, na Alemanha, se viciou no jogo ("Dostoiévski na roleta"). Um ataque irreconhecível de paixão patológica e que também não poderia ser avaliado de outra maneira qualquer. Não falta racionalização para este curioso e desonroso ato. O sentimento de culpa criou, como não é raro entre os neuróticos, um substituto concreto e indigno por meio de uma culpa pesada, e Dostoiévski tinha como pretexto o retorno à Rússia, sem ser impedido por suas crenças. Mas isso era apenas subterfúgio, Dostoiévski era suficientemente perspicaz para reconhecer e sério o suficiente para confessá-lo. Ele sabia que o principal era o jogo em si e para si, *le jeu pour le jeu*.[i] Toda especificidade de sua conduta pulsional sem sentido justifica isso e algo mais. Ele nunca descansava, antes que tivesse perdido tudo. O jogo também era para ele o caminho da autopunição. Incontáveis vezes deu sua palavra ou sua palavra de honra a sua jovem esposa, de nesse dia não jogar mais, mas precisa quebrar a promessa, como ela diz, quase sempre. Se ele tivesse levado a si mesmo e

---

[i] "O principal é o próprio jogo", escreveu ele em uma carta. "Juro para vocês, não se trata nesse caso de ganância, embora eu, todavia, precisasse sobretudo de dinheiro. [*Le jeu pour le jeu*, "o jogo pelo jogo". (N.T.)]

a sua mulher a mais extrema miséria por ter perdido, isso mostraria um segundo significado patológico. Ele poderia se ofender diante dela, se humilhar, exigir seu desprezo, lamentar-se de que ela se casou com um velho pecador e após este alívio da consciência o jogo poderia continuar no próximo dia. E a jovem esposa se acostumou a este ciclo, pois percebera que apenas aquilo que se esperava fosse salvo diante da realidade, a produção literária, nunca caminhava melhor do que quando ele perdia tudo e seu último bem tivesse sido penhorado. Naturalmente, ela não entendia a relação. Se o sentimento de culpa de Dostoiévski era satisfeito por meio da punição que ele próprio lançara contra si, sua inibição para o trabalho diminuía e então ele se permitia dar alguns passos no caminho rumo ao êxito.[i]

É fácil conjecturar qual fragmento da vida infantil, há muito soterrado, se extorquiu na repetição compulsiva do jogo, apoiando-se em uma novela de um jovem escritor. Stefan Zweig, que, aliás, dedicou um estudo ao próprio Dostoiévski ("Três mestres"), narra em sua coletânea de três novelas, *A confusão de sentimentos* [*Die Verwirrung der Gefühle*], uma história que ele mesmo intitulou "Vinte e quatro horas na vida de uma mulher". A pequena obra-prima quer, supostamente, apenas demonstrar como um ser irresponsável, a mulher, para quem mesmo um pequeno excesso, pode ser impelido por uma inesperada impressão da vida. Só que a novela diz muito mais, expondo sem essa tendência a desculpar-se, coisa bem diferente, comum ao humano [*Menschliches*] ou, muito mais, aos homens [*Männliches*],

---

[i] Ele ficava na mesa de jogo até que tivesse perdido tudo, até que estivesse inteiramente destruído. Só quando a desgraça estivesse inteiramente realizada, finalmente o demônio [*Daimon*] recuava de sua alma, dando lugar ao gênio criador (René Fülöp-Miller, "Dostoiévski na roleta", p. LXXXVI).

quando a submetemos a uma interpretação analítica e esta interpretação dá a entender, de maneira tão importuna, que não podemos rejeitá-la. É característico da natureza da criação artística que o escritor, meu amigo, possa assegurar se perguntado, que a interpretação que lhe comuniquei era inteiramente estranha ao seu conhecimento e seu ponto de vista, embora na narrativa, muitos detalhes, que parecem francamente calculados em referência aos rastros ocultos, se encontrem entrelaçados. Na novela de Zweig uma velha dama aristocrata conta ao escritor um fato que lhe aconteceu há pouco mais de 20 anos. Viúva cedo, mãe de dois filhos que não precisavam mais dela, distante de todas as expectativas da vida, nos seus 42 anos de idade, durante uma viagem sem finalidade específica, caiu numa sala de jogo do cassino de Mônaco e logo ficou fascinada, entre todas as extraordinárias impressões do lugar, diante da visão de duas mãos, que pareciam trair, com a mais estremecida sinceridade e intensidade, todos os sentimentos do jogador infeliz. Estas mãos pertenciam a um jovem rapaz – como se fosse sem intenção, o escritor lhe dá a idade do primeiro filho da espectadora [*Zuschauerin*] – que, depois de ter perdido tudo, deixou a sala no maior desespero para, provavelmente, no parque, dar fim a sua vida sem esperanças. Uma inexplicável simpatia lhe impulsionou a segui-lo e a empreender todas as tentativas para salvá-lo. Ele a considera uma dessas inúmeras mulheres do lugar, muito impertinentes e quer livrar-se dela, mas ela permanece junto dele e se vê forçada, da maneira mais natural, a dividir sua hospedagem no hotel e, finalmente, sua cama. Após esta improvisada noite de amor, ela está segura de que o jovem aparentemente tranquilizado, sob as mais solenes circunstâncias, nunca mais irá jogar, lhe assegura o dinheiro para a viagem de volta para casa e promete, antes da saída do trem, na estação, encontrá-lo. Mas um grande afeto por ele é despertado nela, ela quer tudo sacrificar para ficar ao seu lado, decidindo viajar com ele, em vez de despedir-se. Inesperadas adversidades lhe impedem, de tal modo que ela perde o trem; na nostalgia após a partida, ela procura novamente a sala de jogo e encontra outra vez lá, horrorizada, as mãos que inflamaram pela primeira vez sua simpatia; aquele que esqueceu seu dever voltara ao jogo. Ela insiste no cumprimento de sua promessa, mas tomado por sua paixão pelo jogo ele a repreende como desmancha-prazeres [*Spielverdeberin*], pede que ela vá embora e joga nela o dinheiro, com o qual ela quis alforriá-lo. Com a maior vergonha, ela foge e pode, posteriormente, saber que não conseguiu defendê-lo do suicídio.

Essa história, brilhantemente contada, com uma motivação sem lacunas, é certamente capaz de existir por si mesma e assegurar ao leitor um forte efeito. Mas a análise ensina que sua invenção toca, no seu fundo originário [*Urgrund*], em uma fantasia de desejo da época da puberdade, a qual pode ser mesmo lembrada conscientemente por muitas pessoas. A fantasia diz que a própria mãe pode iniciar o rapaz na vida sexual, para salvá-lo dos prejuízos amedrontadores do onanismo. Essas criações literárias salvadoras [*Erlösungendichtungen*] tão frequentes possuem a mesma origem. O "vício" do onanismo foi substituído pela dependência do jogo [*Spielsucht*], o destaque à atividade apaixonante das mãos trai esta dedução. Realmente, a mania de jogar [*Spielwut*] é um equivalente da antiga compulsão ao onanismo, de tal modo que nenhuma outra palavra além de "jogar" [*Spielen*] pode denominar no quarto das crianças a atividade das mãos no genital. O irresistível da tentação, os sagrados propósitos, de fato nunca mantidos, de nunca voltar a fazê-lo, o prazer atordoante e a má consciência, o aniquilar-se (suicídio), permaneceram inalterados pela substituição. A novela de

Zweig foi contada, de fato, pela mãe, não pelo filho. Deve-se pensar no filho envaidecido: se a mãe soubesse quais perigos o onanismo traz para mim, ela certamente me salvaria dele, permitindo todo carinho no seu próprio corpo. A comparação da mãe à prostituta [Dirne], que o rapaz realiza na segunda novela, pertence à mesma fantasia. Ela torna a inacessibilidade facilmente alcançável; a má consciência que acompanha esta fantasia alcança o ponto de partida ruim da novela [Dichtung]. É também interessante perceber como a fachada da novela construída pelo escritor procura ocultar seu sentido analítico. Pois, é bastante discutível que a vida amorosa da mulher tenha sido subitamente dominada por impulsos misteriosos. A análise descobre muito mais uma rica motivação para a surpreendente conduta da mulher, modificada até aí pelo amor. Fiel à memória do marido, ela se armara contra todas as exigências semelhantes às dele, mas – daí que a fantasia do filho é legítima – uma transferência amorosa inteiramente inconsciente para o filho não lhe escapava como mãe, e nesse lugar desprotegido o destino pode lhe agarrar. Se a mania do jogo com sua luta sem êxito contra o hábito e suas oportunidades para autopunição é uma repetição da compulsão onanista, então não ficaríamos admirados que ela tenha atingido um espaço tão grande na vida de Dostoiévski. Não encontramos, de fato, em nenhum caso de neurose aguda, no qual a satisfação autoerótica da infância e da época da puberdade não representava seu papel e as relações entre a preocupação em recalcá-las e o medo diante do pai são bastante conhecidas, para necessitar mais do que uma menção.[i]

---

[i] Algumas das perspectivas aqui relatadas são encontradas também, no escrito, de 1923, de Jolan Neufeld, "Dostoiévski, Skizze zu seiner Psychoanalyse" (Imago-Livrio, Nt IV).

NOTA

[1] Descrevendo uma entidade clínica não psicanalítica, a epilepsia, Freud emprega a palavra *Seele*, que aqui refere-se ao sentido mais geral de "alma", uma vez que, mesmo em trabalhos psiquiátricos mais recentes, essa doença ainda está relacionada a problemas "da alma". Evidentemente, isso remete à sua explicação religiosa como "possessão demoníaca". É ainda entre as "doenças da alma" que ela aparece nos sites de médicos espíritas. (N.T.)

PRÊMIO GOETHE (1930)

CARTA AO DR. ALFONS PAQUET

O Prêmio Goethe da cidade de Frankfurt sobre o Meno foi concedido ao autor em 1930. O secretário da Curadoria do Prêmio, Dr. Alfons Paquet, comunicou-lhe esta premiação em uma carta datada de 26 de julho de 1930;[i] a seguir, pode-se ler a resposta de

---

[i] Nesta carta, entre outras coisas, lê-se:

"Segundo o regulamento para a concessão do Prêmio Goethe, este deve reconhecer uma personalidade que já alcançou prestígio com suas obras, cujo efeito criador é digno de uma homenagem dedicada a lembrar Goethe [...]

Ao conceder-lhe o prêmio, mui honrado professor, o conselho curador desejou expressar o alto valor atribuído aos efeitos transformadores das novas formas de pesquisa criadas pelo senhor, sobre as forças formativas de nossa época. Com um rigoroso método científico e, ao mesmo tempo, com a ousada interpretação das metáforas cunhadas pelos poetas, sua pesquisa abriu uma passagem para as forças pulsionais da alma e, por meio dela, criou a possibilidade de compreender o surgimento e a construção, em suas raízes, de muitas formas culturais e [também] de curar doenças, cuja chave a arte médica até agora não possuía. Entretanto, sua Psicologia não é apenas a Ciência Médica, mas também revolveu e enriqueceu o mundo das representações dos artistas, dos sacerdotes, dos historiadores e educadores. Para além da autoestruturação monomaníaca e de todas as diferenças entre as

Freud, de 5 de agosto [corretamente: 3 de agosto] de 1930, assim como o discurso lido por Anna Freud na Casa de Goethe, em Frankfurt, em 28 de agosto de 1930.

Não sou mimado com homenagens públicas e me estruturei de tal maneira que podia dispensá-las. Mas não posso negar que receber o Prêmio Goethe, da cidade de Frankfurt, me deixou muito alegre. Há algo neste prêmio que aquece de maneira muito especial a fantasia [*Phantasie*] e uma de suas cláusulas afasta a humilhação, que é pressuposta até mesmo em tais distinções.

---

direções espirituais, sua obra forneceu os fundamentos de uma compreensão renovada, melhor, dos povos. De acordo com sua própria informação, os primeiríssimos começos dos seus estudos científicos remetem a uma palestra sobre o artigo de Goethe, "A natureza", assim como nos mais recentes, exigidos pelo seu modo de pesquisar, o traço mefistofélico que rasga cruelmente todos os véus é, ao mesmo tempo, o companheiro inseparável da insaciabilidade e da reverência fáustica, diante dos poderes imagético-criadores que dormitam no inconsciente. A honra que lhe concedemos vale, na mesma medida, tanto para os eruditos quanto para os escritores e lutadores que, em nosso tempo mobilizado por questões candentes, estão aí como referência a um dos lados mais vivos do modo de ser goethiano.

O ponto 4 do regulamento formulado pelo magistrado da cidade de Frankfurt diz: A festiva concessão do prêmio Goethe acontece, a cada vez, no dia 28 de agosto, na Casa de Goethe e, de fato, na presença da personalidade agraciada com o prêmio [...]"

[O Dr. Paquet se refere à passagem da *Autoapresentação* [*Selbstdarstellung*], que Freud escreveu em 1924 e na qual ele diz, logo no início, que sua decisão de se inscrever no curso de Medicina deveu-se ao fato de ter ouvido "uma palestra sobre 'A natureza', o belo artigo de Goethe", proferida por Carl Bernhard Brühl, professor de Anatomia Comparada. Hoje, sabemos que o referido artigo não foi escrito por Goethe, mas por um pietista suíço chamado Georg Christoph Tobler, em 1782. Sobre a conturbada indicação de Freud ao "Prêmio Goethe", ver Thomas Plänkers, "Vom Himmel durch die Welt zur Hölle: zur Goethe-Preisverleihung an Sigmund Freud im Jahre 1930". In: *Jahrbuch der Psychoanalyse* 30, 1993. (N.T.)]

Faço um agradecimento especial por sua carta, que me tocou e surpreendeu. Até agora, nunca tinha encontrado uma apreciação tão profunda e amável do caráter de meu trabalho como a sua, que reconhecesse com tal clareza as secretas perspectivas pessoais deste e gostaria de lhe perguntar de onde vem seu conhecimento.

Fiquei sabendo, por meio de sua carta a minha filha, que, infelizmente, não poderei vê-lo nos próximos tempos e, na minha idade, qualquer adiamento é sempre preocupante. Naturalmente, estou pronto, com muito prazer, para receber a visita anunciada pelo senhor (Dr. Michel).

Infelizmente, não poderei participar da comemoração em Frankfurt, estou muito frágil para uma viagem como esta. O auditório não perderá nada com isso, minha filha Anna, certamente, será muito mais agradável de ver e ouvir do que a mim. Ela deve ler algumas frases que tratam da relação de Goethe com a Psicanálise e defendem os próprios analistas da acusação de que eles, por tentarem analisá-lo, feriram o respeito devido aos grandes. Espero que o tema a mim proposto, "As relações internas entre homens e pesquisadores com Goethe", possa tratar disso ou o senhor poderia ainda ser amavelmente crítico e me desaconselhar a respeito.

DISCURSO NA CASA DE GOETHE, EM FRANKFURT

O trabalho de minha vida foi erigido em torno de um único objetivo. Observando as mais sutis perturbações do desempenho psíquico em pessoas sãs e doentes, quis explorar, a partir de tais indicações – ou, se for melhor para os senhores: intuir – como é construído o aparelho no qual esse desempenho se exerce, e quais forças, em conjunto e em contraposição, que nela agem. O que nós, eu, meus amigos e colegas de trabalho pudemos aprender nestes caminhos nos pareceu significativo para a edificação de uma ciência da alma, dos processos tanto normais quanto patológicos, que se deixam compreender como parte natural desses acontecimentos.

O surpreendente prêmio concedido pelos senhores lembrou em mim a limitação desse trabalho. Na medida em que ele evoca a grandiosa figura universal, daquele que nasceu nesta casa, que nestes aposentos viveu sua infância, instiga, ao mesmo tempo, para nos justificarmos diante dele, a lançar a pergunta de como *ele* se sentiria, se seu olhar atento para qualquer renovação da ciência tivesse também recaído sobre a Psicanálise.

De diversas maneiras, Goethe se aproxima de Leonardo da Vinci; o mestre da Renascença, o artista e o pesquisador, era como ele. Mas imagens de pessoas não podem nunca se repetir, pois também não faltam profundas diferenças entre esses dois grandes. Na natureza de Leonardo, o pesquisador não se dá bem com o artista, ele o perturba e, ao final, talvez o esmague. Na vida de Goethe, ambas as personalidades encontram lugar uma ao lado da outra, uma e outra, temporariamente, se substituem no comando. É fácil compreender que a perturbação, em Leonardo, está ligada à inibição do desenvolvimento que ocultou todo seu interesse pelo erótico e, com isso, pela Psicologia. Neste sentido, a natureza de Goethe pode desdobrar-se mais livremente.

Penso que Goethe não teria repudiado a Psicanálise de maneira inamistosa, como muitos dos nossos contemporâneos. Em muitos aspectos, ele próprio se aproximou dela, reconheceu muitas coisas que nós pudemos, desde então, atestar e muitas concepções, que nos trouxeram crítica e escárnio, seriam por ele claramente defendidas.

Assim, por exemplo, lhe eram conhecidas as incomparáveis forças das primeiras ligações afetivas das crianças. Ele as festejou na dedicatória do *Fausto*, em palavras que poderíamos repetir em cada uma de nossas análises:

> Novamente apareceis, formas hesitantes
> Que um dia se mostraram a minha visão nublada;
> Devo agora procurar vos reter?
> [...]
> Como antiga lenda quase extinta
> Retorna o primeiro amor e com ele a amizade.

Acerca das fortes atrações amorosas, que ele experimentou na maturidade, explicou-as a si mesmo enquanto clamava pela amada: "Ah, tu fostes em tempos já vividos minha irmã ou minha mulher".

Com isso, ele não desmente que essas primeiras e incomparáveis inclinações tomam como objeto pessoas do próprio círculo familiar.

Goethe circunscreve o conteúdo da vida onírica com estas palavras tão expressivas:

> O que não é sabido pelos homens
> Ou não pensado,
> No labirinto do peito
> Vaga pela noite.

Por trás deste encanto, reconhecemos a venerável e incontestavelmente correta afirmação de Aristóteles, segundo a qual o sonho seria a continuação da atividade da alma durante o estado de sono, reunida ao reconhecimento do inconsciente, que a Psicanálise, por primeiro, acrescentou. Apenas o mistério da deformação onírica não encontrou, aí, nenhuma solução.

Em sua talvez mais sublime obra, a *Ifigênia*, Goethe nos mostrou um comovedor exemplo de expiação, de libertação da alma sofredora do peso da culpa, permitindo a consumação dessa catarse por meio de uma apaixonada irrupção de sentimentos, sob a influência complacente de um interesse afetivo. Sim, ele próprio, repetidas vezes, tentou prestar auxílio psíquico ao professor Plessing, o infeliz que ele chamou de Kraft nas cartas, narrado na *Campanha na França*, e o procedimento que ele utilizou vai além daquele da confissão católica e se assemelha, em detalhes curiosos, com a técnica de nossa Psicanálise. Gostaria aqui de retomar, minuciosamente, um exemplo caracterizado por Goethe como engraçado, de influência psicoterapêutica, porque ele talvez seja muito pouco conhecido, embora muito característico. De uma carta à senhora von Stein (n. 1444, de 5 de setembro de 1785):

> Ontem à noite fiz uma mágica psicológica. A senhora Herder estava ainda aborrecida, da maneira mais hipocondríaca, com tudo o que lhe acontecera de desagradável em Carlsbad. Em especial com sua companheira de casa. A deixei contar e confessar tudo para mim, delitos[1] alheios e erros próprios, nas circunstâncias e consequências mais baixas e, por fim, a absolvi e a fiz compreendê-los de maneira divertida seguindo a fórmula de que devemos pôr de lado essas coisas e lançá-las na profundeza do mar.

Goethe sempre teve Eros em alta consideração, nunca tentou diminuir seu poder, seguiu suas expressões mais primitivas e, não menos, as corajosas, como suas sublimações mais elevadas e, conforme me parece, não menos representou decisivamente sua unidade em meio a todas as suas formas de manifestação como, há tempos, Platão. Sim, talvez seja mais do que uma coincidência casual, quando ele, nas *Afinidades eletivas*, transportou uma ideia do círculo de representações da química para a vida amorosa, uma relação da qual o próprio nome da Psicanálise testemunha.

Estou preparado para a acusação de que nós, analistas, não temos o direto de nos colocarmos sob o patronato de Goethe, uma vez que ferimos a honra a ele devida, quando tentamos aplicar a análise a ele mesmo, rebaixando o grande homem à condição de objeto da pesquisa analítica. Mas contesto, de início, que isso pretenda ou signifique um rebaixamento.

A todos nós, que reverenciamos Goethe, agrada, sem muita contestação, as preocupações dos biógrafos, que querem reconstituir sua vida a partir dos relatos e indicações existentes. Mas o que podem nos fornecer essas biografias? Por sua vez, nem a melhor e a mais completa poderia responder às duas únicas questões, que parecem, sozinhas, dignas de valor.

Elas não esclarecem o mistério do talento extraordinário que o torna artista e não podem nos ajudar a compreender melhor o valor e o efeito de suas obras. Por outro lado, é indubitável que uma tal biografia satisfaça uma forte necessidade nossa. Nós sentimos isso de maneira tão clara, quando em detrimento da tradição histórica recusa essa necessidade de satisfação, por exemplo, no caso de Shakespeare. É, a todos nós, inegavelmente penoso, que não saibamos ainda quem escreveu as comédias, tragédias e sonetos de Shakespeare, se realmente foi o filho sem estudo do pequeno povoado de Stratford, que conseguiu em Londres um modesto lugar como ator ou, antes, o bem-nascido e finamente educado, apaixonadamente desleixado, de certa maneira o aristocrata desclassificado Edward de Vere, décimo sétimo conde de Oxford, camareiro hereditário do Lord Great Chamberlain da Inglaterra. Mas como tal necessidade se justifica, de tal modo que, das circunstâncias da vida de um homem, se obtenha conhecimento, se sua obra se tornou tão significativa para nós? Diz-se, em geral, que seria desejável também aproximar de nós tal homem, humanizando-o. Admitamos, trata-se da necessidade de estabelecer uma relação afetiva com um tal homem, assimilá-lo aos pais, professores, figuras modelares que conhecemos ou cuja influência experimentamos, na expectativa de que sua personalidade seja tão extraordinária quanto admirável como as obras que dele possuímos.

Sempre queremos assegurar que há ainda outro motivo em jogo. A justificação do biógrafo também contém uma confissão. O biógrafo, de fato, não quer rebaixar o herói, mas aproximá-lo de nós. Mas isso significa estreitar a distância que nos separa dele, cujo efeito, de fato, se encaminha na direção do rebaixamento. É inevitável, quando sabemos mais da vida de um grande, ouvir também sobre as ocasiões nas quais ele realmente não agiu melhor do que nós, aproximando-se de nós, realmente como pessoa. Contudo, penso que esclarecemos com legitimidade as preocupações do biografado. Nossa posição em relação aos pais e professores é, antes, ambivalente, pois nossa veneração por eles esconde, em geral, um componente de rebeldia inamistosa. É uma fatalidade psicológica que, sem uma violenta repressão [*Unterdrückung*], nada mude de verdade e isso permaneça na nossa relação com os grandes homens, cuja história de vida queremos investigar.

Se a Psicanálise se coloca a serviço da biografia, ela não tem naturalmente o direito de ser tratada com mais rigor do que aquela. A Psicanálise pode chegar a muitas soluções que não são alcançadas por outras vias e mostram tantas novas relações nas obras-primas do tecelão, tais como as que se estendem entre os investimentos pulsionais, as vivências e a obra de um artista. Na medida em que uma das mais importantes funções do nosso pensamento é a de dominar psiquicamente o material do mundo exterior, penso que devemos agradecer à Psicanálise, quando ela se volta para os grandes homens, a fim de contribuir para o entendimento de suas grandes realizações. Mas confesso que, no caso de Goethe, não fomos muito longe. Isso se deve ao fato de que Goethe foi não apenas como poeta um grande confessor, mas também, apesar de suas inúmeras anotações autobiográficas, um cuidadoso encobridor. Não podemos deixar de lembrar aqui as palavras de Mefisto:

> O melhor, que podes saber
> Não deves dizê-lo ao menino.[2]

NOTAS

[1] No original de Goethe, *Unarten*, "vícios", e não *Untaten*, "delitos", como Freud escreveu. (N.E.A.)

[2] Nessa última citação, ecoam as palavras de Mefisto, citadas logo no início da *Autoapresentação*: "Giras em vão em torno do científico/Só se aprende o que se pode aprender". (N.T.)

POSFÁCIO
FARÓIS E ENIGMAS: ARTE E PSICANÁLISE À LUZ DE SIGMUND FREUD

Edson Luiz André de Sousa

As obras de arte são sempre o produto de um risco que se correu, de uma experiência levada até o extremo, até o ponto em que o homem não pode mais continuar.

Rainer Maria Rilke

Bas Jan Ader, artista holandês, produziu no início da década de 1970 alguns vídeos registrando cenas em que se coloca em situação de desequilíbrio e queda. Podemos ver, portanto, o artista se pendurar em uma arvore até cair, andar de bicicleta em uma das ruas de Amsterdã até se lançar na água de um dos canais, permanecer de pé em um parque onde se projeta de um lado para o outro, como o pêndulo de um relógio, até atingir o ponto-limite do equilíbrio. Esta série de trabalhos, elaborados de forma muito rudimentar, tenta dar forma a um pensamento sobre o desequilíbrio que nos constitui.

De alguma forma podemos dizer que é este também um dos traços que marcam a obra de Sigmund Freud, na medida em que sempre buscou as razões que levam os sujeitos a situações de desequilíbrios, e a partir daí desenhando um novo mapa do psiquismo humano. Freud se lançou como desafio tentar elucidar os bastidores obscuros dos sintomas que nos habitam. Neste percurso, ele sempre se manteve muito próximo dos artistas, por acreditar que estes funcionam como faróis, com suas luzes intermitentes que indicam desvios em nossas travessias. Os artistas cumpririam, portanto, a função de antenas do seu tempo, captando as fantasias de uma determinada época, como evocou o poeta Ezra Pound. Assim como nos sonhos, que Freud aproximou dos hieróglifos egípcios, a obra de arte traz consigo seus enigmas, desafiando nossa sensibilidade e nossa razão.

Neste volume encontramos reunidos a quase totalidade destes textos, o que mostra que o diálogo com a arte sempre ocupou para Freud um lugar central. Cada um destes ensaios coloca em cena algumas perguntas, propondo um exercício de leitura a partir do campo conceitual da Psicanálise. Fica evidente, ao ler os doze textos que compõem o presente volume, que Freud buscava abrigo na produção literária e artística para suas hipóteses conceituais. Podemos perceber que Freud oscila entre uma necessidade demonstrativa da consistência de sua teoria mostrando que a lógica inconsciente é capaz de dar conta e iluminar alguns bastidores da vida dos artistas, mas ao mesmo tempo vemos que estes escritos testemunham simplesmente sua fascinação pela arte e o quanto, apesar de todo seu esforço de entendimento, resta sempre uma dimensão inapreensível. Lemos, por exemplo, em *O interesse pela Psicanálise* (1913, p. 397) "A respeito de alguns problemas que se entrelaçam a propósito da arte e dos artistas, a maneira de ver psicanalítica fornece esclarecimentos satisfatórios, outros lhe escapam totalmente". Em outro escrito, dez anos depois, percebemos a preocupação de Freud em apontar o limite da Psicanálise, quando esta se lança na tentativa de entendimento dos motores psíquicos na produção de uma obra. Em *Breve compêndio de Psicanálise* (1923, p. 425) escreve: "A avaliação estética da obra de arte assim como a explicação do dom artístico [*kunstlerische Begabung*] não são vistas como tarefas para a Psicanálise. Mas parece que a Psicanálise está em posição de dar a palavra decisiva para todas as questões que dizem respeito à vida imaginária da humanidade [*Phantasieleben des Menschen*]".

São inúmeros os eixos de reflexão nos textos que compõem este volume, mas fica evidente que predomina, sobretudo, o interesse de Freud em buscar as raízes infantis no processo de construção de uma obra. Contudo, neste ponto temos que estar atentos ao fato de que este infantil não se revela diretamente. Ele surge de forma obscura, como uma imagem não disponível, e que só pode ser parcialmente recuperada. Isto porque a intenção do artista nunca se realiza completamente, pois é atravessada pelos ruídos impostos pelo trabalho do recalque. Portanto, Freud problematiza aqui a viabilidade de uma tradução direta do psiquismo do artista na obra que ele realiza. Vejamos como finaliza "O Moisés, de Michelangelo" (neste livro, p. 217):

> E se tivéssemos sucumbido ao destino de muitos intérpretes que acreditaram poder ver claramente o que o artista, consciente ou inconscientemente, resolveu criar? Sobre isso, nada posso concluir. Nada tenho a dizer, no que concerne a isso, se um artista como Michelangelo lutou tanto para expressar em suas obras tantos pensamentos, para confiar tal indeterminação e se exatamente isso é aceitável como características claras e específicas da estátua de Moisés.

Assim, Freud nos sinaliza que não é possível estabelecer um método de leitura da obra de arte sem levar em conta a diferença entre a intenção e a expressão do artista.

Podemos dizer que é no que falha entre a intenção e a expressão que um campo rico de estudos se abre para a Psicanálise. Neste ponto, vemos em obra a divisão do sujeito, inaugurada por Freud quando propõe o conceito de inconsciente, indicando-nos que não há coincidência entre aquilo que o sujeito pensa e o que diz, entre o que diz e o que faz, entre o que intenciona e o que expressa. Assim, o que nos interessa em uma obra de arte é muito mais sua dimensão de rasura. Em outras palavras, é insuficiente recorrer às intenções do artista para decifrar os significados de suas produções. Todo este pensamento, encontramo-lo magistralmente descrito por Marcel Duchamp em seu breve e brilhante ensaio dedicado ao ato criador. Ali ele escreve que

> no ato criador, o artista passa da intenção à realização, através de uma cadeia de reações totalmente subjetivas. Sua luta pela realização é uma série de esforços, sofrimentos, satisfações, recusas, decisões que também não podem e não devem ser totalmente conscientes, pelo menos no plano estético. O resultado deste conflito é uma diferença entre a intenção e a sua realização, uma diferença de que o artista não tem consciência (DUCHAMP, 1975, p. 73).

Se aplicarmos esta mesma proposição às intenções de Freud podemos perceber que, ao mesmo tempo que fazia uso da arte como um recurso demonstrativo de sua teoria, também revelava nesta tentativa as suas aspirações criativas. A sensibilidade de Freud o conduziu, desde jovem, a um desejo de invenção. Essa sua aposta na criação e a admiração pelos artistas ficam claras em inúmeros momentos da construção de sua trajetória intelectual. Freud admirava muito um colega médico, Arthur Schnitzler, que abandonou a clínica para se dedicar à literatura. Sentia-se

ARTE, LITERATURA E OS ARTISTAS **321**

atraído por seu trabalho. Freud demorou algum tempo para reconhecer o valor do escritor e a influência que dele recebia. Schnitzler era médico em Viena e tinha tido uma formação acadêmica muito similar à do inventor da Psicanálise. Freud, embora o admirasse, evitava encontrá-lo. Em uma carta que enviou a Schnitzler em 1922, revelou com muita clareza o quanto via nele uma espécie de duplo de si mesmo.

> Sempre me atormentei com a pergunta sobre a razão por que, em todos estes anos, nunca procurei conhecê-lo nem conversar com o senhor. A resposta contém a confissão que me parece íntima demais. Acho que evitei o senhor por causa de uma espécie de relutância em conhecer meu sósia. Não que eu me incline facilmente a identificar-me com outrem, ou que pretenda fazer pouco da diferença de talento que me separa do senhor, mas, todas as vezes que me absorvo profundamente nas suas belas criações, pareço sempre encontrar, sob sua superfície poética, os mesmos pressupostos, interesses e conclusões que alimento (FREUD *apud* JONES, 1922, p. 431).[1]

Freud abriu muitos caminhos na demonstração das afinidades entre arte e Psicanálise. Seu método clínico colocou em cena a possibilidade de termos consciência sobre a estilística daquela que talvez seja a obra mais fundamental que construímos: as formas de nosso viver. Por isso, ele sempre esteve muito interessado nos processos de criação artística como potência de transformação do mundo e de si mesmo. A reflexão de Freud sobre o belo se aproxima muito do que podemos ler nos versos do poeta

---

[1] Sobre a relação Freud e Schnitzler ver o livro *Freud & Schnitzler: sonho sujeito ao olhar*, de Pedro Heliodoro Tavares (2007).

Rainer Maria Rilke. No início de suas *Elegias de Duíno* escreve: "Pois que é o belo senão o grau do terrível que ainda suportamos e que admiramos porque, impassível, desdenha destruir-nos?" (RILKE, 2001, p. 17). Assim, o belo é colocado numa zona de limite, de fronteira, lugar de um excesso onde o sujeito corre o risco de se dissolver. Embora possamos perceber, nos ensaios deste volume, uma predileção por obras e artistas clássicos e consagrados como Johann Wolfgang von Goethe, Leonardo da Vinci, Fiódor Dostoiévski, William Shakespeare, Henrik Ibsen, Freud também manteve-se em diálogos com seus contemporâneos. Teve, como sabemos, a possibilidade de encontrar o movimento surrealista e, durante algum tempo, foi uma das referências essenciais do grupo. Trocou algumas poucas cartas com André Breton em dezembro de 1932. Contudo, para Freud, não era suficiente o reconhecimento como escritor: queria ser reconhecido como cientista. Em uma carta que enviou a Ernest Jones, chegou a dizer: "Eis a forma mais refinada e mais amável da resistência, considerar-me um grande artista a fim de prejudicar a validade de nossas pretensões científicas" (FREUD *apud* JONES, 1961, p. 587).

Uma das poucas homenagens que recebeu publicamente foi o prestigiado Prêmio Goethe, que é entregue na casa em que Goethe viveu em Frankfurt, cerimônia que acontece no dia do seu aniversário, a saber, em 28 de agosto. Freud foi agraciado com o prêmio em 1930 e foi um dos primeiros a recebê-lo, já que este foi instituído em 1927. A escolha do nome de Freud não foi um consenso. Um ano antes ele já tinha sido indicado, mas não obteve o número de votos suficientes, tendo inclusive encontrado a resistência de Alfons Paquet, a quem Freud endereça a carta de agradecimento no ano seguinte. Na data em que recebeu a homenagem foi escolhido com uma votação apertada: sete a favor de sua láurea e cinco votos contrários à sua distinção. Este prêmio não era propriamente um reconhecimento literário, mas concedido a personalidades de cultura que deixaram sua marca na história da Alemanha. Entre muitas outras personalidades, também receberam o prêmio o escritor Thomas Mann, o físico Max Planck, o arquiteto Walter Gropius, o filósofo Karl Jaspers e mais contemporaneamente o cineasta Ingmar Bergman e a coreógrafa e bailarina Pina Bausch.[2] Pela votação apertada na concessão do prêmio, fica evidente a resistência que Freud ainda produzia com suas teorias, mesmo já estando com 74 anos e com sua obra consolidada. No texto escrito por Freud para a cerimônia do recebimento do prêmio e que, devido a seu estado de saúde, será lido pela filha, Anna Freud, o leitor poderá encontrar uma tomada de posição enfática contra seus opositores. Freud escreveu: "Penso que Goethe não teria repudiado a Psicanálise de maneira inamistosa, como muitos dos nossos contemporâneos. Em muitos aspectos, ele próprio se aproximou dela, reconheceu muitas coisas que nós pudemos, desde então, atestar e muitas concepções, que nos trouxeram crítica e escárnio, seriam por ele claramente defendidas" (neste livro, p. 312). Sabemos que um dos motores desta resistência a Freud era devido a sua abordagem da primazia do sexual na constituição do psiquismo. Freud aproveita o ensejo da homenagem e escreve um pouco mais adiante neste mesmo texto: "Goethe sempre teve Eros em alta consideração, nunca tentou diminuir seu poder, seguiu

---

[2] Ver o artigo "Freud e o Prêmio Goethe", de Mariangela Bracco (2011), onde encontramos estas informações e outras detalhes curiosos em torno desta homenagem.

suas expressões mais primitivas e, não menos, as corajosas, como suas sublimações mais elevadas e, conforme me parece, não menos representou decisivamente sua unidade em meio a todas as suas formas de manifestação como, há tempos, Platão" (neste livro, p. 314).

Em "Dostoiévski e o parricídio" (1928) Freud se debruça particularmente sobre o romance *Os irmãos Karamazov* mostrando o quanto este reduplica, de alguma forma, a conflitiva psíquica do seu autor. Este ensaio é dividido em duas partes. Na primeira, discorre sobre o universo psíquico de Dostoiévski indicando o quanto podemos encontrar no romance os traços de masoquismo, sentimento de culpa e toda a conflitiva edípica ali presente com o assassinato do pai. Na segunda parte, se detém particularmente sobre a questão do jogo, que como sabemos era um dos vícios de Dostoiévski e o que o levou muitas vezes à ruína. Contudo, curiosamente, neste ponto abandona momentaneamente a obra do autor russo e traz para a análise um conto de Stefan Zweig, *24 horas na vida de uma mulher*, onde esta questão do jogo está em pauta. Contrariamente a outros textos onde a arte anunciava uma possibilidade de triunfo em relação ao sintoma, neste ensaio, Freud indica que a arte não foi suficiente para salvar o escritor russo do sofrimento psíquico. "Dostoiévski não quis se tornar um mestre e um libertador dos homens, ele se associou ao seu carcereiro; ele pensou muito pouco sobre o futuro cultural dos homens. Isso provavelmente pode mostrar que ele, por sua neurose, foi condenado a tal treva" (neste livro, p. 286). Contudo, não podemos nos precipitar e fazer uma transposição direta da vida para a obra. A ficção sofre os efeitos do recalque, e Freud estava atento a isto, pois neste mesmo texto escreve que "sem atenuação e ocultamento, a reelaboração poética não é possível" (neste livro, p. 299). *Os irmãos Karamazov* junto com *Édipo Rei*, de Sófocles, e *Hamlet*, de Shakespeare, apresentam o tema do assassinato do pai colocando em pauta um dos eixos de toda a teoria freudiana: o complexo de Édipo.

Um dos textos desta coletânea que mais nos esclarece sobre a hipótese freudiana acerca do motor dos processos criativos é "O poeta e o fantasiar" de 1908. Neste ensaio Freud mostra que o trabalho do poeta consiste em recuperar a potência de invenção presente em todo o brincar infantil. Esta recuperação é fundamental, uma vez que se tornar adulto implica uma renúncia ao ganho de prazer que a brincadeira outrora trazia. A criança, ao brincar, experimenta o fundamento mesmo do ato criativo, pois tem a capacidade, o talento e a liberdade de fazer com que uma coisa se transforme em outra coisa: "toda criança brincando se comporta como um poeta, na medida em que ela cria seu próprio mundo, melhor dizendo, transpõe as coisas do seu mundo para uma nova ordem, que lhe agrada" (neste livro, p. 56).

A tese de Freud é que se tornar adulto implica necessariamente incorporar a instância da lei e dos códigos sociais, nos fazendo traçar uma espécie de barreira-limite no trânsito entre o campo da fantasia e o da realidade. O poeta seria então uma espécie de "guardião das metamorfoses" para evocarmos uma expressão de Elias Canetti (1990, p. 280), que, ao recuperar este infantil perdido, reinstaura a potência do fantasiar na construção do mundo. Freud é muito preciso neste ponto ao escrever em determinado momento neste texto o seguinte: "O poeta faz algo semelhante à criança que brinca; ele cria um mundo de fantasia que leva a sério, ou seja, um mundo formado por grande mobilização afetiva, na medida em que se distingue rigidamente da realidade" (neste livro, p. 56).

Em "Uma lembrança de infância de Leonardo da Vinci" vemos o espírito do grande pesquisador que era Freud ao buscar uma infinidade de detalhes tanto na vida como na obra de Leonardo para mostrar o quanto sua história reverbera em suas criações artísticas. Um dos eixos deste belo texto é uma lembrança de infância do artista que surge no momento em que redigia um texto de investigação sobre o voo dos abutres. Leonardo evoca então a imagem de um abutre que teria descido até ele, aberto sua boca e batido inúmeras vezes com a cauda em seus lábios. Freud parte da hipótese de que não se trataria ali de uma lembrança mas de uma fantasia [*eine Phantasie*]. Assim, discorre sobre a forma como o psiquismo desenha, para cada um, um tecido de fantasias e os destinos que damos a elas.

Em uma carta de 17 de outubro de 1909 endereçada a Jung, Freud menciona a "exemplaridade do inacabado" que é encontrada em Leonardo da Vinci. Podemos inicialmente evocar três hipóteses sobre o sentido deste inacabado se nos detivermos na relação entre artista e obra. Uma primeira possibilidade seria pensar que toda obra traz nela mesma uma dimensão de inacabado. Dito de outra forma, o inacabamento seria constitutivo de todo ato de criação na medida em que este não dá conta integralmente das intenções do artista. Uma segunda possibilidade seria pensar o inacabado da obra como o resultado da intenção mesma do artista. Neste caso, o artista buscaria transmitir, através de sua obra, uma sensação de inacabado. Aqui veríamos o trabalho do estilo do artista dando forma à ideia de fragmento como fundamental na obra. Uma terceira possibilidade seria pensar o "inacabado" como sintoma do artista, ou seja, como algo que faria obstáculo a seu trabalho e o impediria de levar sua obra a termo.

É evidente que estas três possibilidades não se situam no mesmo plano. Podemos caracterizar a primeira possibilidade como da ordem do universal e do necessário, a segunda como obra de um estilo e a terceira como obra de um sintoma. Freud privilegia este terceiro caminho e constrói uma longa narrativa repleta de detalhes da vida de Leonardo, mostrando o quanto a sua arte surge de um profundo embate pulsional. Podemos ler neste ensaio uma ampla explanação sobre o conceito de sublimação. Para Freud, o interesse de Leonardo pela arte e pela ciência se deve, em parte, às suas pesquisas sexuais infantis. Neste ponto, este texto recupera algumas ideias já desenvolvidas por Freud em *Três ensaios sobre a teoria da sexualidade* (1905). Freud vai percorrer inúmeros estudos e biografias sobre Leonardo. Concentra sua análise basicamente em duas pinturas: *Mona Lisa* (1503-1507) e *A virgem e o menino com Sant'Ana* (1508). Na primeira, discorre longamente sobre o enigma do sorriso desta célebre pintura, associando este sorriso ao da mãe de Leonardo. Na pintura de Sant'Ana, apresenta uma série de hipóteses tendo sempre como ponto de partida a lembrança de infância de Leonardo do abutre em sua boca. Freud agregou em 1923 uma nota ao texto com uma observação de Oskar Pfister que identifica o contorno do abutre no centro do quadro atravessado entre os três personagens representados. Isto nos mostra o quanto os textos de Freud continuaram em elaboração mesmo depois de publicados e são inúmeros os acréscimos e modificações que ele vai fazendo no percurso de sua vida. Mesmo que Freud tenha evidenciado o quanto as particularidades da história de vida do artista reverberam nas formas de sua criação, não podemos deduzir daí que a vocação do método psicanalítico, no diálogo com a arte, fosse apenas de nos esclarecer sobre os processos psicopatológicos dos artistas. Freud era muito mais ambicioso. Ele trouxe uma nova contribuição sobre os motores da criação artística abrindo assim novas reflexões para o campo da estética.

Mesmo que tenhamos, hoje, de ter todo o cuidado de não adotarmos exclusivamente o método freudiano da leitura da obra de arte como regra, ou seja, partir da biografia e história do seu autor para compreender a obra, não podemos deixar de reconhecer o sentido e a beleza deste ensaio e o esforço de Freud em fundamentar tanto quanto possível suas hipóteses. Como ele escreve em determinado momento do texto "Um certo mergulho nesse quadro, chega ao espectador, como um súbito entendimento: apenas Leonardo poderia pintar esse quadro, apenas ele poderia transformar em arte a fantasia do abutre. Nessa imagem, está introduzida a síntese de sua história infantil; as particularidades da mesma são esclarecidas por todas as impressões mais pessoais da vida de Leonardo" (1910, p. 184).

Talvez mais importante do que um debate da pertinência desta ou daquela interpretação o que estava em jogo é mostrar a consistência de sua hipótese sobre o papel da pulsão sexual infantil na obra de Da Vinci. Escreve Freud: "Durante toda a sua vida, o grande Leonardo permaneceu em muitos aspectos, infantil: pode-se dizer que todos os grandes homens conservam algo de infantil" (p. 195).

São muitas as perguntas que Freud nos deixa nesta coletânea de textos. Em que medida a arte pode nos abrir caminhos na clínica psicanalítica? Que aproximações podemos fazer entre o trabalho do artista e o trabalho do psicanalista? Que contribuição a Psicanálise traz na relação entre tempo e finitude? Tem a arte o poder de atenuar o sofrimento psíquico? Quais os mecanismos de identificação que o artista coloca em cena na construção de suas histórias para capturar a atenção do leitor?

Nos textos presentes neste volume, o leitor encontrará alguns indícios de respostas. Vemos, por exemplo, que em "Uma lembrança de infância em *Poesia e Verdade*" Freud mostra como a lembrança de Goethe é muito similar a de um de seus pacientes. Em "Transitoriedade" dialoga brevemente com o poeta Rainer Maria Rilke, a quem ele descreve como "um amigo taciturno" indicando a função da finitude como essencial no valor que atribuímos às coisas. Trata-se ali de pensar a importância do trabalho psíquico que o luto realiza. "O valor da transitoriedade é raro em nossa época. A limitação das possibilidades de fruição eleva sua preciosidade" escreve Freud (neste livro, p. 224). Em "Personagens psicopáticos no palco" podemos acompanhar a gramática afetiva que a literatura coloca em cena e que abre caminho para que os espectadores/leitores se identifiquem com os heróis das narrativas.

Com estas reflexões Freud abriu um vasto campo de pesquisa, que cada vez mais nos convoca a continuar ampliando esta potente intersecção entre o campo da arte e o da Psicanálise. São inúmeras as publicações que se dedicam a este profícuo diálogo e hoje já temos elementos suficientes para que possamos deduzir de todos estes estudos os princípios norteadores de uma estética freudiana. O artista e o psicanalista interpelam as lógicas de significação instituídas tentando abrir frestas nas formas compactas do que constituem o mundo e nossos sintomas, para que novos sentidos e novas imagens surjam. Freud sempre foi incansável nesta busca e cabe a nós dar continuidade a esta tarefa. Nestes textos encontramos uma preciosa caixa de ferramentas. Como lembra René

Passeron (2001, p. 11), a arte cumpre a função de uma espécie de curativo do vazio, vazio que não cicatriza. Por isto, estamos diante de um trabalho sem trégua e que não pode ficar restrito somente aos artistas. Freud, de alguma forma, indica que todos deveriam colocar esta tarefa diante de si, na medida em que o trabalho psíquico coloca em cena materiais similares ao que o artista utiliza para realizar suas obras. Assim ele nos provoca com a imagem do poeta que cada um guarda dentro de si. "Em cada um existe um poeta escondido e que o último poeta deverá morrer junto com o último homem" (neste livro, p. 55-56)

REFERÊNCIAS

BRACCO, Mariangela. Freud e o Prêmio Goethe. *Jornal de Psicanálise*, v. 44, n. 81, São Paulo, dez. 2011.

CANETTI, Elias. *A consciência das palavras*. Trad. Márcio Suzuki e Herbert Caro. São Paulo: Companhia das Letras, 1990.

DUCHAMP, Marcel. O ato criador. In: BATTOCK, Gregory. *A nova arte*. São Paulo: Perspectiva, 1975.

FREUD, Sigmund. Das Interesse an der Psychoanalyse [O interesse pela Psicanálise]. In: *Gesammelte Werke – Chronologisch geordnet*. Frankfurt am Main: Fischer Verlag, 1913/1999.

FREUD, Sigmund. Der Dichter und das Phantasieren [O poeta e o fantasiar]. In: *Gesammelte Werke – Chronologisch geordnet*. Frankfurt am Main: Fischer Verlag, 1908/1999.

FREUD, Sigmund. Der Moses des Michelangelo [O Moisés, de Michelangelo]. In: *Gesammelte Werke – Chronologisch geordnet*. Frankfurt am Main: Fischer Verlag, 1914/1999.

FREUD, Sigmund. Dostojewski und die Vatertotung [Dostoiévski e o parricídio]. In: *Gesammelte Werke – Chronologisch geordnet*. Frankfurt am Main: Fischer Verlag, 1928/1999.

FREUD, Sigmund. Eine Kindheitserinnerung des Leonardo da Vinci [Uma lembrança de infância de Leonardo da Vinci]. In: *Gesammelte Werke – Chronologisch geordnet*. Frankfurt am Main: Fischer Verlag, 1910/1999.

FREUD, Sigmund. Kurzer Abriss der Psychoanalyse [Breve compêndio de Psicanálise]. In: *Gesammelte Werke – Chronologisch geordnet*. Frankfurt am Main: Fischer Verlag, 1923/1999.

JONES, Ernest (1961). *Vida e obra de Sigmund Freud* (edição resumida). Rio de Janeiro: Zahar, 1979.

JONES, Ernest (1922). Carta de 14 de maio de 1922. In: *A vida e a obra de Sigmund Freud*. Trad. Júlio Guimarães. Rio de Janeiro: Imago, 1989. v. 3.

PASSERON, René. Por uma poianálise. In: SOUSA, Edson; TESSLER, Elida; SLAVUTZKY, Abrão (Org.) *A invenção da vida – Arte e Psicanálise*. Porto Alegre: Artes e Ofícios, 2001.

RILKE, Rainer Maria. *Cartas sobre Cézanne*. Trad. Pedro Süssekind. Rio de Janeiro: 7Letras, 2006

RILKE, Rainer Maria. Elegias de Duíno. Trad. Dora Ferreira da Silva. São Paulo: Globo, 2001.

TAVARES, Pedro Heliodoro. *Freud & Schnitzler: sonho sujeito ao olhar*. São Paulo: Annablume, 2007.

OBRAS INCOMPLETAS
DE SIGMUND FREUD

A célebre "enciclopédia chinesa" referida por Borges dividia os animais em: "a) pertencentes ao imperador; b) embalsamados, c) domesticados, d) leitões, e) sereias, f) fabulosos, g) cães em liberdade, h) incluídos na presente classificação, i) que se agitam como loucos, j) inumeráveis, k) desenhados com um pincel muito fino de pelo de camelo, l) *et cetera*, m) que acabam de quebrar a bilha". A coleção Obras Incompletas de Sigmund Freud é um convite para que o leitor estranhe as taxionomias sacramentadas pelas tradições de escolas e de editores; classificações que incluem e excluem obras do "cânone" freudiano através do apaziguador adjetivo "completas"; que dividem a obra em classes consagradas, tais como "publicações pré-psicanalíticas", "artigos metapsicológicos", "escritos técnicos", "textos sociológicos", "casos clínicos", "outros trabalhos", etc. Como se um texto sobre a cultura ou sobre um artista não fosse também um documento clínico, ou se um escrito técnico não discutisse importantes questões metapsicológicas, ou se trabalhos como *Sobre a concepção das afasias*, por exemplo, simplesmente jamais tivessem sido escritos.

A tradução e a edição da obra de Freud envolvem múltiplos aspectos e dificuldades. Ao lado do rigor filológico e do cuidado estilístico, ao menos em igual proporção, deve figurar a precisão conceitual. Embora Freud seja um escritor talentoso, tendo sido agraciado com o Prêmio Goethe, entre outros motivos, pela qualidade literária de sua prosa científica, seus textos fundamentam uma prática: a clínica psicanalítica. É claro que os conceitos que emanam da Psicanálise também interessam, em maior ou menor grau, a áreas conexas, como a crítica social, a teoria literária, a prática filosófica, etc. Nesse sentido, uma tradução nunca é neutra ou anódina. Isso porque existem dimensões não apenas linguísticas (terminológicas, semânticas, estilísticas) envolvidas na tradução, mas também éticas, políticas, teóricas e, sobretudo, clínicas. Assim, escolhas terminológicas não são sem efeitos práticos. Uma clínica calcada na teoria da "pulsão" não se pauta pelos mesmos princípios de uma clínica dos "instintos", para tomar apenas o exemplo mais eloquente.

A tradução de Freud – autor tão multifacetado – deve ser encarada de forma complexa. Sua tradução não envolve somente o conhecimento das duas línguas e uma boa técnica de tradução. Do texto de Freud se traduz também o substrato teórico que sustenta uma prática clínica amparada nas capacidades transformadoras da palavra. A questão é que, na estilística de Freud e nas suas opções de vocabulário, via de regra, forma e conteúdo confluem. É fundamental, portanto, proceder à "escuta do texto" para que alguém possa desse autor se tornar "intérprete".

Certamente, há um clamor por parte de psicanalistas e estudiosos de Freud por uma edição brasileira que respeite a fluência e a criatividade do grande escritor, sem se descuidar da atenção necessária ao já tão amadurecido debate acerca de um "vocabulário brasileiro" relativo à metapsicologia freudiana. De fato, o leitor, acostumado a um estranho método de leitura, que requer a substituição mental de alguns termos fundamentais, como "instinto" por "pulsão", "repressão" por "recalque", "ego" por "eu", "id" por "isso", não raro perde o foco do que está em jogo no texto de Freud.

Se tradicionalmente as edições de Freud se dico-tomizam entre as "edições de estudo", que afugentam o leitor não especializado, e as "edições de divulgação", que desagradam o leitor especializado, procurou-se aqui evitar tais extremos. Quanto à prosa ou ao estilo freudianos, procurou-se preservar ao máximo as construções das fra-ses evitando "ambientações" desnecessárias, mas levando em conta fundamentalmente as consideráveis diferenças sintáticas entre as línguas.

A presente tradução, direta do alemão, envolve uma equipe multidisciplinar de tradutores e consulto-res, composta por eminentes profissionais oriundos de diversas áreas, como a Psicanálise, as Letras e a Filosofia. O trabalho de tradução e a revisão técnica de todos os volumes é coordenado pelo psicanalista e germanista Pe-dro Heliodoro Tavares, encarregado também de fixar as diretrizes terminológicas da coleção. O projeto é guiado pelos princípios editoriais propostos pelo psicanalista e filósofo Gilson Iannini.

A coleção Obras Incompletas de Sigmund Freud não pretende apenas oferecer uma nova tradução, direta do alemão e atenta ao *uso* dos conceitos pela comunidade psicanalítica brasileira. Ela pretende ainda oferecer uma nova maneira de organizar e de tratar os textos.

A coleção se divide em duas vertentes principais: uma série de volumes organizados tematicamente, ao lado de outra série dedicada a volumes monográficos. Cada volume recebe um tratamento absolutamente singular, que determina se a edição será bilíngue ou não e o volume de paratexto e notas, conforme as exigências impostas a cada caso. Uma ética pautada na clínica.

Gilson Iannini
Editor e coordenador da coleção

Pedro Heliodoro Tavares
*Coordenador da coleção
e coordenador de tradução*

Conselho editorial
*Ana Cecília Carvalho
Antônio Teixeira
Claudia Berliner
Christian Dunker
Claire Gillie
Daniel Kupermann
Edson L. A. de Sousa
Emiliano de Brito Rossi
Ernani Chaves
Glacy Gorski
Guilherme Massara
Jeferson Machado Pinto
João Azenha Junior
Kathrin Rosenfield
Luís Carlos Menezes
Maria Rita Salzano Moraes
Marcus Coelen
Marcus Vinícius Silva
Nelson Coelho Junior
Paulo César Ribeiro
Romero Freitas
Romildo do Rêgo Barros
Sérgio Laia
Tito Lívio C. Romão
Vladimir Safatle
Walter Carlos Costa*

VOLUMES TEMÁTICOS

I - Psicanálise

- O interesse pela Psicanálise [1913]
- História do movimento psicanalítico [1914]
- Psicanálise e Psiquiatria [1917]
- Uma dificuldade da Psicanálise [1917]
- A Psicanálise deve ser ensinada na universidade? [1919]
- "Psicanálise" e "Teoria da libido" [1922-1923]
- Breve compêndio de Psicanálise [1924]
- As resistências à Psicanálise [1924]
- "Autoapresentação" [1924]
- Psico-Análise [1926]
- Sobre uma visão de mundo [1933]

II - Fundamentos da clínica psicanalítica

Publicado em 2017 | Tradução de Claudia Dornbusch

- Tratamento psíquico (tratamento anímico) [1890]
- O método psicanalítico freudiano [1903]
- Sobre psicoterapia [1904]
- Sobre Psicanálise selvagem [1910]
- Recomendações ao médico para o tratamento psicanalítico [1912]
- Sobre a dinâmica da transferência [1912]
- Sobre o início do tratamento (Novas recomendações sobre a técnica da Psicanálise I) [1913]
- Recordar, repetir e perlaborar (Novas recomendações sobre a técnica da Psicanálise II) [1914]
- Observações sobre o amor transferencial (Novas recomendações sobre a técnica da Psicanálise III) [1914]
- Sobre fausse reconnaissance (déjà raconté) no curso do trabalho psicanalítico [1914]
- Caminhos da terapia psicanalítica [1918]
- A questão da análise leiga [1926]
- Análise finita e infinita [1937]
- Construções em análise [1937]

III - Conceitos fundamentais da Psicanálise

- Cartas e rascunhos
- O mecanismo psíquico do esquecimento [1898]
- Lembranças encobridoras [1899]

- Formulações sobre dois princípios do acontecer psíquico [1911]
- Algumas considerações sobre o conceito de inconsciente na Psicanálise [1912]
- Para introduzir o narcisismo [1914]
- As pulsões e seus destinos [1915]
- O recalque [1915]
- O inconsciente [1915]
- A transferência [1917]
- Além do princípio de prazer [1920]
- O Eu e o Isso [1923]
- Nota sobre o bloco mágico [1925]
- A decomposição da personalidade psíquica [1933]

IV - Sonhos, sintomas e atos falhos

- Sobre o sonho [1901]
- Manejo da interpretação do sonho [1911]
- Sonhos e folclore [1911]
- Um sonho como meio de comprovação [1913]
- Material de contos de fadas em sonhos [1913]
- Complementação metapsicológica à doutrina dos sonhos [1915]
- Uma relação entre um símbolo e um sintoma [1916]
- Os atos falhos [1916]
- O sentido do sintoma [1917]
- Os caminhos da formação de sintoma [1917]
- Observações sobre teoria e prática da interpretação de sonhos [1922]
- Algumas notas posteriores à totalidade da interpretação do sonho [1925]
- Inibição, sintoma e angústia [1925]
- Revisão da doutrina dos sonhos [1933]
- As sutilezas de um ato falho [1935]
- Distúrbio de memória na Acrópole [1936]

V - Histórias clínicas

- Fragmento de uma análise de histeria (Caso Dora) [1905]
- Análise de fobia em um menino de cinco anos (Caso Pequeno Hans) [1909]
- Considerações sobre um caso de neurose obsessiva (Caso Homem dos Ratos) [1909]

- Considerações psicanalíticas sobre um caso de paranoia relatado de forma autobiográfica [Dementia Paranoides] (Caso Presidente Schreber) [1911]
- História de uma neurose infantil (Caso Homem dos Lobos) [1914]

VI - Histeria, obsessão e outras neuroses

- Cartas e rascunhos
- Sobre o mecanismo psíquico dos fenômenos histéricos [1893]
- Obsessões e fobias: seu mecanismo psíquico e sua etiologia [1894]
- As neuropsicoses de defesa [1894]
- Observações adicionais sobre as neuropsicoses de defesa [1896]
- A etiologia da histeria [1896]
- A hereditariedade e a etiologia das neuroses [1896]
- A sexualidade na etiologia das neuroses [1898]
- Minhas perspectivas sobre o papel da sexualidade na etiologia das neuroses [1905]
- Atos obsessivos e práticas religiosas [1907]
- Fantasias histéricas e sua ligação com a bissexualidade [1908]
- Considerações gerais sobre o ataque histérico [1908]
- Caráter e erotismo anal [1908]
- O romance familiar dos neuróticos [1908]
- A disposição para a neurose obsessiva: uma contribuição ao problema da escolha da neurose [1913]
- Paralelos mitológicos de uma representação obsessiva visual/plástica [1916]
- Sobre transposições da pulsão, especialmente no erotismo anal [1917]

VII - Neurose, psicose, perversão

Publicado em 2016 | Tradução de Maria Rita Salzano Moraes

- Cartas e rascunhos
- Sobre o sentido antitético das palavras primitivas [1910]
- Sobre tipos neuróticos de adoecimento [1912]
- Luto e melancolia [1915]
- Comunicação sobre um caso de paranoia que contraria a teoria psicanalítica [1915]
- "Bate-se numa criança" [1919]
- Sobre a psicogênese de um caso de homossexualidade feminina [1920]
- Sobre alguns mecanismos neuróticos no ciúme, na paranoia e na homossexualidade [1922]

- Uma neurose demoníaca no século XVII [1922]
- O declínio do complexo de Édipo [1924]
- A perda da realidade na neurose e na psicose [1924]
- Neurose e psicose [1924]
- O problema econômico do masoquismo [1924]
- A negação [1925]
- O fetichismo [1927]

VIII - Arte, literatura e os artistas
Publicado em 2015 | Tradução de Ernani Chaves

- Personagens psicopáticos no palco [1905]
- O poeta e o fantasiar [1907]
- Uma lembrança de infância de Leonardo da Vinci [1910]
- O motivo da escolha dos três cofrinhos [1913]
- Moisés de Michelangelo [1914]
- Transitoriedade [1915]
- Alguns tipos de caráter no trabalho analítico [1916]
- Uma lembrança de infância em "Poesia e verdade" [1917]
- O humor [1927]
- Dostoiévski e o parricídio [1927]
- Prêmio Goethe [1930]

IX - Amor, sexualidade e feminilidade
Publicado em 2018 | Tradução de Maria Rita Salzano Moraes

- Cartas sobre a bissexualidade (1898 -1904)
- Sobre o esclarecimento sexual das crianças [1907]
- Teorias sexuais infantis [1908]
- Contribuições para a psicologia do amor [1910]
  a) Sobre um tipo especial de escolha objetal no homem
  b) Sobre a mais geral degradação da vida amorosa
  c) O tabu da virgindade
- Duas mentiras contadas por crianças [1913]
- A vida sexual dos seres humanos [1916]
- Desenvolvimento da libido e organização sexual [1916]
- Organização genital infantil [1923]
- O Declínio do Complexo de Édipo (1924)
- Algumas consequências psíquicas da distinção anatômica entre os sexos [1925]
- Sobre tipos libidinais [1931]
- Sobre a sexualidade feminina [1931]

- A feminilidade [1933]
- Carta a uma mãe preocupada com a homossexualidade de seu filho (1935)

X - Cultura, sociedade, religião: O mal-estar na cultura e outros escritos
Publicado em 2020 | Tradução de Maria Rita Salzano Moraes

- A moral sexual "civilizada" e doença nervosa [1908]
- Considerações contemporâneas sobre guerra e morte [1915]
- Psicologia de massas e análise do Eu [1921]
- O futuro de uma ilusão [1927]
- Uma vivência religiosa [1927]
- O mal-estar na cultura [1930]
- Sobre a conquista do fogo [1931]
- Por que a guerra? [1932]
- Comentário sobre o antissemitismo [1938]

VOLUMES MONOGRÁFICOS

- **As pulsões e seus destinos [edição bilíngue]**
  Publicado em 2013 | Tradução de Pedro Heliodoro Tavares
- **Sobre a concepção das afasias**
  Publicado em 2013 | Tradução de Emiliano de Brito Rossi
- **Compêndio de Psicanálise e outros escritos inacabados**
  Publicado em 2014 | Tradução de Pedro Heliodoro Tavares
- **O infamiliar (edição bilíngue). Seguido de "O homem da areia" (de E.T.A. Hoffmann)**
  Publicado em 2019 | Tradução de Ernani Chaves e
  Pedro Heliodoro Tavares
- **Além do princípio de prazer (edição bilíngue)**
- **O delírio e os sonhos na "Gradiva" de Jensen. Seguido de "Gradiva" (de W. Jensen)**
- **Três ensaios sobre a teoria sexual**
- **Psicopatologia da vida cotidiana**
- **O chiste e sua relação com o inconsciente**
- **Estudos sobre histeria**
- **Cinco lições de Psicanálise**
- **Totem e tabu**
- **O homem Moisés e a religião monoteísta**
- **A interpretação do sonho**

Edson Luiz André de Sousa

Psicanalista. Professor titular do Departamento de Psicanálise e Psicopatologia da Universidade Federal do Rio Grande do Sul (UFRGS). Professor do PPG Psicanálise: Clínica e Cultura e do PPG Psicologia Social (UFRGS). Pós-Doutor pela Universidade Paris VII e pela École des Hautes Études en Sciences Sociales (EHESS). Pesquisador do CNPq. Analista membro da Associação Psicanalítica de Porto Alegre (APPOA). Publicou *Uma invenção da utopia* (Lumme) e *Freud: Ciência, Arte e Política*, em coautoria com Paulo Endo (L&PM).

Ernani Chaves

Professor da Faculdade de Filosofia da Universidade Federal do Pará (UFPA), onde é professor permanente do PPG em Filosofia, do PPG em Antropologia e colaborador no PPG em Psicologia. Pesquisador do CNPq, realizou estágio de pós-doutorado na Universidade Técnica de Berlim e na Bauhaus-Universität, de Weimar, na Alemanha. Foi pesquisador visitante na Universidade Técnica de Berlim. Autor de *No limiar do moderno: estudos sobre Friedrich Nietzsche e Walter Benjamin* (Paka-Tatu) e *Michel Foucault e a verdade cínica* (Phi). Publicou artigos e capítulos de livros no Brasil e no exterior. Tradutor de Friedrich Nietzsche, Walter Benjamin e Sigmund Freud.

Copyright da organização © 2015 Gilson Iannini e Pedro Heliodoro Tavares

Títulos originais: *Der Moses des Michelangelo. Schriften über Kunst und Künstler; Eine Kindheitserinnerung des Leonardo da Vinci; Der Humor*

Todos os direitos reservados pela Autêntica Editora Ltda. Nenhuma parte desta publicação poderá ser reproduzida, seja por meios mecânicos, eletrônicos ou em cópia reprográfica, sem a autorização prévia da Editora.

EDITOR DA COLEÇÃO
Gilson Iannini

EDITORA RESPONSÁVEL
Rejane Dias

EDITORA ASSISTENTE
Cecília Martins

SELEÇÃO DE TEXTOS
*Ernani Chaves, Gilson Iannini,
Pedro Heliodoro Tavares*

REVISÃO DE TRADUÇÃO
Pedro Heliodoro Tavares

REVISÃO TÉCNICA
Gilson Iannini

REVISÃO DE TEXTO
Lira Córdova

PROJETO GRÁFICO E CAPA
*Diogo Droschi (sobre imagem
Sigmund Freud's Study –
Authenticated News)*

DIAGRAMAÇÃO
Christiane Morais

**Dados Internacionais de Catalogação na Publicação (CIP)
(Câmara Brasileira do Livro, SP, Brasil)**

Freud, Sigmund, 1856-1939.
   Arte, literatura e os artistas / Sigmund Freud ; tradução Ernani Chaves. -- 1. ed.;
5. reimp. -- Belo Horizonte : Autêntica, 2024. -- (Obras Incompletas de Sigmund
Freud ; 3)

   Títulos originais: Der Moses des Michelangelo. Schriften über Kunst und Künstler;
Eine Kindheitserinnerung des Leonardo da Vinci; Der Humor

   ISBN 978-85-8217-603-0

   1. Ensaios psicanalíticos 2. Freud, Sigmund, 1856-1939 I. Título.

15-08097   CDD-150.195

Índices para catálogo sistemático:
1. Ensaios psicanalíticos   150.195

◎ GRUPO **AUTÊNTICA**

Belo Horizonte
Rua Carlos Turner, 420
Silveira . 31140-520
Belo Horizonte . MG
Tel.: (55 31) 3465 4500

São Paulo
Av. Paulista, 2.073, Conjunto Nacional
Horsa I . Sala 309 . Bela Vista
01311-940 São Paulo . SP
Tel.: (55 11) 3034 4468

www.grupoautentica.com.br
SAC: atendimentoleitor@grupoautentica.com.br

Este livro foi composto com tipografia Bembo Std e impresso
em papel Off-White 70 g/m² na Formato Artes Gráficas.